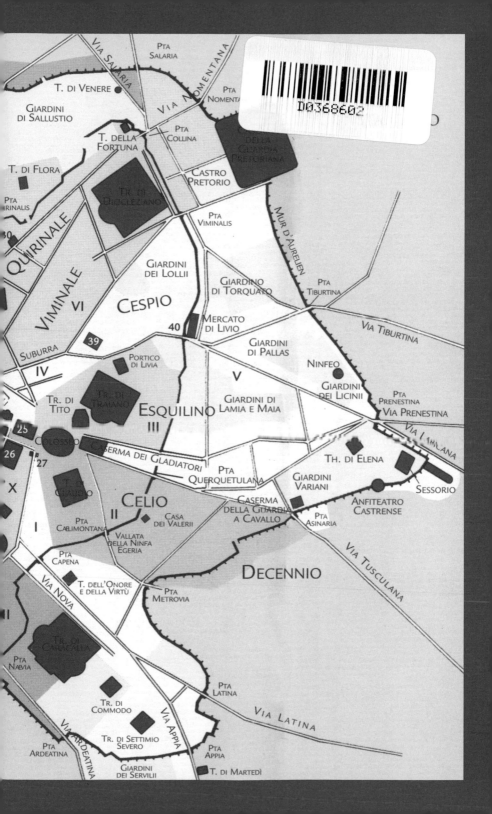

Terug in Rome

Rosita Steenbeek

Terug in Rome

UITGEVERIJ DE ARBEIDERSPERS
AMSTERDAM · ANTWERPEN

Uitgeverij De Arbeiderspers stelt alles in het werk om op milieuvriendelij-
ke en duurzame wijze met natuurlijke bronnen om te gaan. Bij de productie
van dit boek is gebruikgemaakt van papier dat het keurmerk van de Forest
Stewardship Council (FSC) mag dragen. Bij dit papier is het zeker dat de productie niet tot bosvernietiging heeft geleid.

Dit boek is mede tot stand gekomen dankzij een werkbeurs van
de Stichting Fonds voor de Letteren.

Copyright © 2008 Rosita Steenbeek

Niets uit deze uitgave mag worden verveelvoudigd en/of openbaar gemaakt,
door middel van druk, fotokopie, microfilm of op welke andere wijze ook, zonder voorafgaande schriftelijke toestemming van BV Uitgeverij De Arbeiderspers, Herengracht 370-372, 1016 CH Amsterdam. *No part of this book may be
reproduced in any form, by print, photoprint, microfilm or any other means, without
written permission from BV Uitgeverij De Arbeiderspers, Herengracht 370-372,
1016 CH Amsterdam.*

Omslagontwerp: Bram van Baal
Omslagfoto: Art Khachatrian

ISBN 978 90 295 6607 0 / NUR 320
www.arbeiderspers.nl

Inhoud

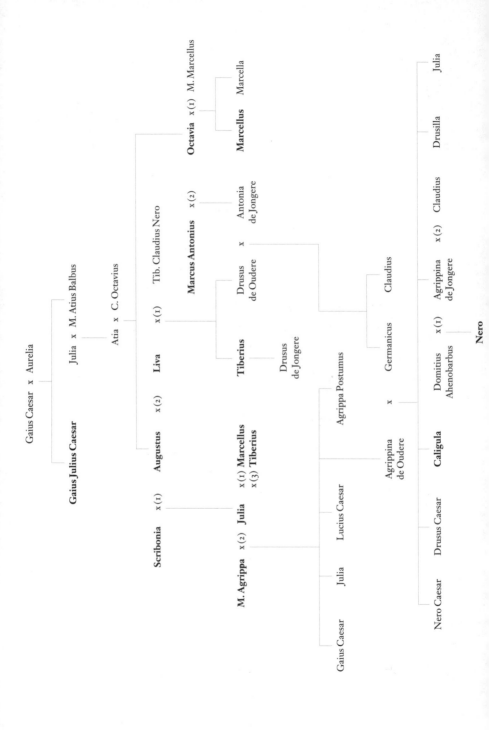

Terug in Rome

'Ik ben gescheiden,' zegt de weelderige taxichauffeuse die me van het vliegveld Leonardo da Vinci terugbrengt naar huis. Ze nodigde me meteen uit naast haar te komen zitten en bood me een pepermuntje aan. 'Na twintig jaar.' Ze zegt het opgewekt. 'Het was wel moeilijk met twee kleine kinderen. Gelukkig werkte ik al. Maar ik voelde me bevrijd. Hij was een kind. Voortdurend met andere vrouwen en dan drukte hij mij in de rol van de moeder die gaat gillen omdat haar kind een snoepje heeft gepikt. Volstrekt onvolwassen. Hij was mooi maar hij kon niet praten en hij kon zijn mond niet houden. Daarna ben ik vijf jaar met een man geweest die ik elke vrouw toewens. Zo gevoelig, zo warm, zo zorgzaam, seks en liefde tugelijk. Hij is overleden, kanker, al twaalf jaar geleden. Heel verdrietig, maar hij is nog steeds bij me. Vaak zeggen mensen: "Assunta, neem een vriend, al is het maar voor het gezelschap." Ik heb er geen behoefte aan, hij vervult me nog steeds.'

We rijden langs de San Paolo fuori le mura, waarvan de gouden mozaïeken glanzen in de late middagzon, langs de Thermen van Caracalla, het Circus Maximus.

'Altijd weer een sensatie om de stad binnen te rijden.'

'Voor mij ook,' zegt Assunta, 'ook al ben ik hier geboren. Vooral met dit licht als alles goud kleurt. Ik heb ook lang in de Alta Moda gewerkt, als manager. Altijd naar de laatste mode gekleed, haar tot op mijn billen. Iedereen dacht dat ik de overspelige was. Zie je dat paard? Daarbinnen heeft mijn opa een feestje gehad.'

Ze wijst op het ruiterstandbeeld van Vittorio Emanuele dat voor het Vittoriano staat, dat pompeuze imitatieklassieke bouwwerk, ook wel 'suikertaart' of 'tikmachine' genoemd, dat werd opgetrokken om te vieren dat Italië in 1870 één was geworden.

'Toen het beeld eindelijk af was, hebben alle medewerkers in dat paard geborreld. Ze waren met een stuk of twintig.'

'Je zou niet zeggen dat het zo groot was.'

'Er is een stel kanonnen voor omgesmolten, ter beschikking gesteld door het ministerie van Oorlog.' Meestal was het andersom en werd kunst omgesmolten tot kanonnen.

'Het beeld is gemaakt in het mausoleum van Augustus. Dat is een tijdlang een atelier geweest.'

Op een groot affiche lees ik dat je op het terras van de vierspannen kunt uitkijken over Rome. Vanaf mijn dakterras heb ik het volle zicht op die wagens, de ene met de Vrijheid aan de teugels, de andere met de Eenheid van Italië. Leuk om het eens van de andere kant te bekijken.

'Ik ben onder dat bouwwerk geweest,' vertel ik. 'Er is een labyrint van gangen. In de oorlog was het een schuilplaats, zelfs voorzien van een klein ziekenhuisje en veel sporen van de Oudheid natuurlijk.'

Er is veel voor gesneuveld, voor dat monsterlijke gebouw. Ook het huis waar Michelangelo woonde werd opgeofferd. Soms is er weer sprake van dat het afgebroken moet worden, maar tot nu toe wint het standpunt dat het inmiddels deel is geworden van de geschiedenis van Rome, net zoals de veelal vernietigende ingrepen van Mussolini.

'Ik vind het jammer dat we er bijna zijn,' zegt Assunta.

Op de hoek van mijn straatje is een nieuwe tent gekomen. 'Rossopomodoro' staat er in felrode letters boven. 'Pizza Napolitana'. Het ziet er wel vrolijk uit. Achter de ramen staan potten tomaten opgestapeld en grote zakken meel. De rode lampionnen van de Chinees naast mijn huis zijn daarentegen dof geworden. Ze branden niet. Dat is voor het eerst in de zeventien jaar dat ik hier woon. Het rolluik is neer.

We stoppen voor Sint-Juliaan.

'Ik geef je mijn kaartje. Als je een avond van tevoren belt sta ik voor de deur wanneer je wilt en als ik niet kan, komt mijn zoon. Een sterke grote vent.'

Hij is vijfendertig en woont nog gezellig bij zijn moeder. Ze helpt me met mijn koffer. Ook zij is groot en sterk.

'Ik geef je een kus,' zegt ze, en kust me op beide wangen.

Ik ben weer helemaal thuis.

Op het rolluik van de Chinees hangt een papier met de mededeling dat het te huur is. Zolang ik hier woon, sinds 1990, waren ze mijn buren. Met veel dierbaren heb ik er gegeten als we een keer geen zin in Italiaans hadden. De kledingwinkel naast Sint-Juliaan heeft plaatsgemaakt voor een nagelstudio. Ik hoorde al dat de kledingwinkel failliet was, maar ook in de nagelstudio is niemand te bekennen.

Op mijn terrasje is het uitbundig groen. Het citroenboompje staat in volle bloei en er hangen een paar citroenen aan. De munt uit Luxor doet het goed in Rome en de Plumbago belooft weer heel veel hemelsblauw. De bougainville heeft een roze krans gevormd rond Jozef en zijn zoontje, die in glas in lood tussen de kerk en mijn terrasje staan.

In het aangrenzende theater repeteert een operazangeres. Beneden, in de zaal achter de kerk, speelt Massimiliano op het klavecimbel.

Simone staat twintig keer op het antwoordapparaat. Met de mededeling dat hij een nieuwe baan heeft in een *centro estetico*, een schoonheidsinstituut. Hij werkt daar als voetmasseur en wil mij ook graag 'het weldadige ontspannende effect' laten ervaren van een shiatsumassage met amandelolie. Een beste jongen, maar een beetje wonderlijk en geobsedeerd door voeten. Vroeger was het Luigi Pirandello die meteen op de stoep stond als ik terug was, vaak met een bos bloemen. Hij

9

is de kleinzoon van de grote Siciliaanse schrijver en Nobel-prijswinnaar, luistert naar dezelfde naam en is de beroemdste dakloze van Rome. Ik zal eens naar de mensa van de Caritas gaan om te vragen of zij iets over hem weten. Misschien is hij intussen herenigd met zijn moeder. Hij zag uit naar dat weer-zien in de hemel.

Ik ga een ommetje maken, een vast ritueel na mijn landing in Rome. In de hal bestudeer ik de lijst met barokconcerten voor het komende seizoen die gehouden worden in de kerk.

Als ik de deur uitga loop ik tegen mevrouw Spath op, mijn bovenbuurvrouw en de vertaalster van de laatste vier pausen. Een Oostenrijkse dame met een wandelstok en altijd elegant gekleed. Zij vertaalde hun Italiaans, Latijn, Frans, Spaans, Pools in het Duits. Vrolijk zei ze dat Benedictus xvi nu háár Duits spreekt. Ooit was ze als jonge classica naar Rome geko-men voor onderzoek en blijven hangen in het Vaticaan. Een uiterst interessante baan, vertelde ze me. Ze was mee geweest met de vorige paus op zijn eerste reis naar Polen en besefte meteen dat er erg belangrijke dingen gebeurden. Al snel ont-dekte ze dat er grote fouten werden gemaakt in de vertalin-gen van het Pools naar het Italiaans en daarom wierp ze zich op het Pools, zodat ze de woorden van de paus direct uit zijn mond kon vertalen. Tot mijn verrassing was ze niet katholiek maar luthers en een trouw bezoekster van de lutherse kerk in Rome. Ik ben er ook een paar keer geweest, het is een bloei-ende gemeente.

'Gaat u morgen Pinksteren vieren in de lutherse kerk?'

'Nee, ik ga naar het Pantheon, voor de rozenregen. Als u dat nog nooit hebt meegemaakt moet dat een keer gebeuren,' zegt ze. Een vriend van haar gaat voor. Ze had ook de huidige paus daar lang geleden horen preken en ze was in de ruimtes boven het Pantheon geweest. 'Daar zijn heel veel kamers. Ze wilden er een museum van maken maar dat ging niet door we-gens brandgevaar.'

De gezellige bar op de hoek van het Kattenforum is vervangen door een chic uitziend restaurant, maar er zit niemand aan de met wit damast gedekte tafeltjes. Ik loop erlangs, de Via dei Cestari in, de straat van de klerikale mode, en lees een eindje verder op een groot bord waar je bijna niet omheen kan: 'Suggestief tafelen tussen de resten van de Thermen van Agrippa.' Dat is nieuw. Antica Pizza di Agrippa is de naam van de eetgelegenheid. Hoe zou de grote bouwmeester, vlootaanvoerder en schoonzoon van keizer Augustus dat gevonden hebben? Ik dacht dat het enige overblijfsel van de Thermen die brokkelige antieke muur was die zo vreemd tussen latere huizen staat ingeklemd. Op de foto's zijn tafeltjes te zien tussen oude muren, maar als ik binnenkijk ziet het er zeer modern uit. Er zijn slechts een paar mensen, het is nog vroeg.

Er loopt een meisje rond, een man staat achter een lange vitrine vol pizza's en andere gerechten. Als ik zie dat hij kijkt stap ik naar binnen.

'Ik zie geen resten van de Thermen.'

'Beneden.'

'Ben erg benieuwd.'

'Ik wil het u wel even laten zien.'

Hij gaat me voor, de trap af. Het is meteen een stuk koeler. In een hoek tegen een oude muur is een schaal met zout neergezet, waarschijnlijk om vocht op te zuigen. Houten tafeltjes staan op een vloer van in visgraatmotief gevoegde stenen, onder een gewelf. De man wijst op een brokkelig stuk iets vooruitstekende muur en legt uit dat dat dezelfde muur is die je buiten ook ziet. Hier zijn we op het oorspronkelijke niveau van het oude Rome.

De restauratie heeft lang geduurd, vertelt hij. Archeologen hebben het allemaal gevolgd.

'Er moesten speciale stenen worden gebruikt waar we eindeloos op hebben gewacht. De tafeltjes moesten deze kleur hebben.' Hij legt een hand op een donker houten tafeltje.

11

Het zijn de oudste thermen van Rome, zegt hij. In het jaar 19 voor Christus ingewijd en gevoed door het Aqua Virgo via het aquaduct dat ook door Agrippa werd aangelegd en dat een kunstmatig meer vormde dat bij de Thermen hoorde. De archeologen hebben hem alles uitgelegd. Dit was een grote ronde zaal, het centrum van de Thermen. De naam van de straat komt waarschijnlijk daar vandaan. Via Arco della Ciambella: straat van de poort van de *ciambella*. De *ciambella* is een zoete ringvormige koek.

'In de zestiende eeuw bestond een groot gedeelte van die ronde zaal nog, weten ze van tekeningen. Die werd door de mensen *lo Rotulo* of *lo Tondo* genoemd. Die poort van de Ciambella hoorde ook bij de Thermen en werd in de zeventiende eeuw afgebroken door een of andere paus.'

'U moet die uitleg op het menu zetten of op die papieren tafelkleden. Net zoals ze dat bij restaurant Da Costanza gedaan hebben met het Theater van Pompeius. Als je aan tafel zit weet je precies welke plek dat was in het antieke theater.'

Dat is het geweldige van deze stad, je doet er altijd weer nieuwe ontdekkingen. Goethe zei het al: Rome is als de zee, hoe verder je erin gaat, hoe dieper ze wordt.

Ik wil de man niet langer ophouden en zeg dat ik straks terug kom om te eten.

Eerst ga ik een aperitief nemen op de Piazza della Rotonda. Ik loop langs het Pantheon, waar ooit de zuilengalerij van de Argonauten stond, waaraan nog wat brokstukken in de diepte herinneren. Mijn stambar tegenover het Pantheon is dicht. Op het rolluik hangt de mededeling dat de zaak te huur is. Zolang ik in Rome woon kwam ik daar. In de bar ernaast bestel ik een prosecco en kijk naar dat grootse bouwwerk, betrouwbaar op zijn plek.

Daar staat zijn naam weer, Agrippa. Nu niet gedrukt op plastic, maar in brons op marmer. De grote raadsman van keizer Augustus, bouwmeester en veldheer. Hij was het die de vloot

12

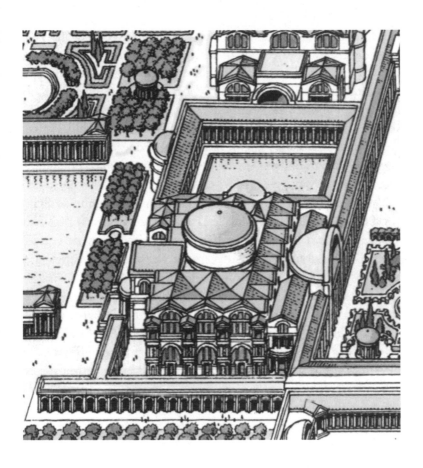

Thermen van Agrippa

van Cleopatra de fatale klap toebracht. Augustus zag hem als mogelijke opvolger en liet hem trouwen met zijn dochter Julia, toen de zeer jonge en vrolijke weduwe van Marcellus, die Augustus aanvankelijk als ideale opvolger had gezien. Ook Agrippa, die wel een reeks kinderen bij Julia verwekte – die tot ieders verbazing op hem leken – stierf te jong om Augustus op te volgen. Het was hoffelijk van keizer Hadrianus om Agrippa's naam op het Pantheon te zetten, want dit unieke gebouw met die unieke vorm was niet zijn verdienste maar werd gebouwd onder leiding van Hadrianus nadat Agrippa's Pantheon door brand was verwoest. Ik kijk naar de gigantische zuilen uit één stuk. Waar die nu oprijzen stond ooit het eerste, rechthoekige Pantheon, dat Agrippa liet bouwen in het jaar 27 voor Christus. Dat had de opening aan de andere kant, die uitkwam op een plein dat nu bedekt wordt door de kleurige mozaïekvloer van het huidige Pantheon. Aan de overkant van dat plein lag de Basilica van Neptunus, waarin een bibliotheek moet zijn geweest omdat klassieke schrijvers het hebben over de 'Bibliotheek van het Pantheon'. Daar zijn nog resten van te zien. Ik besluit hier morgen ter kerke te gaan om de uitstorting van de Heilige Geest te vieren. Aan de ober vraag ik of hij weet waarom de bar hiernaast dicht is. De huur ging ineens enorm omhoog, vertelt hij. De eigenaar van de bar heeft een zelfmoordpoging gedaan. Zijn vrouw kwam net op tijd thuis.

'Er was zo'n aardige ober,' zeg ik. 'Lang, slank, die werkte hier al heel lang.'

'Eliso. Die werkt nu bij zijn broer, niet zo ver hiervandaan tegenover Teatro Valle.'

Ik wandel terug naar het Thermen ectuis. Aan de achterkant van het Pantheon brengen reliëfs met dolfijnen en drietanden me al in een watersfeer. De Thermen behoorden tot de triomfen van het oude Rome. Dat de mensen toen een gemiddelde leeftijd bereikten van vijfenvijftig jaar kwam door de Thermen, wordt wel beweerd. De hygiëne was groot en ook de ontspanning was gezond. *Mens sana in corpore sano*, een gezonde geest in een gezond lichaam, is niet toevallig een klassieke uitspraak. Ook keizer Hadrianus hield ervan naar de Thermen te gaan. Op zijn buitengoed Tivoli zijn de overblijfselen van zijn privéthermen nog duidelijk te zien. Tijdenlang konden mannen en vrouwen tegelijk baden, maar na allerlei schandalen werd besloten dat bepaalde uren voor vrouwen waren, en andere, de latere, voor mannen. De Thermen van Agrippa werden het voorbeeld voor alle andere thermen, die steeds mooier en luxueuzer werden.

Hier liepen ze, in hun lange gewaden, hun toga's. Trokken die uit in de kleedruimten, lieten ze achter in nissen. In het museum van Ostia Antica zag ik haarspelden die waren gevonden in de thermen. Na zich te hebben ingesmeerd met olie gingen ze sporten, dan stomen in een soort sauna, lagen loom in een warm bad, daarna in een lauw bad om ten slotte in het koude water van het grote zwembad te springen. Daarna wandelden ze door tuinen, zuilengalerijen, converseerden, luisterden naar voordrachten in de bibliotheek, keken naar voorstellingen. Ze liepen over mozaïekvloeren, werden om ringd door muren vol kleurige fresco's. Overal stonden beeldhouwwerken. De Laocoöngroep sierde de Thermen van Trajanus, de Dioscuren met hun paarden stonden in de Thermen van Constantijn.

Bij de ingang van de Thermen van Agrippa stond het beeld van de atleet, Apoxyomenos – hij die zijn lichaam schoonmaakt met de strigilis. Dat was een gebogen mes waarmee na het sporten en voor het baden olie, zweet en stof van het lichaam werd geschraapt. Het was een marmeren replica van het bronzen beeld van Lisippus uit de vierde eeuw voor Christus. Keizer Tiberius vond het zo mooi dat hij het meenam naar zijn privéresidentie, maar hij werd gedwongen het terug te geven omdat het volk zodra hij ergens verscheen er luid om begon te roepen.

Marcus Agrippa

Agrippa stelde een wet in dat kunstwerken niet mochten worden meegenomen naar privévilla's. Elke inwoner van Rome moest van de kunstwerken kunnen genieten. Maar later is er kennelijk opnieuw mee gesleept want in 1873 werd het beeld gevonden onder een huis in de steeg die sindsdien Vicolo dell'Atleta heet, in Trastevere, dus een aardig eindje uit de buurt. Ik eet daar wel eens bij Spirito Divino, in een middeleeuws palazzo waar ooit de eerste synagoge van Rome was in de tijd dat de steeg van de Atleet nog Vicolo delle palme heette. Het restaurant wordt gedreven door een erg aardige familie die met veel plezier en trots de antieke kelders laat zien. Ook het bronzen paard uit de vijfde eeuw voor Christus dat nu schittert in het Capitolijns Museum is in die steeg tevoorschijn gekomen. Het beeld van de atleet is te bewonderen in het museum van het Vaticaan.

Ik ga Antica Pizza di Agrippa binnen, waar het nu een gezellige drukte is, en kies wat van de *specialità mediterranee*. De selectie wordt naast een glas rode wijn en wat water neergezet op een blad waarmee ik de kronkeltrap afdaal.

Ook beneden is het vrijwel vol. Er klinkt muziek. Ik ga aan een tafeltje zitten bij de brokkelige muur die boven de grond doorloopt. Achter me tegen de wand bevindt zich een stenen bank die is bedekt met grote rode kussens, wat een antieke sfeer creëert.

Ik dacht hier weg te dromen, me in een nimfeum te kunnen wanen, geleund tegen een antieke muur wat te eten alsof ik in die oude thermen zat. Maar harde Amerikaanse rock dreunt in mijn oren. De mannen aan het tafeltje naast me hebben het op luide toon over een geweldige *palestra*, een fitnesscentrum, waar wel tweehonderdvijftig apparaten staan en waar je allerlei sporten kunt beoefenen, bijvoorbeeld volleyballen, schermen, judo. Het zwembad is heel groot en de bar erg goed.

Ik weet niet of ze beseffen dat ze in de resten van een dergelijk instituut zitten. Maar in die oude tijden werd behalve aan het lichaam ook aan de geest gedacht in de aangrenzende bibliotheken en theatertjes, en overal kon je blik rusten op fraaie kunstwerken.

Het davert maar door uit de luidsprekers, de stemmen worden steeds harder. Maar ook indertijd was het niet alleen maar verfijning. Seneca schrijft in een brief aan zijn vriend Lucilius dat hij vlak bij een badgelegenheid woont en gek wordt van het duivelse lawaai. Het gesteun van sporters die een loden bal proberen op te tillen, het geluid van de handen van de masseurs op de lichamen, van de balspelers die punten tellen. Iemand die graag zijn eigen stem hoort tijdens het zwemmen, een ander die met veel kabaal in het water springt, de epileerder die om aandacht te trekken met een falsetstem spreekt en pas ophoudt met ratelen als hij iemand onder handen neemt die in zijn plaats kabaal kan maken. De drankjesverkoper met zijn steeds wisselende uitroepen, de worstenverkoper, de koekverkoper, en al die jongens uit de kroegen die allemaal weer met een andere stem hun waren proberen te slijten.

De koffie besluit ik buiten te nemen. Ik klim de trap weer op en ga zitten bij dezelfde muur, maar nu in de stille avond, in de via Arco della Ciambella.

'*Molto bello*, maar te veel lawaai,' zeg ik tegen de baas. 'In deze stad blijf je ontdekkingen doen, zelfs in je eigen buurt. Ik woon hier vlakbij.'

'Ik ken u wel, u bent een vriendin van de monseigneur.'

Even ben ik verbouwereerd.

'U kwam in de bar op de hoek, bij het Largo Argentina. Daar zat ik eerst.'

Nu herinner ik het me. Daar heb ik meerdere malen met Werner geluncht.

'U bent Nederlandse.'

Ik knik, nog steeds wat verbaasd.

'Dat vertelde de monseigneur. Het werd te druk met die bar erbij. De man die er nu zit heeft er een chique tent van gemaakt. Ik heb het hem afgeraden. Dat werkt niet op dat punt, het schrikt mensen af. Het toerisme is veranderd. Men wil eenvoudig en goedkoop. Mensen die chic willen laten zich informeren en weten van tevoren waar ze heen gaan. Ik zie de monseigneur niet meer. Is hij verhuisd?'

Ik ben even stil. 'Naar de hemel.'

'Ach, dat spijt me. Hij was niet oud.'

'Nee, veel te jong.'

De man kijkt ernstig.

'Hij had tien banen en ineens hield dat allemaal op omdat hij vijfenzestig werd. Hij kon niet omgaan met de eenzaamheid. Hij had plannen voor allerlei boeken. Een zeer erudiet man.'

'Erg aardig. Waar woonde hij?'

'In Sint-Juliaan, een paar verdiepingen boven mij. Door hem ben ik daar terechtgekomen.'

'Vriendelijk tegen iedereen. Vol grapjes.'

'Hij ging met de meest uiteenlopende mensen om. Randfiguren, maar ook met de paus.'

Ik mis hem erg. Hij is gestorven vlak voordat Johannes Paulus II stierf. Die heeft hij ontvangen in Sint-Juliaan. Kort voor zijn dood vertelde Werner nog dat hij de vorige avond tijdens een diner naast kardinaal Ratzinger had gezeten, en dat hij hem erg aardig en geestig vond. Werner had er geen vermoeden van dat die even later paus zou worden. We hebben het er meerdere malen over gehad. Hij dacht dat Tettamanzi een grote kans maakte, ook vanwege zijn activiteit op het internet.

Ik loop naar huis. Het is een gezellige drukte in Rossopomodoro.

Voordat ik mijn huis binnenga werp ik even een blik omhoog. Ja hij staat er, vertrouwd en geruststellend, de beschermer van de zwervers, Sint-Juliaan.

Rozenregen in het Pantheon

Massimiliano speelt op het orgel en er klinken stemmen, maar ik ga niet naar het kerkje waar ik door een muur van gescheiden ben, maar naar het Pantheon. Antica Pizza di Agrippa is nog dicht. Ik kijk omhoog naar de Romeinse muur. Nu, in de zon, kun je goed zien dat hij rond loopt en deel was van een koepel. Op de bovenkant van de dikke muur is een terrasje gemaakt. Een paar huizen verderop staat nog zo'n kolossale muur, ook welvend, de andere kant van de koepel. Op de Piazza della Rotonda staat een grote brandweerauto knalrood te glanzen in de zon. Daarachter klatert de fontein met de naam van paus Gregorius xiii erop, die deze fontein samen met achttien andere liet ontwerpen om te vieren dat het Aqua Virgo weer ging stromen. Dat water, dat voor het eerst Rome binnenvloeide op 9 juni van het jaar 19 voor Christus en de baden van de Thermen van Agrippa vulde, werd stilgelegd toen de Goten de aquaducten verwoestten. Maar in 1572 kwam het water weer tot leven en nu kunnen we het ook zien bruisen in de Trevifontein en La Barcaccia op de Piazza di Spagna. Later werd deze fontein voor het Pantheon opgetuigd met maskers en dolfijnen, en de obelisk waarop Ramses ii geprezen wordt, die ooit de Isistempel sierde hier vlakbij.

Op mijn stamterras zitten alleen een paar duiven.

Veel mensen verdringen zich voor de ingang van het Pantheon.

De enorme bronzen deuren zijn ontsnapt aan de smeltlust van paus Urbanus viii, die vele andere onderdelen van het

Pantheon liet omvormen tot kanonnen en het baldakijn boven het altaar in de Sint-Pieter.

Naast de deuren zijn reliëfs te zien van bloemenguirlandes. Die waren niet aanstootgevend. Reliëfs met heidense voorstellingen zijn daarentegen vervangen door stenen met namen van pausen. In de nissen aan beide kanten van de poort stonden ooit beelden van Augustus en Agrippa.

Niet zo lang geleden lag de straat vlak voor het Pantheon open omdat er nieuwe televisiekabels werden gelegd. Toen kon je stukken van de antieke trap zien die naar het Pantheon voerde en een deel van de bassins die aan weerskanten stonden. Het oorspronkelijke straatniveau lag dieper en daardoor rees het Pantheon nog grootser op. De archeologen hadden toen net een speelbord blootgelegd dat in een van de vijf treden was gekrast.

Een paar mannen in mooie uniformen waarschuwen dat je als je naar binnen gaat er pas over twee uur weer uit mag. Veel mensen deinzen terug. Er klinkt gezang in de grote ronde ruimte waar een baan licht binnenvalt door het gat in de koepel. Het is ooit allemaal zo uitgerekend dat de baan licht tijdens de lente-equinox op de bovenste rand van de koepel valt en tijdens de herfst-equinox precies op de grote antieke deur. Ook Stonehenge en de piramide van Cheops hielden rekening met die momenten waarop de zon loodrecht boven de evenaar staat en dag en nacht overal op aarde even lang duren. Altijd weer maakt het indruk, dit gebouw dat al twee millennia standhoudt. Het staat er nog omdat het al in 607 een kerk werd en in plaats van aan alle goden, aan Maria en alle martelaren werd gewijd. Achtentwintig karren met beenderen van eerste christenen zijn toen hiernaartoe gebracht om de heidense goden en duivels te verjagen.

Vooraan bij het altaar zijn wat rijen stoelen neergezet, die allemaal bezet zijn. De meeste mensen staan in een halve cirkel om een breed stuk vloer dat door middel van koorden is vrijgehouden, onder de opening in het dak. In die vrije ruimte staan twee rijen mannen in zwartgroene pakken met gele strepen, om hun middel een brede rode riem waaraan een enorme haak bungelt, op het hoofd een helm met geel scherm. Hun donkergrijze laarzen staan op de antieke mozaïekvloer waarvan het rode porfier, het antieke geel en Egyptisch graniet mooi harmoniëren met hun pakken. Vlak bij hun voeten zitten de gaten waarin het water dat soms door het impluvium naar binnen gutst weg kan stromen. *Vigili del fuoco*, brandweermannen. Ze staan roerloos rechtop. Vooraan in de ene rij staat een brandweervrouwtje.

Omdat de Heilige Geest zichtbaar werd in de vorm van vlammetjes boven de hoofden van de apostelen, heeft de brandweer een speciale band met dit feest. '*Veni Creator Spiritus!*' Er wordt gezongen met heldere stemmen. Kom Schepper Geest! Op het juiste moment vliegt een duif binnen die wat lekkers brengt aan zijn jonkies boven in de koepel.

In de grote nis tegenover de ingang staan in het rood gehulde priesters rond het altaar. Ooit rees daar het beeld van Jupiter op. In de andere nissen stonden zes andere goden. Boven het altaar hangt, beschermd door een zilveren plaat, een zevende-eeuwse kopie van het schilderij dat de apostel Lucas zou hebben geschilderd van de moeder Gods. Lucas, de beschermer van de kunstenaars, net als San Giuseppe, Sint-Jozef, aan wie de kapel ertegenover is gewijd. Hier kwamen de Virtuosi del Pantheon bij elkaar, een vereniging die in 1542 werd opgericht en waarvan belangrijke schilders, beeldhouwers en architecten lid waren. Links van de grote antieke deur zit in de voorgevel een klein deurtje speciaal voor hen. Boven die deur is een steen ingemetseld waarop passer, kwast en beitel te zien zijn. Er werden tentoonstellingen en presentaties georganiseerd tussen de zuilen van het Pantheon. De club, die nog steeds bestaat, nu met de titel 'pauselijk' ervoor, staat ook open voor cineasten, literatoren en musici en heeft

Pantheon met de 'ezelsoren' van Bernini

zijn officiële zetel in de Cancelleria, de kanselarij van het Vaticaan.

Vooraan, op een van de weinige stoelen, zie ik mevrouw Spath. De priester, een goede vriend van haar, preekt. 'Vruchten van de Heilige Geest zijn liefde, vreugde, vrede, geduld, vriendelijkheid, goedheid, geloof, zachtmoedigheid, zelfbeheersing.'

Ik kijk naar de koepel, dat wonder van bouwkunst. Een van de geheimen van de duurzaamheid is dat er steeds lichtere steen is gebruikt, steeds meer puimsteen werd gemengd, hoe verder de koepel naar de hemel reikte. Bovendien werd er lang geroerd in het cement totdat de laatste luchtbel eruit was en wordt de wand naar boven toe steeds dunner.

De mannen staan roerloos.

'Steek het vuur van uw liefde aan!'

Even later wordt plechtig de hostie binnengedragen en een grote rode mand met witte rozen, een cordon van mannen en vrouwen in lange capes eromheen.

De gemeente wordt uitgenodigd ter communie. Ik ga niet op de uitnodiging in. Mevrouw Spath weet' dat ik protestant ben en ze zou het kunnen verklappen aan de paus. Zij blijft ook zitten.

Er klinkt verstild gregoriaans gezang.

Dan draaien de brandweerlieden zich om en vormen een cirkel onder de opening. Ze doen de gelige schermen, waarmee ze zich gewoonlijk tegen de vlammen beschermen, voor hun gezicht. Ze vouwen hun handen.

Iedereen kijkt naar boven, vol spanning, naar de blauwe hemel achter het ronde gat.

'*Fons vivus, ignis, caritas.*' Levende bron, vuur, liefde.

Dan dwarrelen rode rozenblaadjes naar beneden.

Ze blijven maar neerdalen, opvlammend in de baan licht. Ze dwarrelen neer op de marmeren vloer, op de hoofden, de armen, de boezems, in een kinderwagen, in de haren van de in het rood gehulde priesters, op de helmen van de brandweerlieden.

Een sterke rozengeur verspreidt zich door de ruimte.

De marmeren vloer raakt volledig overdekt met een dikke laag blaadjes.

Mensen zijn stil, sprakeloos.

Het gaat maar door.

Wel een kwartier.

In die mengeling van antieke geschiedenis, christelijke boodschap en beeldende kunst daalt de Heilige Geest in de vorm van die rode vlammetjes op ons neer. Iedereen is lange tijd stil en dan barst het gekwetter in alle talen los.

Langzaam komt er beweging in de menigte, mensen bukken zich, rapen blaadjes op. Priesters in zwarte pakken met blaadjes in hun haren en handen laten zich fotograferen. Mensen worden steeds enthousiaster, euforisch. Ze pakken armenvol blaadjes op, gooien ze in de lucht, over hoofden van anderen heen. Ze slaken vreugdekreten, opgewonden gilletjes. De heilige sfeer verandert in die van een zwembad waar mensen elkaar niet bespatten met water maar bedelven onder bloemblaadjes.

Kon Rafaël maar even uit zijn graf stappen om dit spektakel te zien. Hij is eerder gestoord in zijn doodsslaap toen de leden van de Virtuosi del Pantheon wilden kijken of hij wel in het Pantheon begraven lag. Het was zijn wens neergelegd te worden onder het beeld van La Madonna del Sasso, maar nergens stond een inscriptie. Het altaar onder de Madonna werd opengebroken in aanwezigheid van kerkelijke en wereldlijke hoogwaardigheidsbekleders, het graf ontdekt, de vermolmde kist geopend en het skelet gevonden, de handen gevouwen op de borst, een rij gave witte tanden. Toen na onderzoek van het geraamte bewezen was dat dit werkelijk het stoffelijk overschot was van Rafaël, schonk paus Gregorius xiii deze door de Heilige Geest aangeraakte kunstenaar een nog waardiger laatste rustplaats in de vorm van een met bloemenranken gebeeldhouwde antieke sarcofaag. Tegelijkertijd is de beroemde tekst van Bembo erboven gezet: 'Tijdens zijn leven vreesde de Natuur door hem overwonnen te worden, bij zijn dood was de Natuur bang met hem te sterven.'

Ook de stenen vloer in het voorportaal tussen de zuilen ligt vol met blaadjes. Op het plein staan mensen met handen vol omhoog te kijken naar de brandweerlieden die langs lange ladders neerdalen van het Pantheon.

Ik loop even naar de toegangsdeur voor de *virtuosi* met daarboven hun wapen in steen. Nu zie ik pas dat door de kwasten, passer en beitel ook bloemen zijn gevlochten. Een roos en een lelie. Er zit een brievenbus in de oude deur met daarboven 'Virtuosi del Pantheon'.

De antieke Romeinen waren ook al dol op rozen. Feesten werden ermee opgeluisterd en de wegen van de overwinnaars werden ermee bestrooid. Aanvankelijk werden ze geïmporteerd uit Egypte, waar grote kwekerijen waren. Cleopatra had altijd een kussentje om haar hals, gevuld met sterk geurende rozenblaadjes, en ze liet haar geliefde Caesar en later Marcus Antonius zich onderdompelen in een bad van rozenblaadjes. Omdat invoeren uit Egypte duur was, werden er rozenkwekerijen aangelegd in Zuid-Italië. Keizer Nero heeft een keer voor een bedrag dat nu neerkomt op zo'n vijftigduizend euro aan rozen besteld om een feest mee op te fleuren. Keizer Heliogabalus liet door gaten in de plafonds van zijn zalen zoveel rozenblaadjes neerdalen dat de mensen eronder bedolven werden.

De roos had ook de symbolische betekenis van wedergeboorte. In het oude Rome werden van half mei tot begin juli de *Rosalia* gehouden. Dan bracht men rozen naar de graven. De godin van de onderwereld Hekate werd soms afgebeeld met een kroon van rozen. De roos was gewijd aan Venus en Isis en later aan Maria. Maria wordt wel afgebeeld in een krans van rozen maar soms ook met een hart dat is doorstoken met doornen. 'Mystieke roos' wordt ze genoemd, of 'Roos zonder doornen'. Volgens een middeleeuwse legende zou Maria de weesgegroetjes uit de monden van haar dienaren hebben aangenomen, die aan een snoer hebben geregen en om haar hals gehangen. Vandaar de naam rozenkrans.

Er gaan verhalen dat de god Mars, de vader van Romulus en Remus, de zoon was van Juno en een bloem. Voordat hij de grote oorlogsgod werd was hij verbonden met voorjaar en vruchtbaarheid. Zijn naam verwijst nog steeds naar de maand waarin de natuur weer begint te ontluiken.

Er klinkt gejuich, geklap. De brandweerlieden zijn in hun vuurrode wagen gestapt en de motor wordt gestart. Ze worden nagezwaaid, terwijl ze wegrijden met die kolossale trap die net reikte tot de top van het Pantheon.

Onlangs was ik in een brandweerkazerne van het antieke Rome. De ingang ligt in de straat die naar de kazerne is genoemd. Via del vii Coorte, de straat van de zevende cohorte, in een hoekje middeleeuws Trastevere. Daar kun je af en toe begeleid door een archeoloog een trap afdalen en dan sta je acht meter onder straatniveau in enorme ruimtes. Op de muren zijn veel graffiti gevonden en heel vaak de inscriptie 'vii Cohors'. In 1865 is de kazerne ontdekt. Waarschijnlijk was het eerst een *insula*, een flatgebouw met appartementen, en werd dat later omgebouwd tot kazerne.

Het oude Rome was uiterst brandgevaarlijk door de hoge gebouwen die voor een groot deel bestonden uit hout. Vuurtjes brandden overal voor warmte of om op te koken, als lichtbronnen in huis en op straat.

Keizer Augustus heeft in 22 voor Christus een echt brandweerkorps ingesteld dat uitgroeide tot zevenduizend man. Het korps was ingedeeld in cohorten. Elke kazerne was verantwoordelijk voor een wijk. De *vigiles* – brandweermannen heten vandaag nog steeds *vigili* – patrouilleerden ook 's nachts om te zien of er ergens iets smeulde of al in lichterlaaie stond. Ze gebruikten emmers, pompen, bijlen, pikhouwelen, matten doordrenkt met azijn. In Ostia antica zijn afbeeldingen van die voorwerpen te zien in mozaïekvloeren. Ook in de kazerne van de zevende cohorte waren fraaie mozaïeken met zeedieren erin, maar die zijn inmiddels voor het grootste gedeelte geroofd. In de oorlog is de plek als schuilplaats gebruikt en daarna lang onbeheerd gebleven.

Over keizer Nero wordt wel gezegd dat hij de grootste pyromaan van de geschiedenis was, maar dat kan roddel zijn. In elk geval heeft ook hij allerlei regels ingesteld om de branden tegen te gaan. Gebouwen mochten niet hoger zijn dan zeventien meter, watermondingen moesten efficiënt zijn, er moesten publieke opslagplaatsen worden gebouwd met blusapparatuur.

Om de hoek van de straat van de zevende cohorte kun je op straatniveau door openingen naar beneden kijken in de oude kazerne. Maar je kunt ook naar boven kijken, want boven de grond loopt de antieke muur door, naast een lelijke jaren vijftig flat, zodat je duidelijk kunt zien hoe hoog de gebouwen waren. Meestal veel hoger dan toegestaan.

'*Ciao*, Rosita.'

Rocco komt me tegemoet lopen, een goede vriend van mijn vriendin Valentina.

'Weet je al dat Valentina verhuisd is?'

'Niet meer de Suburra?'

'Jawel, maar ze werkt in een ander restaurant.'

Ik schrok al.

Valentina is verknocht aan die oude volkswijk die in tweeduizend jaar weinig is veranderd.

'Ze werkt op de vuilnisbelt van Augustus.'

'De schervenberg? Dat kan niet beter dus.'

Het is een zeer toepasselijke plek voor haar want naast haar werk als chef-kok is ze *tombarola* en *fiumarola*, speurt ze naar schatten van de Oudheid in de Etruskische heuvels en aan de oever van de Tiber.

Ik besluit haar daar binnenkort eens op te zoeken.

Als ik terugloop naar huis komt een groot loerend oog mij tegemoet. Anders dan het hemelsblauwe oog van het Pantheon is dit donkerbruin. Vanaf tram acht, die zijn eindstation heeft aan het begin van mijn straatje, kijkt het mij doordringend aan. Eronder de tekst: 'Vertrouw op degene die uw twijfel wegneemt. Tony Ponzi.'

Een beroemd detectivebureau en familiebedrijf waarmee mijn vroegere Siciliaanse geliefde dreigde als hij achterdochtig was over mijn ontmoetingen en waar ik voor wilde gaan werken toen ik net in Rome woonde en krap zat. Maar mijn ouders verboden het. Tony is de dochter die inmiddels de plaats van haar vader Tom heeft ingenomen. Ze doen onderzoek naar belastingontduikers, maar ook overspel is een enorm werkterrein.

Buren en huisgenoten

Ik lig nog in bed als de voordeur van mijn appartement open-
gaat.
'*Chi è?*' roep ik ietwat geschrokken.
De slaapkamer staat in open verbinding met de ruimte
waarin de eeuwenoude toegangsdeur zich bevindt.
'*L'elettricista.*'
Hij had de sleutel gekregen van de rector, die kennelijk niet
wist dat ik terug was uit Nederland.
'Door een blikseminslag is het hele bedradingssysteem verbrand,' zegt de man doodkalm. 'Ik moet even de intercom
controleren.' Hij kende de weg.
Dan klinkt kerkmuziek, een galmende stem die Italiaans
spreekt, met een Duits accent.
'De paus!'
'Ja. Op de intercom. De zenders van Radio Vaticana zijn zo
sterk dat iedereen hier in het *palazzo* de mis van de Sint-Pieter
op de intercom heeft.'
Telkens weer wordt bevestigd dat het gewone leven hier
niet erg gewoon is.
Ik ga even op het kantoor van Sint-Juliaan vertellen dat ik
er weer ben en mijn post ophalen. Als ik wat langer weg ben,
zorgt de rector of een van de secretaresses ervoor dat mijn
postvakje niet vol raakt.
Pater Hugo, de rector, doet open en gebaart me aan de
grote tafel te gaan zitten terwijl hij de map met de post haalt.
Ik kijk naar de schilderijen van Vlaamse schilders die de muren sieren. Cadeautjes van de kunstenaars die hier door de

31

eeuwen heen hebben gelogeerd.

'Er is hier van alles veranderd,' zeg ik als pater Hugo aan-schuift met de map.

De Chinees moest een nog hogere huur betalen, vertelt hij, en dat kon hij niet opbrengen. Wat er nu komt is nog niet be-kend. Men heeft het over een bank. Maar het zal veel voeten in de aarde hebben. Er is ook een souterrain en je weet, dan zit je midden in de zuilengalerij van het theater van Pompei-us. Heb je dus eindeloos archeologen over en in dit geval on-der de vloer. Onlangs heeft pater Hugo dat ook weer beleefd met het graf van de Belgische kardinaal Schotte. De kardinaal zal zijn laatste rustplaats vinden in de kerk van Sint-Juliaan. Het marmer dat bewerkt is in Carrara staat al klaar op de bin-nenplaats maar in de kerk moet nog veel gebeuren. Het mar-mer van de vloer in het koor, onder het altaar, moet eruit om in Carrara gerestaureerd te worden. Dat marmer is afkomstig van het Forum.

'Dus als ik een stukje uit de Bijbel lees sta ik op het marmer waarop Caesar en Augustus ook hun voetstappen hebben ge-zet?'

'De kans is groot,' zegt pater Hugo met een lachje.

'Hoe weten ze dat?'

'Onder andere doordat er Portugees marmer in de mozaïe-ken is verwerkt, afkomstig uit een groeve die al tweeduizend jaar is uitgeput.'

Het is een enorme organisatie. De kardinaal is al meer dan een jaar geleden gestorven. Hij ligt bij de kanunniken van Verano, een apart gebouw bij het grote kerkhof van Rome, zoals alle overleden prelaten die nog geen laatste rustplaats hebben gevonden. De onderdelen van het praalgraf, de steen met het wapen en de tekst zijn klaar, maar er moet nog officië-le toestemming komen om de kardinaal erin te leggen. Daar is een speciale commissie voor die maar drie keer per jaar bij elkaar komt. De commissie voor de bevoorrechte teraardebestellingen. Er moeten dertien documenten worden ingeleverd.'

Pater Hugo zucht.

'Tja, en hiernaast, die nagelstudio. Er is nooit iemand. Ze adverteren ook niet. Maar 's avonds is het er een drukte van belang. Veel jonge vrouwen. Om half acht gaan de luiken dicht. Om half negen weer open. Je begrijpt... De eigenaren zijn erg mooie mensen, uit Jamaica, vriendelijk ook. Maar het is toch een beetje gek als onder de hoede van Sint-Juliaan dit soort activiteiten worden ontplooid.' Hij vindt het ook vreemd om daar als priester op de loer te gaan staan.

'Ponzi inhuren.'

Er zit steeds meer maffia in het centrum van Rome, vertelt hij. 'Eerst waren er voortdurend verzoeken of er een boekwinkel van kon worden gemaakt.'

'Dat zou toch ideaal zijn?'

'Mevrouw Dicapua heeft me gewaarschuwd.' Viviana, onze huisgenote die tegenover mij woont, is voorzitter van de vereniging van bewoners van het oude centrum.

Sinds er een nieuwe wet is aangenomen die zegt dat twintig procent van een boekwinkel gebruikt mag worden als bar, worden er aan de lopende band vergunningen aangevraagd voor boekwinkels. Hier vlakbij, op de Piazza Santa Maria sopra Minerva, zou een boekhandel komen. Binnen de kortste keren stond het hele plein vol tafeltjes en stoeltjes. Die tafeltjes en stoeltjes zijn weggehaald, maar het is wel een bar gebleven.

'Boven jou is een jong gezin komen wonen uit Zuid-Amerika. Hij werkt bij Sky. Erg aardige mensen. Maar ik waarschuw je alvast, soms klinkt er luide Zuid-Amerikaanse muziek. Dan heeft de huishoudster het rijk alleen.'

Terug in mijn appartement bekijk ik de post. Er zit een uitnodiging bij voor het 'Kattengala', van de katten van het Kattenforum, de kattenkolonie op het Largo Argentina. Dat zal weer plaatsvinden in de luxueuze villa van hertogin Carla, even buiten de stad. Vorig jaar ben ik er ook geweest. Tijdens de cocktail en het diner voor honderden mensen, onder wie filmsterren en politici, kon je bieden op de uitgestalde juwelen, tassen, schilderijen en andere kostbaarheden waarvan de opbrengst naar de poezen zou gaan. Aan de rand van het zwembad was een fototentoonstelling van katten die je kon adopteren. Daar raakte ik in gesprek met Gianpiero en vroeg of hij adoptie overwoog. Nee, hij hield meer van honden, maar hij moest over dit kattenfeest schrijven voor de krant.

Ik neem de lift naar het dakterras om de was in de machine te stoppen. Daar is een speciale ruimte waar de wasmachine staat die ik tot voor kort deelde met de monseigneur. Ook de zonnebedden worden er bewaard. Aan alle kanten koepels en torens, altijd weer anders belicht. De koepel van de Sant'Andrea della Valle, de koepel en klokkentoren van de San Carlo, het ronde dak van het Pantheon, de toren van Borromini, de vierkante koepel van de synagoge, de toren die Michelangelo ontwierp voor het Capitool, de twee vierspannen op het Vittoriano waar ik binnenkort ook hoop te staan. Hier, hoog boven het rumoer in de straten, is het weldadig rustig, behalve als alle klokken tegelijk beieren.

Bloemen en kruiden staan er gezond bij. Behalve de was ophangen ga ik hier regelmatig zitten lezen.

De deur kraakt.

Het is Viviana, die haar was komt ophangen. De enige die ik hier af en toe tegenkom.

We omhelzen elkaar.

'En mamma?' vraagt ze.

Mijn moeder heeft de vorige lente en herfst een tijd bij me gelogeerd. Dan zat ze vaak te schilderen op het terras, waar ze Viviana tegenkwam, die haar wel eens verraste met een glaasje of een hapje.

'Ze komt in het najaar, na de grote hitte.'

Mijn moeder heeft niet alleen de koepels en torens geschilderd, maar ook het olijfboompje van Viviana, niet met aquarelverf maar met verf uit de Oudheid. Die verf had ze gekregen van Valentina toen we in haar restaurant aten. Ze had een paar stukjes gevonden tussen de stenen van de Tiberoever, uit een antiek atelier waarschijnlijk. Zelf schilderde ze niet en daarom waren deze pigmenten voor mijn moeder. Mij had Valentina een tweeduizend jaar oude pen gegeven.

Mijn moeder heeft de pigmenten in een vijzel gemengd met olie en vervolgens de zilvergrijze blaadjes en witte bloesem van het olijfboompje met millennia oude verf op het papier getoverd. Vele maanden later, bij een volgend bezoek, was de witte bloesem vervangen door zwarte olijven en kreeg mijn moeder van Viviana een potje met een deel van de oogst. 'In Italië hebben we een raadsel,' zei Viviana: 'Onze gedienstige is groen, haar kinderen worden wit geboren en groeien zwart op.'

Ja, Viviana had ook de paus op de intercom.

Elke dag is er wat. Straks moet ze naar een vergadering van de vereniging van bewoners van het centrum van Rome. Er is een voorstel om in allerlei straten de *sampietrini*, de kleine keitjes die gemaakt worden in de Fabbrica del Vaticano, te vervangen door modern plaveisel. Dat kan natuurlijk niet! Gisteren had de burgemeester van Rome tegen haar gezegd: 'Met jou praat ik niet meer.' 'Daar wordt mijn leven niet anders van,' had ze rustig geantwoord. Ze vindt dat de burgemeester zich strenger moet opstellen. Hij moet optreden tegen al die maffiosi die eethuizen en bars kopen in het centrum, hij moet de straatventers aanpakken die straten en pleinen in beslag hebben genomen en hij moet de binnenstad autovrij maken. Veel meer straten moeten bovendien weer bedekt worden met *sampietrini* in plaats van asfalt.

Ik vertel dat ik tevergeefs een bezoek bracht aan mijn stamtent bij het Pantheon en dat ik hoorde over een huur van dertigduizend euro. Viviana had ook over de zelfmoordpoging gehoord. 'Ook Rossopomodoro betaalt een huur van dertigduizend. Dat kan niet anders dan met het witwassen van geld te maken hebben.'

'Ik heb gegeten bij Antica Pizza di Agrippa.'

'Stonden er tafeltjes buiten?'

'Ja.'

'Dat mag helemaal niet. De straat is smal en het is beschermd archeologisch gebied. Er is net een brief de deur uit van de Archeologische Dienst. Die man had de begane grond gehuurd en ineens blijkt hij daar beneden een restaurant te hebben. Dat was niet afgesproken. Al die buizen voor de luchtverversing en elektriciteit moeten weg en dat enorme bord op straat ook. Er zijn veel klachten van bewoners binnengekomen bij het hoofd van het Franse seminarie waarin die eettent zit. Ze hebben last van de drukte, het lawaai, de etenslucht. Het antwoord luidde: "Goed, wij sturen hem weg, betaalt u ons dan achtduizend euro per maand?"

Ze maakt een veelzeggend gebaar. 'Tja, daar draait het allemaal om.'

Viviana moet ook nog naar haar moeder om een nieuw aquarium te kopen, want onlangs heeft de gemeente Rome de allerdiervriendelijkste wetten van de wereld aangenomen. Zo kun je nu celstraffen krijgen als je je hond niet vaak genoeg uitlaat en mogen vissen niet meer in een ronde kom, want daar worden ze gek van. In de Romeinse krant *Il Messagero* stond met grote letters: 'De beschaving van een stad wordt afgemeten aan haar omgang met dieren.'

Ze lacht. 'Er is dus hoop.'

Als ik weer in mijn appartement ben, mengt de barokmuziek uit het klavecimbel van Massimiliano zich met de swingende tonen uit mijn telefoon.

'*Ciao*, Rosita, met Simone Soldati. Wanneer ben je teruggekomen?'

'Net. Eergisteren.'

'Ik heb het heel vaak geprobeerd. Heb je mijn kaart ontvangen?'

'Nee, niet gevonden.'

'Jammer. Het was een heel mooie, met een zonsondergang. Uit Napels. Daar was ik met mijn moeder. Mag ik je uitnodigen voor een *caffè*? Ik wil het graag met je hebben over mijn nieuwe baan.'

We spreken af voor de volgende dag. Ik vertel hem dat onze stambar weg is en stel de boekenbar voor.

'Nog even een vraagje. Wat voor schoenen heb je aan?'

'Gouden gymschoenen.'

'Gymschoenen, maar je houdt toch van hakken?'

'Ik ben wat aan het redderen in huis.'

'Ik begrijp het. Eh, *scusa*, nog een vraagje. Heb je de nagels van je tenen gelakt?'

'Ja.'

'Wat voor kleur?'

'Lichtrood.'

'Lichtrood,' klinkt het peinzend. 'Mooi. Weet je wat mijn lievelingskleur is? Bordeaux. Houd je daar ook van?'

'Vind ik ook mooi.'

'Nou, tot morgen.'

De eerste ontmoeting met Simone was zeven jaar geleden, vlak voor de deur van mijn huis. Een jongeman kwam me tegemoet, groette me en voordat ik het wist had hij mijn schoen in zijn hand. Vol aandacht bestudeerde hij mijn lichtgroene hooggehakte sandaal en ik hem. Zijn schoonzusje had ook zulke schoenen, zei hij. Hij vond ze erg mooi en hij vond trouwens ook dat ik heel mooie voeten had. Hij had een aardig, wat kinderlijk gezicht. Zijn wonderlijke gedrag verblufte me dusdanig dat ik niet onmiddellijk wegvluchtte achter mijn voordeur. Toen ik even later toch zei dat ik naar binnen moest vroeg hij of ik getrouwd was. Hoe ik dan in Rome terechtkwam? Ik vertelde dat deze stad vol onverwachte gebeurtenissen erg inspirerend was voor mijn beroep, dat van schrijver.

'Mijn opa was ook schrijver,' zei hij enthousiast. Een heel bekende, Mario Soldati. Hij had wel honderd boeken geschreven en dertig films gemaakt. Ik kende zijn naam, hij was onlangs overleden. Zijn kleinzoon die zojuist mijn schoen in zijn hand had, heette Simone Soldati. Hij was achtentwintig en woonde bij zijn moeder. Hij vroeg of hij me een kopje koffie mocht aanbieden. Ik zei dat ik geen tijd had maar dat we dat zouden doen als we elkaar weer tegenkwamen. Dat gebeurde niet lang daarna. Hij bleek een paar straten verder te wonen. We ontmoetten elkaar bij het Kattenforum. De blik van Simone ging onmiddellijk naar mijn voeten. 'Nu mag ik je een espresso aanbieden!' Dat deed hij in de bar op de hoek van het plein waar toen de eigenaar van Antica Pizza di Agrippa nog zat. We dronken de koffie staand aan de toog, waarbij zijn blik regelmatig afdaalde. 'Erg mooie schoenen heb je weer aan, Rosita. Wat is het voor merk? Dolce e Gabbana?' Terwijl hij dat zei dook hij naar beneden. 'Toe Simone, niet doen.' Hij wilde even meten hoe hoog de hak was, zei hij.

Hij vertelde dat hij zeven vriendinnen had gehad en al die relaties waren stukgelopen omdat hij alleen maar geïnteresseerd was in hun voeten. Die wilde hij strelen en kussen. Dat was genoeg voor hem. Ik zei maar dat ik een jaloerse vriend had. Daar had hij respect voor. We werden *amici*. Vanaf dat moment ontmoetten we elkaar zo heel af en toe. Ik luisterde naar episodes uit zijn leven. Zijn wisselende banen. Hij verhuisde van de ene schoenenwinkel naar de andere, soms was hij kousenverkoper en af en toe figureerde hij in een film. Zijn moeder werkte als kostuumontwerpster bij de cinema. Hij vond het prettig dat ik rustig naar hem luisterde en ook dat ik mooie schoenen droeg. Hij vertelde dat feesten en recepties, bruiloften en verjaardagen vaak een kwelling voor hem waren, omdat hij helemaal de kluts kwijtraakte van al die voetjes in die prachtige Italiaanse schoenen. Dan was uiterste zelfbeheersing geboden. Vaak als hij belde zei ik dat ik het te druk had, dan luisterde ik wel even naar zijn laatste wederwaardigheden. Hij was nooit beledigd als ik geen tijd had om koffie te drinken of het gesprek afkapte. Hij bleef hoffelijk. Als ik maar wel even zei wat voor schoenen ik aan had en wat de kleur was van mijn nagellak.

Ik heb nu ook wel zin in een kopje koffie en ga alvast een kijkje nemen in die boekenbar. Bij de Antica Pizza di Agrippa staan de tafeltjes weer buiten. Tegenover de Santa Maria sopra Minerva zie ik een nieuwe zaak met een grote etalage. Er liggen kalenders in uitgestald met schilderingen van Caravaggio en Van Gogh, fotoboeken en restaurantgidsen van de Eeuwige Stad. Daarachter glanst een enorme bar.

Ik ga naar binnen en bestel een cappuccino. Intussen kijk ik naar de zakken pasta, potjes pesto en marmelade naast kleine plastic replica's van beroemde beelden. *Ricordo di Roma* staat er geschreven onder de *David* van Michelangelo, die ik niet lang geleden nog in Florence zag staan. Kleedjes met het Pantheon erop geborduurd, ingelijste fotokopieën van schilderijen van Monet, Van Gogh, Chagall, Rembrandt, Rafaël. En dan toch ook wat boeken. Twee gidsen van Rome en vier gidsen over Italiaanse schilders. Zes in totaal. De cappuccino smaakt goed. Op het kopje staat een boek afgebeeld.

Open graven

Vroeg in de ochtend ga ik naar de Chiesa Nuova vlak bij mijn
huis omdat ik gelezen heb dat de Amersfoortse schilder Casper van Wittel, die in de zeventiende eeuw naar Italië trok en
hier de bekende Vanvitelli werd, daar begraven ligt. Ik ben
vaak in die kerk geweest, maar dat mijn stadgenoot daar begraven lag was me ontgaan. Als ik de drempel overstap ben ik
meteen meer dan wakker met dat plafond van Pietro da Cortona boven me, de altaarstukken van Rubens voor me, stemmen die de lof zingen van God. Tijdens het gezang kijk ik op
een bord waarop de bezienswaardigheden van de kerk zijn
aangegeven maar zoek tevergeefs naar de Nederlandse meester. Ik vraag het aan een man die folders uitdeelt. Nee, hij
weet het niet. 'Maar dat is de rector, vraag het hem.' Hij wijst
op de oude man die zich naar het spreekgestoelte begeeft om
voor te gaan in gebed.

'Straks moet u hem meteen aanspreken,' zegt de man streng
en voegt daaraan toe: 'U moet ook naar de mis komen. Dat
heeft meer waarde dan het lof.'

Ik bid mee voor de medemensen in nood en daarna loop
ik naar de oude priester, die voetje voor voetje weg schuifelt.
Ook hij weet niets van Vanvitelli's graf en verwijst me naar een
priester in een biechtstoel aan de andere kant van de enorme
kerk. Ik loop over de weidse marmeren vloer naar de biechtstoel waarin een priester zit te lezen. Hij slaat zijn ogen op
en kijkt me vriendelijk en aandachtig aan. Intelligente ogen
in een fijnzinnig gezicht. Het zou niet moeilijk zijn bij hem
te biechten. Ik vertel hem dat ik het graf van de Nederland-

se schilder zoek. Hij kijkt peinzend maar ook hij moet het antwoord schuldig blijven. 'Er is in vroeger eeuwen veel geruimd,' zegt hij. 'Ten tijde van Napoleon werd het verboden in kerken te begraven. Het kan best zijn dat er hier toen oneerbiedig met allerlei stoffelijke resten is omgegaan. Maar wie weet is er in de spelonken van de kerk nog iets te vinden. Of in de archieven.' Het spijt hem dat hij me niet verder kan helpen. Maar naast de biechtstoel zie ik op een groot bord: 'Appartement van San Filippo Neri te bezoeken'.

'Dan ga ik dat maar eens doen.'

Hij glimlacht, zegt dat ik in de sacristie wel iemand vind die me kan begeleiden en wenst me succes met mijn zoekacties naar Vanvitelli.

Filippo Neri, de zestiende-eeuwse *santo*, werd ook wel de heilige van de vrolijkheid genoemd en de tweede apostel van Rome. Of gewoon Pippo Buono, door de armen en wezen voor wie hij zich inzette. Bij het bestuderen van de Bijbel betrok hij ook gewone mensen, musici, wetenschappers. Zijn naam valt nog vaak bij de Romeinen.

Eerst loop ik langs zijn kapel links van het altaar, waar bijna altijd mensen zitten. Daarna ga ik de gang in naar de monumentale sacristie. In de hoge notenhouten kasten langs de wanden worden de uit zilver en gouddraad geweven gewaden bewaard die zijn gedragen bij de heiligverklaring van San Filippo. Aan het eind van de ruimte zien we de heilige met een engel aan zijn voeten, uit marmer gehakt door Algardi. Boven ons hoofd diezelfde aartsengel Michael, geschapen in fresco door Pietro da Cortona.

De priester die achter een boekentafel staat wil me wel begeleiden naar het appartement van San Filipo Neri. Hij gaat me voor in zijn zwarte toog door de oude kloostergangen en opent *la stanza rossa*. De muren zijn inderdaad rood. 'De kleur van zijn vlammende hart,' zegt de priester. 'Toen San Filippo weer een hele nacht had doorgebracht in gebed, zette de Heilige Geest zijn hart in brand. Het dijde uit en later was duidelijk te zien dat twee ribben naar voren uitstulpten.' Tegen de muur staan een paar kisten. In de eerste is San Filippo neergelegd meteen na zijn dood omdat men bang was dat het lichaam zou worden geroofd. Vooral de Napolitanen, die ook een speciale band hebben met Pippo Buono, vertrouwde men niet. Die hebben nu alleen het hart. Later is hij in de andere kist gestopt waar een metalen kooi omheen gemaakt is, die moest voorkomen dat de kist door al die liefdevolle strelingen helemaal zou afslijten. Maar nu rust hij in de kapel in de kerk met een zilveren masker op zijn gelaat.

Tegen een muur staat een kast vol schatten. Een wasafdruk van de markante kop van San Filippo, een hemd, zijn schoenen. 'Soms ging hij de deur uit met te grote schoenen,' vertelt de priester ernstig. 'Soms schoor hij alleen de ene helft van zijn baard. Allemaal tegen de ijdelheid.' Vele malen heeft hij het kardinaalsambt geweigerd. Zijn roeping lag bij de gewone mensen en de straatkinderen. Van hem is de beroemde uitspraak die nog steeds geciteerd wordt: *State boni... se potete.* Wees braaf... als jullie dat kunnen.

De priester wijst op een stoel die wel erg mooi is voor iemand die eenvoud predikte. Hij klapt hem aan alle kanten open en toont de simpele stoel die erin verborgen zit. Dat deftige omhulsel was er later ter bescherming omheen gebouwd. We gaan een wenteltrapje op naar de privékapel van San Filippo. In de aangrenzende ruimte is zijn bed te zien en zijn biechtstoel. Zijn bril, een paar haren, een flinter van zijn hart. Ik tuur naar de bril.

'Er is een website waarop die te zien is samen met de bril van San Calasanzio,' vertelt de priester. Dat blijkt een andere heilige, wiens appartement ook nog intact is, in een *palazzo* aan de Piazza Navona waar ik bijna dagelijks langsloop. Als ik mijn verbazing uitspreek vertelt hij dat op loopafstand nog twee appartementen van heiligen zijn. Dat van Santa Caterina da Siena en van Sant'Ignazio di Loyola.

In Rome nemen de dagen vaak onverwachte wendingen.

Even later sta ik bij het zeventiende-eeuwse bed van San Calasanzio, die scholen oprichtte voor arme kinderen. De dekens van toen liggen er nog op. Naast zijn bed staan de krukken die hij gebruikte nadat hij zijn been had gebroken, en het touw waaraan hij zich overeind hees hangt erboven. Zijn bureautje staat er alsof hij zo weer aan het werk kan. In het kamertje ernaast is zijn breedgerande zwarte hoed te zien, pennen waarmee hij schreef, zijn bril, een naai-etuitje, zijn pij en ook zijn hart, tong, lever, hersenen, milt. Lichaamsdelen die allemaal met het onderwijs te maken hebben, zo lees ik: liefde, spraak, geduld, verstand, bescheidenheid.

Ik kan er nog steeds niet aan wennen dat je hier voortdurend wordt geconfronteerd met resten van overledenen. Soms gaat het slechts om een flinter, soms om het hele lichaam.

Een paar jaar geleden maakte ik mee hoe paus Johannes XXIII, die na achtendertig jaar uit zijn graf was gehaald, tijdens de pinksterviering terugkeerde onder de mensen. Het Sint-Pietersplein was afgeladen vol, de zon straalde en op een groot scherm werden zwart-witbeelden getoond van datzelfde plein decennia terug. We zagen paus Johannes die de mensen toesprak, daarna een biddende en rouwende schare bij zijn begrafenis. En toen, in kleur, begeleid door grootse muziek, een close-up van diezelfde paus, herrezen uit zijn graf. Geen enkele televisieshow kan op tegen de *special effects* waar het Vaticaan je op trakteert. Een golf van emotie voer door de menigte. '*Il Papa buono è tornato!!*' juichte het publiek. De goede paus is terug.

Mensen huilden van ontroering en geluk. Ik had het gevoel in een sprookje te zijn beland, niet met Sneeuwwitje in de kist maar met de goede paus. Toen ik tegen Werner, de monseigneur, mijn verbazing uitsprak over het relikwieënfenomeen, zei hij dat het de dingen concreter en tastbaarder maakte.

44

Maar als je denkt dat van een haar van een heilige genezende kracht uitgaat, had dat in zijn ogen meer met heidendom te maken.

Na de mis in de openlucht werd de glazen kist in de Sint-Pieter neergezet. Er verdringen zich nog steeds mensen bij de geadoreerde paus, die gehuld is in een rode met hermelijn afgezette mantel. Aan zijn voeten heeft hij rode pantoffels en aan zijn gevouwen handen glanst een grote ring. Pius ix was na honderdvierentwintig jaar uit zijn graf gehaald, maar hij is nog steeds niet heilig omdat hij, ook al verkondigde hij dat de paus onfeilbaar is, toch wel wat smetten op zijn blazoen heeft, bijvoorbeeld in zijn houding ten opzichte van de joden. Er waren allerlei discriminerende wetten. Joden konden bijvoorbeeld in rechtszaken niet getuigen tegen christenen. Onder zijn pontificaat, van 1848 tot 1878, speelde het beruchte geval van het zesjarige joodse jongetje dat was weggehaald bij zijn familie omdat een christelijk dienstmeisje het had gedoopt. Het was wettelijk verboden dat een christen werd opgevoed door joden, ook al waren het zijn eigen ouders. Zelfs keizer Frans Jozef en keizer Napoleon iii hebben druk op de paus uitgeoefend om het jongetje naar zijn familie terug te laten gaan.

Maar niet alleen pausen en heiligen worden uit hun graf opgediept. Keizer Frederik ii, die stierf in 1250, werd in 1781 uit zijn graf gehaald, Petrarca stierf in 1374 en werd voor de eerste keer opgegraven in 1853. Graaf Ugolino, die Dante in zijn *Divina Commedia* vereeuwigde, terwijl hij knaagde aan het hoofd van de aartsbisschop van Pisa, werd in 1902 in een familiegraf gelegd en in 2002 daar weer uitgehaald en aan een grondig onderzoek onderworpen.

Onlangs las ik de krantenkop 'Test dna Pico della Mirandola'. In het artikel dat volgde werd verteld dat de grote humanist, filosoof en platonist die vertelde dat God de mens in het centrum van het heelal had gezet, die dag uit zijn graf zou worden gehaald, waar hij in 1494 in was gelegd in de Basilica di San Marco van Florence. Ook de tombe ernaast zou die ochtend om elf uur worden geopend om een andere grote humanist eruit te halen, Angelo Poliziano. Pico deelde overigens zijn tombe met weer een andere geleerde, Girolamo Benivieni, met wie hij waarschijnlijk amoureuze betrekkingen had. Al eerder waren in diezelfde kerk allerlei Medici's opgegraven en onderzocht, onder wie de grote Cosimo de' Medici.

Een hele equipe van onderzoekers, universiteitsdocenten en wetenschappers zou erbij aanwezig zijn, klaar om aan allerlei onderzoek te beginnen in de hoop meer te weten te komen over de fysieke verschijning en doodsoorzaak van deze twee hoofdrolspelers in de filosofische en literaire kringen aan het eind van de vijftiende eeuw. Door subtiele testen op schedel en beenderen kan men erachter komen hoe oud ze precies waren toen ze stierven en of Pico gestorven is door gif. Pico della Mirandola stierf op 31-jarige leeftijd na dertien dagen van hoge en mysterieuze koorts. Poliziano stierf een paar maanden eerder op veertigjarige leeftijd, mogelijk eveneens door gif, maar ook syfilis of een trauma behoort tot de opties. Er zullen ook criminologen bij het onderzoek worden betrokken. Misschien komen ze erachter hoe groot de schedelinhoud was van Pico della Mirandola, die de *Divina Commedia* van voor naar achteren en van achteren naar voren kon declameren. Wie weet ook wel 1700 kubieke centimeter, net als die van Dante en graaf Ugolino.

De dominicaner priester, prior van de *basilica*, zou de geleerden liever met rust laten, maar Monumentenzorg heeft goedkeuring gegeven en de televisiecamera's staan al klaar. Van al dit onderzoek zal namelijk verslag worden gedaan in het nieuwe programma *Enigmi del passato*, Raadsels uit het verleden, waarin ook de dertiende-eeuwse paus Celestinus v en Petrarca aan bod zullen komen.

Ik wandel verder langs vrolijke terrassen naar de Santa Ma-

46

ria sopra Minerva, stap daar binnen en kijk omhoog naar de blauwe hemel met sterren die de zoldering vormt van deze schitterende kerk. Bij het altaar waaronder Santa Caterina van Siena rust, afgezien van haar hoofd, dat wordt vereerd in haar geboortestad, haar voet, die in Venetië is, haar rib, die in België wordt aanbeden, en haar hand, die in 1487 aan de dominicanessen op de Monte Mario is geschonken, ga ik links naar de sacristie. Eerst sta ik even stil bij het graf van de beschermer van de kunstenaars, Il Beato Angelico.

Het hek voor de sacristie die in duister is gehuld, is dicht. Aan het eind van de schemerige ruimte staat een deur open waarachter licht brandt. Zou dat de kamer zijn? Er loopt een vrouw langs met een sleutel. Ik vraag naar de kamer van Santa Caterina.

'In de kerk is een jongen die kaarten verkoopt. Die kan je misschien helpen.'

Hij blijkt nu een oude priester in het witte dominicanengewaad.

'Wanneer die open is? Wanneer mensen erom vragen. Ze woonde en stierf in de Via di Santa Chiara nummer 14, hier vlakbij. De fresco's uit die kamer zijn in 1630 overgebracht naar de kapel hier. Bent u met een groep?'

'Nee, alleen.'

'Ik doe wel even open.'

Hij sluit de kas af en dan volg ik hem in een pittig tempo door de kerk, langs prachtige schilderijen en beeldhouwwerken, langs het door Bernini gemaakte graf van een prelaat waarbij we aan de bovenkant zijn trotse gemijterde kop zien, en aan de onderkant een glanzende schedel. De priester opent het hek van de sacristie. Hij wijst op een lichtbundel aan het einde van de donkere ruimte. 'U kunt het licht aandoen. Na afloop trekt u dit hek achter u dicht.'

Hij verdwijnt weer in rap tempo. Ik ben alleen in de schemerige sacristie. Tegen de wanden staan statige zeventiende-eeuwse kasten. Waarschijnlijk zitten die vol gewaden, net als de kasten in de Chiesa Nuova. Ik loop het gangetje in dat gesierd wordt door een bidstoel en een crucifix. Midden in een grotere ruimte is de 'kamer van Santa Caterina.' Er staat een altaar met een bijbel erop. Daarboven is een groot fresco van de kruisiging. De andere wanden zijn ook bedekt met de fresco's die Santa Caterina om zich heen had toen ze in het midden van de veertiende eeuw in Rome woonde. Ik kijk naar haar portret, waar verse bloemen bij staan. Ze werd geboren als drieëntwintigste kind van een wolverver te Siena en wist al heel jong dat ze volledig voor God wilde leven. Ze trad niet in als non, legde wel de gelofte van kuisheid af en wijdde zich aan de zorg voor melaatsen, aan gebed en strenge ascese.

Onlangs is een boek verschenen van Dacia Maraini, voormalig feministenleidsvrouw, over Caterina van Siena die in gesprek is met haar secretaris. Het thema van de ascese speelt daarin een grote rol. Het is een ascese die voortkomt uit verlangen naar een dieper spiritueel leven. De schrijfster benadrukt het contrast met de anorexiagevallen van vandaag, die vaak slachtoffer zijn van beelden die met het uiterlijk te maken hebben. Caterina ontving de stigmata, maar ze vroeg Christus om die onzichtbaar te laten blijven – heel anders dan Padre Pio van wie men zegt dat hij ze zelf aanbracht.

Het is doodstil. Ik kijk naar de fresco's van Antoniazzo Romano, in mooie diepe kleuren. De aankondiging aan Maria door een engel gehuld in goud en rood; Maria luistert met de blanke handen op de borst gekruist. De heilige Augustinus, een *Pietà*, Johannes de doper, de heilige Appollonia en Lucia. Omringd door deze beelden schreef Caterina haar werken, haar *Dialoog van de goddelijke voorzienigheid*, haar brieven aan zieken en behoeftigen, aan heersers van haar tijd, koningen en pausen. Zo schreef ze aan paus Gregorius XI dat hij terug moest komen uit Avignon, en ging hem even later halen. Omringd door deze beelden stierf ze op 29 april 1380 op 33-jarige leeftijd, net als Christus. Zoveel invloed heeft ze gehad dat ze samen met Franciscus van Assisi tot patroon van Rome werd uitgeroepen.

Als ik terugloop door de sacristie kijk ik naar de moderne klok die geruisloos verder tikt. Ik stel me voor hoe deze ruimte krioelde van de in vol ornaat geklede mannen, de kerk stampvol. Hoe een paar eeuwen eerder de heilige Caterina hier liep. Andere tijden, zo kort geleden.

Ik ga ook nog even een paar honderd meter verder kijken in de Via di Santa Chiara, de vroegere Via del Papa, nummer 14, de plek waar Santa Caterina woonde en stierf. Even aarzel ik, want op die plek is de ingang van Theater Rossini, en er staat een groot bord met de aankondiging van *Suore Scatenate*, Losgeslagen Zusters, *Commedia musicale*. Maar dan zie ik naast de deur een gedenksteen. Ik loop naar binnen en kom in een ruime hal met bar en een ronde toonbank vol folders van voorstellingen. Ook de muren zijn behangen met affiches voor theater, cabaret en zang. *Le Streghe*, De heksen, *Nerone Superstar*.

Ik kijk zoekend rond of ik ergens een aanwijzing zie en verwachtingsvol vraagt een jongeman me of hij me ergens mee kan helpen. 'Ik zou graag de Capella del transito bezoeken.' Op zachte toon wisselt hij wat woorden met een dame. Dan trekt hij een laatje open, komt achter de balie vandaan en loopt naar een grote deur achter in de ruimte waar ook een piano staat, een ridderharnas en een stel theaterlampen. Hij doet de deur open, loopt naar binnen en ontsteekt een lichtje. Het blijft schemerig, maar hij belooft me dat het lichter wordt.

En inderdaad, heel langzaam worden de lampen sterker en doemt de beeltenis van de heilige Caterina op boven een altaar. Ook op de andere wanden, barok bedekt met marmer, goud en mollige, cupidoachtige engeltjes, zijn beelden uit Caterina's leven te zien. De heilige met de handen ten hemel, terwijl achter haar, te paard rijdend over een bergpad, de paus

49

te zien is, met tiara, kromstaf en gouden mantel. Het was haar gelukt hem uit Avignon terug te halen naar Rome. Hier stierf ze. Maar haar stoffelijk overschot werd snel overgebracht naar de Santa Maria sopra Minerva en achter slot en grendel bewaard, uit angst voor een stormloop van vereerders die misschien wel een stukje van hun aanbeden zuster wilden mee roven.

Als ik wegga vraag ik wat folders van voorstellingen en werp een blik in het uitermate knusse en ouderwetse theaterzaaltje. Daarboven is de bibliotheek voor Caterinastudies.

Ten slotte bezoek ik, niet ver daarvandaan, in het Jezuïetencollege, het appartement van Ignazio di Loyola, de stichter van deze strenge orde. In de Gesù, de kerk van de jezuïeten, heb ik wel eens staan kijken naar de in zilver verpakte arm van Sint-Franciscus Xaverius, waaronder de tekst geschreven staat: 'Deze arm heeft duizenden en duizenden ongelovigen gedoopt.'

Door lange gangen met schilderijen van prelaten en oude kaarten van Rome kom ik bij het appartement van Ignazio di Loyola, waar hij ook San Filippo Neri heeft ontvangen.

Er is niemand.

Het eerste wat ik over hem hoorde was dat hij de protestanten fel bestreed. Hij was de jongste van dertien kinderen, lees ik nu, en verloor zijn moeder toen hij zeven was. Voor hij zich bekeerde leidde hij een losbandig leven, onder meer als page aan het Castiliaanse hof.

De vertrekken zijn strak en ingetogen. De plek waar hij in 1556 stierf is gemarkeerd door een tegel. Zijn stoel staat nog achter de lessenaar waaraan hij zevenduizend brieven schreef. Een ervan is te zien, geschreven in een verzorgd en helder handschrift. Zijn pij hangt boven zijn schoenen, waarvan de zolen gedeeltelijk zijn afgesneden door pelgrims.

Als ik thuis ben zoek ik naar de site met de brillen van de heiligen. Ik vind hem niet. Maar wel een waarop een relikwie van San Filippo Neri wordt aangeboden. Voor 99,99 euro plus 50 euro verzendkosten. Er staat een foto bij van een zilveren houdertje, afgedekt met antiek ogend glas. Het is niet duidelijk wat het bevat. Er staat alleen: 'Eersteklas relikwie.' De bijgelovigheid en nieuwsgierigheid van Italianen is onuitroeibaar.

In de krant lees ik een interview met Anita Garibaldi, de achterkleindochter van de vrijheidsstrijder die Italië tot een eenheid maakte. 'Het grootste cadeau dat ze me kunnen geven voor de viering van de tweehonderdste geboortedag van mijn overgrootvader Giuseppe is zijn tombe openmaken. Hij wilde zo graag gecremeerd worden. Dus ik hoop dat hij er niet in ligt.'

Ik vervang mijn gymschoenen door sandalen met een elegante hak voor de koffieafspraak met Simone. Hij woont niet meer vlak bij mij maar is verhuisd naar de chicste straat van Rome, de Via dei Condotti, waar niet alleen veel beroemde Italiaanse modezaken te vinden zijn, maar ook dure schoenenwinkels die de fraaiste juweeltjes in de etalage tentoonstellen. Daar woont hij nu tussen met zijn moeder. Elke dag gaat Simone kijken of er weer nieuwe ontwerpen te bewonderen zijn. Hij houdt erg van Dolce e Gabbana, Sergio Rossi, Prada, maar ook van de buitenlander Yves Saint Laurent.

Op een dag vertelde hij dat hij een vriendin had, Mirella. Hij had haar ontmoet in een schoenenwinkel. Ik was blij voor hem maar vreesde dat het snel afgelopen zou zijn.

Maar nee, het duurde.

'Mirella heeft elke dag andere nagellak. Ze heeft maat eenenveertig en ze draagt vaak hoge hakken. Je hebt geen idee hoe ik ervan geniet als ik haar voeten masseer. Ze vindt dat ik het heel goed kan.'

Uit de verte zie ik hem al staan voor de deur van de boekenbar.

Hij heeft een lichtgroen overhemd aan en een raar wit pet-
je op zijn hoofd. Hij straalt als hij me ziet en kust me op mijn
wangen waarna zijn blik afdaalt naar mijn voeten.
'Wat ben ik blij je te zien. Lang geleden. Wat wil je, espresso? IJsje?'
'Espresso graag. Mooie pet.'
'Van mijn moeder. Geeft wat verkoeling.' Hij stelt voor
even te gaan zitten op het terras onder een parasol. Die rare
pet houdt hij op.
'Er zijn allerlei dingen veranderd. Ik heb net gefigureerd in
een film. Een Italiaanse komedie.'
'Wat leuk. En het *centro estetico*?'
'Afgelopen. Maar ik kan jou altijd de heilzame, ontspan-
nende werking laten ervaren van een shiatsumassage met aro-
matische oliën.'
'Hoe is het met Mirella?'
Na een korte stilte zegt hij: 'Niet zo goed. We zien elkaar
minder.'
'Omdat je alleen haar voeten...'
'Nee, helemaal niet. Zij wilde juist altijd dat ik haar voeten
masseerde. Ook in het openbaar, ook in restaurants. Vind je
dat niet een beetje gek, in restaurants?'
Hangt ervan af. Hoe opvallend je het deed.'
Hij kijkt me nadenkend aan.
'Ja, dat is zo. Het hangt ervan af. En vind je het ook niet
raar dat ze het elke keer wilde, bij elke ontmoeting?'
'Lijkt me een compliment. Ze vond het kennelijk fijn als je
haar aanraakte. Dat het uit is lag daar dus niet aan.'
'Mirella wilde dat ik bij haar kwam wonen.'
'En dat wilde je niet?'
'Ik vind het zo fijn bij mijn moeder. Dat is rustig, dat ben ik
gewend. Ik hou heel veel van mijn moeder. Misschien is het
vreemd, ik ben bijna zesendertig, maar toch.'
'Woont Mirella dan alleen?'

Hij knikt.

Het is in Rome nog steeds uitzonderlijk dat mensen alleen wonen. Mirella is net zo oud als Simone. 'Ze heeft een mooi appartement tegenover haar ouders. Ze verdient meer dan ik.'

'Wat doet ze voor werk, ook in de schoenen?'

'Nee, ze is advocate, gespecialiseerd in huwelijksproblemen.'

Ik probeer niet al te verbaasd te kijken.

'Misschien kan het nog goed komen?'

'Ja, misschien. Ze zegt dat ik volwassen moet worden. Ze heeft gelijk. Ik ben zo aan mijn moeder verknocht doordat ik mijn vader vroeg ben kwijtgeraakt. Hij is verongelukt toen ik drie was. Ik ben me ook erg gaan hechten aan mijn grootvader. Zo'n lieve man. Hij heeft heel veel boeken geschreven en films gemaakt. Ook met Gina Lollobrigida. Ik heb een foto op mijn kamer van mijn opa met Gina. Een mooie vrouw, ze heeft daar echte filmsterrenschoenen aan. Jaren vijftig. Een strikje aan de zijkant, heel hoge dunne hakken. Ik hield zo veel van hem en hij van mij. Ik heb heel erg gehuild op de begrafenis. Ik kon niet stoppen. Hij was drieënnegentig. Mooie leeftijd maar ik miste hem vreselijk. Toen hij gestorven was ben ik een tijd bij een psycholoog geweest, ik was erg in de war. Nu hoeft dat gelukkig niet meer.'

Dan gaat zijn blik opnieuw naar mijn voeten.

'Je hebt heel mooie schoenen aan.' Hij bukt zich. 'Zacht leer. Mooi gemaakt. Ik zou je graag een keer het ontspannende, weldadige effect laten ervaren van...'

'Mijn vriend zal dat geen goed idee vinden.'

'Ik begrijp het. Misschien heb je het ooit een keer nodig. Dan kom ik bij je thuis of anders kom jij bij mij. Bij mijn moeder.' Nee, dat vond zijn moeder niet gek. Laatst had een meisje bij hen gegeten met wie hij samen had gefigureerd. Ze hadden arm in arm moeten lopen, het meisje op heel hoge

53

hakken. In de pauze had hij haar voeten gemasseerd, in het gras van Cinecittà. 'Ze was erg onder de indruk van mijn massage. Binnenkort komt ze weer.'

'Dat wordt misschien je nieuwe vriendinnetje?'

'Nee, het is niet zoals met Mirella. Gewoon, als vrienden.'

Zijn blik gaat nu naar mijn voeten met een bijna filosofische uitdrukking.

'Over drieënhalve week ben ik jarig. Je zou me geen groter cadeau kunnen doen dan een kopje koffie met me te drinken. En nog iets, dat is ook een oprechte wens van me. Ik zou zo graag een boek van je lenen. Een boek dat jij hebt geschreven. Dan geef ik jou een boek van mijn opa.'

'Je krijgt mijn boek cadeau.'

'En een laatste verzoek: je zou me een immens genoegen doen als mijn blik zou mogen afdalen naar een laag uitgesneden schoen met hoge hak.'

Hij begeleidt me een stukje naar huis. We wandelen over de oude Romeinse keitjes van de Via dei Cestari, de straat met de modewinkels voor geestelijken. In de etalages hangen veelkleurige gewaden voor de priesters en grijze voor de nonnen.

'Je kunt goed lopen op hoge hakken hè? Niet alle vrouwen kunnen dat. Ik vind het zo mooi, zo elegant.' Hij gluurt voortdurend naar beneden.

We komen langs de etalage van Gamarelli, het kledingatelier dat sinds 1798 de pausen kleedt. Tijdens de verkiezing van de nieuwe paus hingen er drie witte pauselijke gewaden. Die verhuisden later naar de Sint-Pieter, zodat de vers gekozen paus van wie het postuur nog niet bekend was, zich meteen in pasklaar vol ornaat aan de wereld kon vertonen. Er stonden glanzende rode schoenen bij, bewaakt door een twintig centimeter lang Zwitsers wachtje. Aan de binnenkant was met zwierige gouden letters geschreven: *Made in Italy*.

Ik vertel Simone over die rode schoenen van de paus en ook

dat ik net twee zestiende-eeuwse appartementen van heiligen heb bezocht hier in de buurt.

'Van beide heiligen werden de schoenen getoond, maar er waren stukken vanaf gesneden door relikwieënjagers om mee naar huis te nemen.'

'Dat begrijp ik wel,' zegt hij ernstig. 'Schoenen zijn heel erg belangrijk. Via onze schoenen en onze voeten hebben we contact met de wereld.'

Keizer Tiberius staat terecht

Ramp! Mijn computer begeeft het, net nu ik tegen een dead-line aanzit. Hij doet helemaal niks meer. Kortgeleden heb ik hem laten repareren in Nederland, waardoor ik het ding een week kwijt was. Ik bel een paar vrienden, niemand weet raad, computerhelpdesks zijn schaars in Rome. Maar mijn vriendin de journaliste Adele kent een zaakje vlak om de hoek bij het Forum van Nerva.

Ik wandel met mijn laptop over de Via dei Fori Imperiali. Het is stralend weer. De Romeinse keizers staan als standbeelden trots voor hun fora.

Als ik naar beneden kijk, naar het Forum van Caesar, waar nog steeds wordt gegraven, knijp ik mijn ogen dicht om beter te zien. Het is net of ik in de verte een man in toga aan zie komen. Ja, langzaam nadert hij tussen de brokstukken van zuilen en poorten, begeleid door plechtige muziek. Het lijkt een droom. Hij komt deze kant op. In de verte zie ik nog meer mannen in toga. Ook een enkele vrouw in lang gewaad. De muziek wordt luider. Ik wissel een verwonderde blik met de mensen naast me.

'Jammer, het is uitverkocht.'

Julius Caesar komt tot leven op zijn eigen forum, in de vormgeving van Shakespeare. Het tweede gedeelte zal zich afspelen aan de overkant, op het Forum van Augustus.

Ik wandel verder en ga bij het Forum van Nerva de hoek om, de drukke Via Cavour in. Ik loop langs een zaak waar je vespa's kunt huren, langs een *aromafarmacoteca*, een winkel die vast al vele generaties meegaat en die de wonderlijkste dingen in de etalage heeft uitgestald. Een medisch trommeltje uit de jaren vijftig, spuitbussen met chemische middelen, een voetmassageapparaat.

Zou dit het zijn? Vertwijfeld kijk ik naar de smalle vitrine waarin schots en scheef wat computerbenodigdheden zijn gepropt. Dit is wel even wat anders dan de chique winkel in die grijze Amsterdamse straat waar ze me eerst niet wilden binnenlaten om de computer af te halen, aangezien het twee minuten over zes was en de winkel om zes uur sloot.

Er wordt naar me gezwaaid. In een kleine overvolle ruimte zit een jongeman achter een minuscuul tafeltje waar een heleboel laptops op en onder staan. Hij is bezig met de bovenste van een stapel. De eigenaar van het apparaat zit op een uitklapbaar trapje naast hem. Daarachter zijn drie mensen tussen dozen en mappen aan het internetten.

De reparateur heet me met een stralende lach welkom. 'Hallo, ik ben Sandro, en hoe heet jij?'

'Rosita.'

'Rosita, vertel me, wat is het probleem?'

'*Una tragedia*. Mijn computer doet niks meer.'

'*Morto?*' Hij lacht. 'Zouden we hem weer tot leven kunnen wekken?'

'Al mijn hoop is op u gevestigd. Net nu ik het zo druk heb.'

'Ik ben bijna klaar en dan zullen we eens kijken,' zegt hij op geruststellende toon alsof hij het tegen een patiënt heeft. De man die op het trapje zat maakt plaats voor mij.

Er stapt een stoere verschijning in spijkerbroek en strak T-shirt van zijn motor en komt naar binnen. Zijn helm legt hij op de grond. Hij omhelst Sandro en vraagt of hij koffie voor ons zal halen.

Dat willen we wel.

De vorige laptop doet het weer. Nu pakt hij de mijne uit en drukt op wat knoppen. Ik verwacht dat hij op zijn best zal zeggen: 'Kom morgen maar kijken of het gelukt is', maar hij gaat meteen aan de slag.

Regelmatig loopt er iemand binnen, om te internetten, iets te kopen, op te halen of een babbeltje te maken. Iedereen wordt even charmant begroet en krijgt alle aandacht. Hoe is het met school? Hoe is het met de liefde? Met *la mamma*? Daar is de motorheld weer, met twee dampende plastic bekertjes. Sandro zet zijn bekertje tussen de opgestapelde laptops, waar het even later omvalt. Koffie overal, ook in de helm, op Sandro's broek, maar niet op mijn laptop.

Sandro pakt een stuk papier en gaat toegewijd poetsen.

'Ruikt lekker,' zeg ik.

'Ja, maar toch zou het beter zijn wanneer het niet was gebeurd,' zegt hij rustig.

Als alles weer schoon is gaat hij door met zijn werk. Regelmatig zwaait hij naar iemand die voorbijloopt, of werpt een kushand. Af en toe gaat zijn telefoon en voert hij een gesprek over een computer of over iemands liefdesleven terwijl hij doorgaat met de behandeling van mijn laptop, waar alweer enig leven in komt.

'Hij wordt wel erg warm,' zegt Sandro, terwijl hij het apparaat behaaglijk tegen zich aandrukt. 'Je kunt hem altijd nog als kacheltje gebruiken.'

Het wordt donkerder. Er gaan lichtjes aan en er klinkt muziek. De uren verstrijken en ik verveel me geen moment, wordt aan de meest uiteenlopende mensen voorgesteld. Ik vraag me af of ik wel genoeg geld bij me heb, hij is al drie uur bezig.

Maar mijn computer doet het weer.

Als ik ten slotte vraag wat hij van me krijgt, antwoordt hij: 'Tien euro.'

'Zo weinig?'

'En een *bacio*.'

Ik geef hem het geld, een klinkende kus op zijn wang en ga naar buiten met de computer onder mijn arm.

Het Colosseum is prachtig verlicht, ook de zuilen op de resten van de tempel van Roma en Venus die van glas lijken en die daar zijn neergezet tussen de antieke zuilen ter gelegenheid van het veertigjarig jubileum van modekoning Valentino. Bij de Basilica van Maxentius is een enorme oploop. Ik kijk wat er aan de hand is en zie affiches met daarop: 'Keizers achter de tralies.'

Vanavond is er een proces tegen keizer Tiberius. Dat wil ik meemaken.

Ik sluit achter aan in de lange rij.

Tiberius, de opvolger van keizer Augustus, heeft een zekere vertrouwdheid voor me omdat ik als ik naar de zee verlang altijd naar de plek ga die hij ook uitverkoos. In Sperlonga, ruim een uur met de trein ten zuiden van Rome, had hij een buitenverblijf aan een prachtige baai. Vanaf het strand zie je de grot liggen waarin je vanuit het paleis kon afdalen. Die grot grenst aan de zee en was omgebouwd tot lustoord voor feesten en partijen. Op een platform omspoeld door water werd getafeld en daaromheen stonden grote beelden en beeldengroepen van figuren uit de *Odyssee*. Scylla, het veelarmige monster met vrouwentors die de boot van Odysseus grijpt, Odysseus die met zijn mannen Polyphemus zijn ene oog uitsteekt. Scheppingen van de hand van Griekse beeldhouwers. Af en toe bezoek ik het museum dat boven de grot is gebouwd nadat in 1957 bij de aanleg van een weg deze homerische helden opdoken en kleurige glinsterende stukjes mozaïek. De beelden zijn van dezelfde scheppers als de Laocoöngroep en aanvankelijk zouden de brokstukken naar Rome worden getransporteerd voor nader onderzoek. Maar de bevolking van Sperlonga heeft de straten afgesloten en heftig geprotesteerd, zodat de kunstwerken in een speciaal daarvoor gebouwd museum terechtkwamen en niet werden opgeslokt door het alles verslindende Rome.

Tiberius had smaak, dat is duidelijk. Het moet betoverend

geweest zijn te tafelen in die grot, omringd door die beelden-groepen die tot leven leken te komen in het licht van de fak-kels en de weerspiegeling in het water terwijl er passages uit de *Odyssee* werden gedeclameerd. Niet toevallig liet Tiberius déze figuren uit steen hakken. Odysseus doolde rond aan deze zelfde kust. Iets verderop ligt Circeo, waar hij behekst werd door de fatale Circe, die zijn vrienden in varkens veranderde. In het museum kun je haar zien, in een lang gewaad met var-kentjes aan haar voeten. Deze figuren benadrukten ook de af-stamming van Tiberius. Aan de ene kant stamde hij, via zijn stiefvader Caesar, af van Aeneas en Julus, stichters van het Ro-meinse volk en de *gens* Julia, en bovendien was hij via zijn ei-gen familie, de Claudii, nakomeling van Telegonos, zoon van Odysseus en Circe.

Toen in het jaar 26 tijdens zo'n feestbanket een stuk van het dak van de grot instortte en Tiberius op miraculeuze wijze aan de dood ontsnapte, week hij uit naar Capri, waar hij een nieu-we droomvilla liet optrekken, de Villa Jovis. Er is veel over hem geroddeld, maar berustte het op waarheid, of was het ja-loezie, partijdigheid? Wie was die man, die opvolger van kei-zer Augustus? De man die die beelden liet maken en uitkeek over diezelfde zee?

De machtige bogen van de basilica van Maxentius, waarin het proces zich vanavond zal voltrekken, zijn mooi uitgelicht. In 306 begon Maxentius met de bouw en in 312 werd het af-gemaakt door Constantijn. In de tijd van Tiberius lagen hier de Horrea Piperitaria, de gebouwen waar de specerijen wer-den bewaard en bewerkt die uit alle hoeken van het rijk wer-den aangevoerd.

Ooit glansden die koepels door het brons waarmee ze wa-ren bedekt en dat paus Honorius in 626 gebruikte voor het dak van de toenmalige Sint-Pieter. Dit kolossale gebouw, waarin de architecten al hun ervaring met het bouwen van de weelderige thermen konden uitleven, werd de oervorm voor

Tiberius

latere kathedralen. Drie schepen, het middelste groter en hoger. Bij een aardbeving in de negende eeuw stortte een groot deel van het gebouw in en veel van de brokstukken en versieringen werden gebruikt in andere bouwwerken. Het linkerschip met grote absis bleef overeind en dat was precies de plek waar sinds de vierde eeuw de *Secretarium Senatus* zat. De zetel van het tribunaal van de processen tegen leden van de senaat. En daar staat vanavond Tiberius terecht.

Niet zo ver voor me in de rij verandert de uitdrukking op de gezichten. De kaartjes zijn op. Hè! Ik wil dit zo graag meemaken!

Ik blijf staan. Hier gaat men minder strikt met regels om dan in Nederland.

Andere mensen komen verlaat aanzetten. Er worden namen genoemd. 'Ik ben de vriend van die en die, de collega van die en die.' Regelmatig wordt het hek even geopend. Zo werkte dat tweeduizend jaar geleden ook, als je maar de juiste contacten had.

Maar uiteindelijk gaat ook voor deze vreemdeling de poort open. Volhouden wordt beloond.

Zeventienhonderd toeschouwers zitten onder de sterrenhemel en kijken naar het grote podium onder de reusachtige koepel. Er staan zes zuilen tegen een blauwe hemel met witte wolken. De echte zuilen gingen de kalkovens in of werden hergebruikt in latere bouwwerken, behalve een die voor de Santa Maria Maggiore staat.

Er is een voorzitter van de jury die uit twaalf mensen bestaat, een aanklager en een verdediger, allemaal gehuld in het zwart. Ze baseren zich op de getuigenissen van Suetonius, Tacitus, Flavius Josefus, Tertullianus, Cassius Dio.

De voorzitter spreekt inleidende woorden.

In de beklaagdenbank zit Tiberius Claudius Nero, geboren te Rome in het jaar 42 voor Christus, gestorven te Miseno in 37 na Christus. Wij kennen hem als keizer Tiberius.

Het Romeinse rijk liep van de Rijn en de Donau in het noorden, de Afrikaanse woestijn in het zuiden, de geheimzinnige oceaan in het westen en de kronkelige Eufraat in het oosten, zoals te zien is op een van de kaarten op de buitenmuur van de basilica, die Mussolini heeft laten aanbrengen. Rome was op zijn mooist met tuinen, tempels, theaters, bibliotheken, thermen, paleizen. De Griekse historicus Strabo schreef: 'Het is niet makkelijk om je blik los te maken van zo'n spektakel.'

Hier, vlakbij op de Palatijn, werd Tiberius geboren.

Tiberius wordt aangeklaagd wegens bederf van de zeden, seksueel misbruik van minderjarigen die hij naar zijn lustoord Capri lokte, moord op mogelijke rivalen. En was hij misschien verantwoordelijk voor de kruisiging van Christus?

De verdediger neemt het woord: 'Dit is allemaal gebaseerd op verhalen van zijn tegenstanders. Suetonius en Tacitus waren nostalgische aanhangers van de verdwenen republiek. De anti-Tiberianen waren aristocraten die macht hebben gekregen door veroveringsoorlogen. Tiberius wilde een sociale revolutie door de vrede te handhaven en functies te geven aan hen die het verdienden.'

'Hij was kil en berekenend,' zegt de aanklager.

'Hij was tragisch, geslagen door het lot.'

'Met bloed baande hij zich een weg naar de troon.'

'Hij wilde geen keizer worden, maar ontkwam er niet aan omdat zijn moeder en keizer Augustus dat wilden.'

De menigte zit doodstil te luisteren. De maan luistert mee.

'Hij voelde dat zijn stiefvader Augustus niet van hem hield. Dat hij zoveelste keus was als opvolger, omdat Marcellus, Agrippa en Augustus' kleinzonen stierven.'

'Allemaal omgebracht door hém.'

'Leugens, smerige roddel.'

'Hij heeft zelfs zijn broer Drusus vermoord, ook een obstakel voor de troon.'

'Ze hielden intens van elkaar, waren als Castor en Pollux. Drusus viel van zijn paard en toen Tiberius hoorde dat zijn broer stervende was heeft hij dag en nacht doorgereden op zijn paard in de hoop hem nog levend aan te treffen. Drusus stierf in zijn armen. Dit was een van de bewijzen van de grote gevoeligheid van Tiberius, maar hij verstopte die achter geslotenheid en melancholie.'

'Hij vluchtte voor zijn plichten, naar Rhodos, Sperlonga, Capri.'

'Hij was een groot en dapper veldheer. Hij ging naar Gallië, Germanië, Armenië, Azië, om opstanden te onderdrukken. Ja, uiteindelijk trok hij zich terug, ontgoocheld. Hij walgde van het machtsspel en gekonkel in Rome. Hij was graag op Rhodos vanwege de glorie van het intellect, leidde een studieus leven, verdiepte zich in de Griekse schrijvers en wist veel van de sterren. Hij ging om met filosofen, sofisten, retoren, maar ook met eenvoudige lieden. Een keer heeft hij daar alle zieken van het eiland bezocht.'

'Hij gaf zich over aan wulpse genietingen. Omringde zich met heel junge jongetjes en meisjes.'

'Dat zal ernstig overdreven zijn. Rome was beledigd omdat het versmaad werd. Dat de keizer zonder de Eeuwige Stad kon leven moest te maken hebben met mysterieuze, liederlijke zaken die de openbaarheid niet konden verdragen. Misschien dat hij wat troost en vergetelheid zocht.'

'Hij was slachtoffer van vrouwen. Getiranniseerd door zijn machtsbeluste moeder Livia, die nergens voor terugdeinsde. Hij werd niet bemind en zelfs geminacht door zijn echtgenote Julia, met wie hij moest trouwen van haar vader Augustus en voor wie hij zijn innig geliefde vrouw Vipsania Agrippina moest verlaten.'

'Ik heb hem alleen maar gesteund en beschermd! Houdt de kwaadsprekerij nooit op!?'

Tussen de zuilen verschijnt een vrouw in een lang zwart ge-

Onyx met de beeltenis van keizer Claudius en zijn vrouw
Agrippina de Jongere, zijn oom Tiberius
met diens moeder Livia

waad, de haren opgestoken. Livia, de derde vrouw van keizer Augustus, moeder van Tiberius.

'Mijn zoon heeft louter het goede nagestreefd. Toen er hongersnood was heeft hij uit eigen zak graan betaald en uitgedeeld onder de mensen.'

'Hij was slachtoffer van de verderfelijke Julia, die hem te schande maakte met al haar minnaars.'

'Leugens! Hij hield niet van me!'

Een andere vrouw komt aangesneld tussen de zuilen, jonger, ook in het zwart, maar bloter en zwieriger. Julia, de dochter van Augustus en tweede vrouw van Tiberius. Haar derde man.

'Jij hebt Marcellus, mijn geliefde eerste man vermoord, hij was een obstakel voor je zoon.'

'Jij hebt Marcellus ziek gemaakt, hij is doodgegaan van ellende. Je bedroog hem met Agrippa.'

'Het huwelijk met Agrippa was bedacht door mijn vader Augustus,' roept Julia fel. 'Je was blij dat Agrippa ook doodging. Zo zag je de kans schoon voor je zoon. Jij fluisterde mijn vader in dat hij je zoon Tiberius moest dwingen de vrouw van wie hij hield te verlaten en met mij trouwen. Want dat was de weg naar de troon. Zo stortte je hem en mij in het ongeluk.'

'Tiberius moest vluchten door je wangedrag,' zegt Livia en keert zich hooghartig af.

'Hij hield niet van me.'

'Hoeveel minnaars had je wel niet? Zelfs met je neef, de schoonzoon van Octavia, je vaders zuster, hield je het, je speelde met Ovidius, die het moest bekopen met een verbanning. Iedereen wist van de orgieën op het Forum. Tiberius, mijn zoon, een toonbeeld van moraal, heeft speciaal een wet ingesteld tegen losbandig gedrag. Tiberius had je op grond daarvan moeten aanklagen, dat deed hij niet, hij trok zich terug. Zo bont maakte je het dat je vader je wel op moest sluiten op dat eiland, Ventotene.'

'Jij zat daarachter, mijn vader wilde dat niet.'

'Er wordt zelfs gezegd dat je met je vader werd betrapt en dat jullie dochter de moeder was van Caligula.'

'Verwerpelijke intrigante. Je hoopte dat ik snel doodging op dat eenzame eiland, maar ik liet me troosten door de zee en de gedachte aan mijn kinderen. Moordenares, ook mijn kinderen ruimde je uit de weg uit angst dat die op de troon zouden klimmen in plaats van je zoon. Macht was het enige voor je. Zelfs op het geld prijkte jouw portret.'

'Ik wilde hem niet ter dood brengen!' klinkt een mannenstem.

De vrouwen deinzen terug.

Een wat gezette man komt het podium op. Hij maakt een gekwelde indruk, heeft zijn hand aan zijn hoofd.

De vrouwen lopen weg met ruisende rokken.

'Voortdurend komt hij me voor ogen,' zegt hij geëmotioneerd. 'Ik begreep niet wat hij voor kwaad had gedaan. Hij leek me eerder een dwaas. Hij had het over een rijk dat niet van deze wereld was.'

'Pontius Pilatus,' fluistert de vrouw naast me.

'Ik heb voorgesteld een ander te kruisigen. Nee, ze wilden deze profeet. Ik ben in de val gelopen. Alleen het Romeinse bewind kon een doodvonnis vellen, de keizer of ik als Romeins stadhouder. Ze drongen aan. Ik zag niet wat hij op zijn geweten had. Voortdurend stonden daar in Judea vurige predikers op. Er waren zoveel sektes.'

Hij ijsbeert heen en weer langs de zuilen.

'De Farizeeën vroegen aan die profeet wat hij ervan vond dat de joden belasting betaalden aan de Romeinse keizer en hoopten hem zo in de val te laten lopen. Die profeet vroeg hun om dat geld dat betaald moest worden aan hem te laten zien. Ze toonden hem de denarius met de kop van Tiberius erop, en dachten dat hij zou walgen van deze aanbidding van de keizer, maar heel rustig zei Hij: "Geef de keizer wat des

68

keizers is." Wat moest ik Hem ten laste leggen? Hij was nergens op te vangen. Op grond waarvan moest ik Hem veroordelen? Ik vroeg om steun bij Tiberius, heb meerdere brieven gestuurd. Hij reageerde niet. De keizer liet me aan mijn lot over, hij liet me in de steek.'

'Je was bang,' klinkt de stem van de verdediger van Tiberius.

'Ja, ik was bang. Ik had al zoveel problemen gehad met dat volk. Hun razernij toen de Romeinse troepen Jeruzalem bezetten. Toen ik het geld uit de tempel wilde gebruiken om daar een aquaduct mee te bouwen waren ze helemaal door het dolle heen, terwijl het hun alleen maar ten goede zou zijn gekomen. Waarom werd ik naar die moeilijke provincie gestuurd?'

'Wij Romeinen hebben de mooie wet: "Bij twijfel vrijspreken." Waarom deed je dat niet?'

'Ik hoorde niks van de keizer, het joodse volk was buiten zinnen. Ik vreesde een opstand. Ze zijn daar zo fel.'

'En je was bang dat Tiberius je zou veroordelen als het uit de hand liep. Je was bang dat het volk in opstand zou komen en over je zou klagen bij de keizer.'

'Voortdurend komt Hij me voor ogen. Zijn rust. "Het rijk der gerechtigheid," daar had Hij het steeds over.' Pontius Pilatus schudt zijn hoofd, alsof hij het nog steeds niet begrijpt. 'Hij was de profeet van een nieuwe godsdienst van liefde en vergeving.'

Hij beent heen en weer over het podium.

'Rome bemoeide zich niet met religieuze kwesties in de provincies. Ik waste mijn handen in onschuld zoals gebruikelijk daar.'

De stem van de voorzitter.

'Pilatus stuurde een rapport van de kruisiging en Tiberius lichtte de senaat in. Tiberius stelde een *senatus consultum* voor om ervoor te zorgen dat de aanhangers van de profeet niet werden vervolgd.'

Pilatus komt weer naar voren.

'Ik smeekte de keizer om vergeving toen ik hem bezocht in de Villa Jovis, maar ik zag het oordeel in zijn ogen, en even later kwam het water onder de rotsen van Capri in duizelingwekkende vaart op me af.'

'Apocriefe verhalen!' roept de verdediger. 'Uit het apocriefe boek van Pontius Pilatus.' Dat gaat zo ver dat het verkondigt dat de keizer genezen wordt door de zweetdoek van de heilige Veronica en zich laat dopen.

Waarschijnlijk zag Tiberius Jezus niet als een politieke opruier.

Onverschillig, dat was zijn houding ten opzichte van elk geloof en alle goden. Sceptisch in religieuze zaken, liberaal in de politiek. Van hem is de uitspraak: 'Beledigingen aan het adres van goden hebben in die goden hun oordelaars.' Iedereen mocht zich aan zijn eigen godsdienst wijden, zolang ze de openbare orde niet verstoorden. Toen dat later wel gebeurde, werden de joden aangepakt en de christenen en ook de priesters van Isis werden gekruisigd, hun tempel werd verwoest en het beeld van Isis in de Tiber gegooid. Er was geen reden om Jezus te veroordelen en bovendien was de door Tiberius ingestelde wet overtreden die zegt dat het vonnis pas tien dagen na de veroordeling mag worden voltrokken. Tiberius zal het hebben gezien als een juridische fout.

Wel vreemd dat het hem als sterrenkundige ontgaan is dat er drie uur lang duisternis over de aarde viel na de kruisiging. En hij zal verbaasd hebben opgekeken toen hem het bericht bereikte dat de gekruisigde was opgestaan en ten hemel gevaren.

Tiberius was niet verantwoordelijk. Hij zal deze kruisiging nooit hebben gewild. Misschien zijn de brieven van Pontius Pilatus niet aangekomen. Tiberius was een fatalist, ervan overtuigd dat het leven wordt bepaald door de loop van de sterren.

Dante is mild over Tiberius. Zo moest het gaan volgens het

goddelijke heilsplan. Deze rol moest worden gespeeld door de keizer, de personificatie van de wereldmacht. En de wereldmacht kruisigde Christus. *Se in mano al terzo Cesare si mira/con occhio chiaro e con affetto puro.*

'*Tiberius ad Tiberim,*' werd er geroepen na zijn dood, die misschien was versneld doordat Caligula hem onder het mom van zorgzaamheid had laten bedelven onder kussens. Eén hoeft het maar te roepen en iedereen roept mee. Tiberius is niet in de Tiber gegooid maar begraven in het mausoleum van Augustus.

De Romeinen zagen weer een aanleiding om rellen te trappen. Even later zouden ze onder Caligula diepe heimwee hebben naar Tiberius. Caligula, die zijn paard tot senator aanstelde en die de ene keer rondliep in het harnas van Alexander de Grote dat hij had laten opdelven, en dan weer verkleed als Aphrodite.

Het oordeel is aan de jury.
'Is Tiberius schuldig?'
Drie van de twaalf armen gaan omhoog.
'Is Tiberius onschuldig?'
Negen armen gaan omhoog.
'Hierbij verklaar ik keizer Tiberius onschuldig!' galmt het onder de zuilen en de sterrenhemel.

Er ontstaat een enorm geroezemoes dat steeds sterker wordt. Op het podium heerst verwarring en dan vraagt de voorzitter van de jury het hele zeventienhonderd koppige publiek om een stem uit te brengen.
'Was Tiberius schuldig?' galmt het nogmaals.

Een woud van armen gaat de lucht in. Een overtuigende meerderheid.

Even is het stil, daarna wordt er geapplaudisseerd. Erg lang. De personages verschijnen weer tussen de zuilen. Ze buigen. En nogmaals buigen ze.

Ten slotte komt de mensenmassa in beweging. Iedereen is druk in gesprek. Terwijl de mensen langs de antieke muren voetje voor voetje naar de uitgang lopen hoor ik: 'Hij heeft dus Jezus laten kruisigen.'

'Dan is hij deel van het heilsplan.'

'Rome in de steek gelaten.'

'Ouwe geilaard.'

'Hij wilde het beste voor Rome.'

'In al die luxe villa's zeker. Net als Berlusconi.'

'Fijnzinnige man.'

'Moest weg bij de vrouw van wie hij hield.'

'Nero was erger.'

'Augustus ook.'

Alsof we terug zijn in het oude Rome.

'Op Capri stonden de bustarieven op zijn gedenksteen,' zegt de man die naast me loopt tegen een groep vrienden.

'Wat voor steen?' vraag ik nieuwsgierig.

Hij vertelt dat op Capri een rijke Amerikaanse historicus zich verdiept had in Tiberius, die daar zou rondwaren als kwaadaardige geest en soms over de rotsen flitste in de gedaante van een zwarte slang. De Amerikaan, die tot de conclusie kwam dat het wel meeviel met de wandaden van de keizer, had een Latijnse tekst laten hakken in het favoriete soort marmer van Tiberius en de gemeenteraad gevraagd de steen te bevestigen op de klokkentoren van het plein. Maar dat gebeurde niet. De reputatie van liederlijke wreedaard die zich omringde met mooie meisjes en jongens, zou goed zijn voor de aantrekkingskracht van het eiland, als mysterieus lustoord. De kerk was ook tegen de rehabilitatie omdat de beschermheilige van Capri zo des te heiliger afstak.

In 1913, toen de Amerikaan al dood was, hing de steen uiteindelijk op de muur, maar verkeerd om. Op de gladde achterkant waren de prijzen gebeiteld van het openbaar vervoer. In 1985 is er uiteindelijk recht gedaan en is de steen met de rehabiliterende kant naar voren gedraaid.

'En wat was uw oordeel?' vraag ik aan de man.

'De bekende schrijver Giovanni Papini schreef in zijn boek *De keizer van het kruis*: "Tiberius is een van de grootste keizers geweest en een van degenen over wie het meest kwaad is gesproken."'

Het kwaad dat iemand deed overleeft hem, het goede dat hij deed wordt begraven met zijn botten, zoals Marcus Antonius zegt bij het doorstoken lichaam van Caesar.

Ik groet de man en zijn gezelschap en loop huiswaarts over de Via dei Fori Imperiali. Hier en daar zie ik een groepje mensen verhit discussiëren en hoor ik de namen Tiberius, Julia, Pontius Pilatus.

Er zijn weinig auto's. Ik denk aan die avond dat ik hier wandelde met Louise en er niet één auto te zien was op deze brede straat. Er kwamen wat agenten aanrijden op motoren die de weinige wandelaars gebaarden de weg te verlaten en op de stoep te gaan lopen. We keken om en zagen een klein wit voertuig op die verlaten straat. De pausmobiel met Johannes Paulus II, op weg naar een van zijn laatste optredens, in het Colosseum, waar de kruisiging werd herdacht.

Op het Forum van Caesar is het stil en verlaten.

Op het Forum van Augustus klinkt geluid, maar ik wandel door.

Bij Valentina in de Suburra

Ik heb een afspraak in het hart van de Suburra, de oude volkswijk achter het Forum van Augustus waar het leven al meer
dan tweeduizend jaar zijn gang gaat. Vele eeuwen voor het begin van onze jaartelling gingen er mensen wonen in het lage
gedeelte tussen de heuvels, vandaar de naam Onderstad. Op
de hellingen van de verschillende heuvels die daar naar elkaar
toelopen woonden de rijkere mensen, in het laagste gedeelte
het eenvoudiger volk. Valentina woont er en ze zou nergens
anders willen wonen. De Etruskische koning Servius Tullius vestigde zich daar in de vijfde eeuw voor Christus, Caesar
werd er geboren, de schrijver Martialis ging er wonen en deed
er inspiratie op, Nero zwierf er rond als vrouw verkleed om te
horen wat er over hem werd gezegd. En Messalina zou er in
haar wildste avonturen alle perken te buiten zijn gegaan.

Ik loop door de Via delle botteghe oscure, genoemd naar
de winkeltjes die in later eeuwen onder de bogen van theater
Balbi zijn ontstaan. Nu is er een mooi museum in de overblijfselen van dit kleinste van de drie theaters op het Marsveld,
waarin je duidelijk kunt zien hoe de lagen van Rome over elkaar zijn gelegd. Dit is nog steeds de buurt van de theaters.
Vlak voor het museum kijk ik extra aandachtig naar de beeltenis van Maria, omdat ik kortgeleden, na er jaren argeloos
langs te zijn gewandeld, de tekst las die daaronder staat in Latijn en Italiaans: 'Op 9 juli van het jaar 1796 heeft de beeltenis
die u nu aanschouwt door meerdere malen haar ogen te bewegen en met een zachte uitdrukking de inwoners van Rome
getroost.' Die inwoners moesten getroost worden omdat Na-

poleon de Pauselijke Staat was binnengevallen.

Aan de andere kant van de straat staat een vreemd bouwwerk, een vele verdiepingen hoog huis waarvan aan de voorkant een stuk is afgehakt toen deze weg werd aangelegd en er een oude tempel tevoorschijn kwam. De reeks zuilen die je in de diepte kunt zien zijn van die tempel, waar vele eeuwen voor onze jaartelling graan werd uitgedeeld. De voorkant stond in de richting van de tempels van het huidige Kattenforum. Er wordt gewoond in de huizen die tussen en op de resten van die tempel zijn gebouwd, zoals in Rome op de gekste plekken wordt gewoond en feestgevierd.

Ik loop langs het grote paard waarin die borrel werd gehouden, langs de Markt van Trajanus, die net weer geopend is en nu het museum van het Forum herbergt. Ik ga er even binnen en loop over een antieke weg, de Via Biberatica, van het woord *bibere*, drinken, zo genoemd naar de vele kroegen die daar waren. Die weg deelde de markt in tweeën, in een hoger gedeelte en een lager gedeelte. In het hogere gedeelte zaten de kantoren, in het lage gedeelte waren winkels die olie verkochten, wijn, kruiderijen, groenten, fruit, vis, schelpdieren. Onlangs heeft een groep onderzoekers in de kanalen onder de Markt van Trajanus kolossale krabben ontdekt. Hoogstwaarschijnlijk zijn hun verre voorouders hier op de antieke markt ontsnapt aan de verkoop en hebben ze zich vervolgens aangepast aan de omgeving. Tot voor kort werden ze in het geheim opgepeuzeld door de bewakers, maar nu zijn de Trajanuskrabben beschermd.

Ik ga de Salita del Grillo in en loop langs de Torre del Grillo waarvandaan in de achttiende eeuw de legendarische Markies del Grillo als tijdverdrijf de voorbijgangers met fruit zou hebben bekogeld. In de Middeleeuwen was Rome, en vooral deze buurt, een woud van torens. Rome telde minstens driehonderd van deze verdedigingsbolwerken, verdeeld over adel en geestelijkheid. Ook in sommige van die torens wordt nog steeds gewoond en zie je achter de kleine raampjes lichtjes branden. Ik kijk met ontzag naar de majesteitelijke achterkant van het Forum van Augustus, waarin in de dertiende eeuw een klooster werd gebouwd en missen werden opgedragen in de resten van de oude tempel. Nu huizen de ridders van Malta er. Vanaf de prachtige loge die je van de voorkant kunt bewonderen, heeft de paus in vroeger eeuwen de Romeinen gezegend.

Tegenover de Arco Pantani, de boog die het Forum van Augustus scheidde van de Suburra, sta ik even stil bij een andere beeltenis van Maria met kind, een fresco uit de zestiende eeuw, in een marmeren lijst. Bij deze Madonna voltrok zich aan het einde van de achttiende eeuw het wonder van de lelies. Een bos uitgedroogde lelies bloeide midden in de zomerhitte helemaal op en bleef zo bloeien gedurende enige weken. Achter het glas is behalve een bosje verdorde lelies ook een grote verzameling zilveren votiefharten te zien. Eronder staat de in marmer gehakte tekst 'Zijne Heiligheid Pius VI schenkt op 18 februari 1796 een aflaat van tweehonderd dagen aan alle gelovigen, zowel die van het ene als van het andere geslacht, ook geldig voor de zielen in het Vagevuur, elke keer als zij devoot en met een vroom hart hier de litanieën opzeggen van Maria Santissima'. Verder staat vermeld dat dit beeld, net als het vorige, samen met nog een hele reeks haar ogen heeft bewogen toen de Fransen binnenvielen. De andere Madonna's zijn la Madonna Addolorata, la Madonna dell'Archetto, la Madonna della Provvidenza, la Madonna del Rosario en la Madonna die in de kerk hangt van San Niccolò de' Prefetti.

Het wonderlijkste is eigenlijk die opmerking over beide seksen.

Toch heeft Rome ook nuchtere bewoners. In een aflevering van het tijdschrift *Il monitor di Roma* werd in het jaar 1799 een conversatie weergegeven tussen twee sprekende beelden. Pasquino zegt tegen Marforio, de riviergod die te zien is op de binnenplaats van het Capitolijns Museum: 'Ach, was het niet zo dat een paar jaar geleden in deze tijd de lelies bloeiden? Zie, dit wonder heeft zich herhaald. En deden de Madonna's niet hun ogen open? Dat wonder zal zich ook herhalen: je zult het zien.'

Marforio: 'Maar wij geloven er niks van, en daarom zijn we geen minder goede christenen.'

Ik loop door naar de parallelstraat en sla die in, de Via Madonna dei Monti, genoemd naar een andere beeltenis van de Madonna die is ontdekt toen na een aardbeving een zacht gehuil klonk van onder het puin. Na graaf- en zoekwerk vonden ze een schilderij van de moeder Gods met kind.

Aan het begin van de straat staat weer een toren, La Torre dei Conti, gebouwd in de dertiende eeuw op de resten van de Vredestempel, die je duidelijk kunt zien in het fundament. Daar tegenover is hotel Forum, waar je op het dakterras kunt eten met een spectaculair uitzicht. In een trattoria die gedreven wordt door een aardige Suburraanse familie, zitten nog wat mensen na te tafelen.

Tweeduizend jaar achtereen is het hier bewoond gebleven. Laag op laag. Deze weg valt samen met de antieke Argiletum, de straat waar in de Oudheid de boekwinkels waren. Ik stel me voor hoe ze hier liepen in hun toga's op zoek naar boeken voor hun tochtje naar het land. In het leven van de betere standen werd de *otium* in ere gehouden, de tijd waarin men zich, het liefst op een fraai landgoed, niet alleen aan lichamelijke maar ook aan geestelijke genietingen wijdde, zoals het lezen van een boek. Er zit nog steeds een aardige tweedehands boekwinkel die de boeken soms ook in kistjes buiten heeft staan. Maar deze straat had ook een negatieve reputatie. Martialis schrijft: 'De Suburra, daar waar het bloed vloeit...' Want aan het einde van de Argiletum werden de doodvonnissen voltrokken. Tegenover de kerk Madonna dei Monti, waarin het huilende schilderij wordt bewaard, herinnert reisbureau Argiletum Tours nog aan die tweeduizend jaar oude straatnaam.

Er werd niet alleen naar boeken gezocht, maar ook stof verzameld voor boeken. Hier deed Martialis zijn inspiratie op voor zijn epigrammen over drinkebroers, pedofielen, hoeren, armoedzaaiers en al die types die er huisden. Hier mijmerde hij over zijn *Liber Spectaculorum*, de bundel die verscheen bij de inhuldiging van het Colosseum in het jaar 64. Hij wandelde door dezelfde straten, door de Argiletum. Maar ook de Via in Selci en de Via Urbana vallen precies samen met de antieke Clivus Suburranus en de Vicus Patricius. De wijk was berucht vanwege de lichtekooien. In de Via dei Capocci zitten ze nog steeds.

Nu is het stil, het uur van de siësta. De winkels zijn nog gesloten en er is bijna niemand op straat. 's Avonds is het een gezellige drukte en verzamelen de mensen zich op het plein van de Madonna dei Monti, waar tot diep in de nacht wordt gekletst en gedronken, net als duizenden jaren geleden. Ik stel me voor hoe Martialis hier gezeten zal hebben, in praktijk brengend wat hij schreef: 'Een wijs man zegt niet: "Ik zal leven." Morgen leven is al te laat. "Ik leef nu." ' Maar Martialis schreef ook: 'Met plezier het verleden herbeleven is twee maal leven.'

Ik kruis de Via dei Serpenti, de straat van de slangen, waarschijnlijk genoemd naar de slangen van de Laocoöngroep, die hier vlakbij werd gevonden. Aan het eind van deze omhooglopende straat stond het huis waar de apostel Petrus logeerde en waar nu de Santa Pudentiana staat.

Hier heet de oude Argiletum niet meer naar de Madonna maar weer naar een paus, Via Leonina, naar paus Leo x. Valentina woont vlak voor de Salita dei Borgia, een straat in de vorm van een trap. Vroeger had die de lugubere naam Vicus Sceleratus, Misdaadsteeg, omdat Tullia, de dochter van koning Servius Tullius, daar met haar koets over het lijk van haar vader heen zou hebben gereden nadat die op haar aanstichten door soldaten van haar man was vermoord. Zo kwam haar echtgenoot Tarquinius Superbus aan de macht en werd de laatste koning van Rome.

La Cigala e la Formica, De krekel en de mier, het restaurant waar Valentina vroeger werkte, is er nog steeds, maar de eigenares dacht steeds vaker dat ze Maria was. Valentina was dan haar engel, maar de meeste mensen om haar heen waren duivels. Uiteindelijk kon Valentina daar niet meer tegen en verhuisde naar een restaurant vlak bij de Piazza Navona. Dat werd verkocht en nu zit ze dus op de Schervenberg.

'Rosita!'

Ik draai me om. Daar is Valentina. Ze stond te praten met een jonge man. We kussen elkaar. 'Dit is Rashid, uit Egypte.' Ik vertel dat ik daar een paar maanden geleden was. Dat ik gelogeerd heb op een mooie plek aan de Nijl, bij Luxor, met uitzicht op de Vallei der koningen.

'Er zijn heel veel Egyptenaren in Rome,' zegt Valentina, 'net als tweeduizend jaar geleden.'

De jongen lacht. 'Hier staan meer obelisken dan in Egypte.'

We groeten de Egyptenaar en Valentina opent haar voordeur. Ze woont nog in hetzelfde huis als waar ik haar meerdere malen heb bezocht, maar nu op de begane grond. We lopen door een lange smalle gang, aan het einde opent ze nog een deur. We gaan een paar zwarte treden op en dan staan we in haar tempel. Een niet zo grote, vierkante ruimte met donkere houten meubelen. Een groot bed met een mooie sprei in warme kleuren. Over het midden van de muren is een rode rand geschilderd. Die Griekse meander heeft ze net laten maken door een vriend, zegt ze. Daarboven en daaronder zijn de muren behangen met voorwerpen. Ook de planken staan vol met vondsten, sommige op vierkante glazen voetstukjes. Ik herken de Etruskische schalen, drinkbekers en amforen die ze opdolf in Tarquinia. De olielampjes uit de Tiber. Een parade van benen pennen, ook allemaal afkomstig uit de Tiber.

'Nog mooier dan je vorige heiligdom.'

'Iets groter en het is fijn dat ik naar buiten kan.' Ze wijst naar een openstaande deur waarachter een terrasje is te zien.

Ik vraag of ze nog vaak naar de Tiber gaat.

'Vrijwel elke zondag. Kijk, dit heb ik laatst gevonden. *Il genio della casa.*' Ze pakt een klein beeldje van een doorzichtig houdertje. 'Hij heeft langwerpige ogen. Hij beschermde het huis en stond in een speciaal nisje.' Ze laat me meer vondsten zien. Een kinderspeeltje uit de Oudheid: een Assyrische ruiter van brons. Een kariatide van messing. 'Kijk, met een rok die de billen bloot laat.'

Ze heeft een kast vol boeken over archeologie, met als nieuwste aanwinst een verzameling schoolboekjes van rond 1800 waarin het oude Rome wordt beschreven. Er hangt een affiche met koppen en jaartallen van Romeinse keizers aan de muur. Daaronder, in een ladekast, zitten haar munten, keurig geordend. Ze heeft ze me een keer allemaal laten zien.

'Wil je buiten zitten, een glas wijn?'

Ze gaat me voor naar een sfeervol ommuurd binnenplaatsje. De muren zijn behangen met scherven, fragmenten, handvaten, een stuk van een gezicht. Bij een kleine ronde tafel onder een parasol staan twee stoelen. Daartegenover een groot aquarium met zand, water, planten en antieke voorwerpen. Het schildpadje Poppea, genoemd naar de vrouw van Nero, klautert over antieke tenen. Ook die voet van een Romeins beeld vond ze in de Tiber. Twee andere schildpadjes lopen even los. Messalina en Cleopatra.

Valentina komt terug met een fles witte wijn, Falanghina, uit Napoli, en twee glazen.

'Het is hier zeer aangenaam.'

81

'Als een café op het oude Forum.'

Inderdaad, alsof we aan de Via Biberatica zitten.

Ze maakt de fles open met een kurkentrekker in de vorm van een fallus. Van haar homovriendjes gekregen, zegt ze lachend. Haar vrienden komen hier vaak rust en verkoeling zoeken en hun hart uitstorten. Liefdesvreugden en liefdessmart. Haar liefde met een jonge vrouw uit Noord-Italië staat nog in volle bloei. Valentina heeft een ring om haar vinger met een grote langwerpige versiering erop.

Je waant je hier inderdaad volledig terug in de tijd. Er staat een teiltje op de grond met munten die liggen te weken in water met citroensap. Als het water groen wordt schrobt Valentina ze met een tandenborstel schoon en dan smeert ze ze in met crème.

Ik vertel dat ik in de Basilica van Maxentius Tiberius tot leven zag komen en Livia, Julia. 'Het komt zo dichtbij als je Pontius Pilatus hoort spreken over die vreemde profeet met zijn rijk dat niet van deze wereld is; als hij het heeft over het geld dat Jezus werd voorgehouden, je je realiseert dat de afbeelding van keizer Tiberius daarop stond.'

'Ik heb zo'n munt.'

'Echt?!'

'Ik laat hem je zien.'

Ik volg haar naar binnen. Die opwinding over de tastbaarheid van het verleden deel ik met Valentina. Het is altijd spannend als ze haar laden opentrekt. De munten liggen keurig op volgorde in de schone la van donker hout. Munten met de kop van Caesar, daarna die met Augustus, en dan Tiberius. Het was een denarius, dat staat bij Mattheus. Ja, ze heeft hem gevonden. Buiten is meer licht. Als we weer aan het tafeltje zitten legt ze hem in mijn hand.

Het emotioneert me, deze aanraakbaarheid.

De kop van Tiberius. Ik tuur, draai hem rond en lees de tekst. *Ti(berius) Caesar Divi Aug(usti) F(ilius) Augustus.* Dan draai ik hem om. Op de achterkant staat een figuurtje met een scepter in de hand en een takje.

'Livia, zijn moeder.'

'Zijn moeder?!'

'Je moet niet denken dat de Romeinen van toen anders waren dan die van nu. *La mamma* was en is nog steeds de baas.'

Ik blijf kijken en draai hem telkens om. Zo'n zelfde munt lag in de hand van Jezus. 'Geef de keizer wat des keizers is,' zei Hij toen Hij deze munt in handen had. Jezus trapte niet in de val. Belasting was voor de keizer, Hij had het over iets anders. Je hoort deze uitspraak vaak in het dagelijks leven van de Italiaan. Niet dat ze zich daaraan houden. Onlangs trok de paus in zijn preek ook een parallel naar aanleiding van de alom verspreide belastingontduiking. Nu wordt er tegen de regering getrapt, zei hij, in de Oudheid werden de beelden van de keizer omvergehaald.

Ook deze munt vond Valentina aan de oever van de Tiber. Ze legt hem naast het schaaltje zoutjes.

Nee, ze wilde niet weg bij het vorige restaurant, maar het werd verkocht. Ze kon blijven maar moest dan alleen pizza's bakken en daar had ze geen zin in. Toen kwam deze mogelijkheid. Natuurlijk, de Piazza Navona was geweldig, maar ook de Schervenberg is geen gekke plek en de tijden vindt ze prettig, van acht uur 's avonds tot vijf uur in de ochtend. In de nacht is ze in haar element. De sfeer bevalt haar, veel homo's, mooie travestieten.

Na haar werk loopt of fietst ze door donker Rome naar huis, wanneer de stad op haar mooist is en het meest zoals in vroeger tijden. Vaak bellen haar vrienden als ze zijn uitgedanst in Alibi of Radio Londra en dan ontbijten ze op de Via Cavour in een bar die de hele nacht openblijft. Daarna, als de dag begint, kruipt ze in bed, nog wat hartstochtelijke sms'jes uitwisselend met haar geliefde, die aan de dag begint.

'Mijn buurvrouw vertelde dat veel restaurants worden overgenomen door de Napolitaanse maffia.'

'Dat is zo,' zegt Valentina rustig. 'Ook het vorige restaurant waar ik werkte is overgenomen door een net uit de gevangenis vrijgelaten Napolitaan. Het hele centrum, achter Piazza Navona zit er vol mee.' Ze is even stil. 'Ook mijn huidige bazen zijn niet zuiver. Ze hebben ook gezeten. Ze zijn met rijke vrouwen getrouwd en hebben casino's in Kroatië. Twee tenten aan de zijkant van Stazione Termini zijn ook van hen. Maar ze zijn aardig. Het restaurant is net open en het loopt nog niet zo goed, maar ze zeggen, maak je niet druk Valentina, neem je salaris. Ze hebben ook zaken nodig die verlies lijden.'

Ze vindt het wel jammer dat ze niet meer haar eigen creaties kan maken in de keuken. Hoe kun je ze allerlei ingrediënten laten kopen die je vervolgens weg moet gooien? Het is vooral de Romeinse volkspot die ze bereidt. 'Erg smakelijk,' zeg ik. Dat is ze met me eens, maar het is te gemakkelijk voor haar. Ze kan zeer verfijnde en verrassende gerechten bereiden, originele salades, een soort poffertjes van aubergine of courgette. Licht en puur. 'Tja, men kiest voor goedkoop en gemakkelijk, en steeds meer Italiaanse koks worden vervangen door Egyptische omdat ze minder kosten. Iedereen klaagt over al die Egyptenaren, maar in het oude Rome waren er veel meer. Het was een zeer Egyptische stad. Overal stonden Egyptische heiligdommen. De leeuwen aan de voet van het Capitool komen ook uit de Egyptische tempel die vlak bij jouw huis stond.'

Dat wist ik niet.

We kunnen er zo even langslopen, zegt ze, voordat ze naar haar werk gaat. Dan laat ze me meteen zien dat het beeld van de riviergod Tiber bij het Capitool de Tiber niet is.

Ze schenkt nog wat goudkleurige wijn in de glazen.

'Mooie ring,' zeg ik.

Wederom een geschenk van de rivier. Ze laat zien dat het dekseltje open kan. Zo'n soort ring droeg Lucrezia Borgia, vertelt ze, de mooie getalenteerde dochter van paus Alexander VI, die aan het begin van de zestiende eeuw heel wat mannenharten sneller heeft doen kloppen, maar enkele misschien ook tot stilstand heeft gebracht. In de ring konden heerlijke geurstoffen worden opgeborgen, een haarlok van een minnaar, of een portie gif. Af en toe kan Valentina nog wel eens uitpakken met haar kooktalent. Onlangs heeft ze voor een Spaanse edelman twintig van de tachtig gangen van een van Lucrezia's huwelijksdiners nagemaakt. Het festijn speelde zich af tegen het decor van een zestiende-eeuws palazzo, iedereen droeg kleding uit die tijd, het servies was in stijl, er werd opgeschept met houten lepels en elke gang werd plechtig aangekondigd door een lakei. Rond de borden van de vrouwen lag een krans van groene ranken met sinaasappels, citroenen en basilicum voor geurige aroma's.

'Kortgeleden stond in de krant dat Lucrezia Borgia niet alleen een zeer begaafde maar ook een heel vrome vrouw was.'

'Over sterke vrouwen wordt altijd kwaad gesproken. Daarom heb ik mijn lieve schildpadjes de namen gegeven van die vrouwen.' In het oude Rome werden de meest indrukwekkende prinsessen verbannen naar het eiland Ventotene. Valentina is er vaak geweest. 'Daar moet je heen. De resten zien van de Villa Giulia.' Het was gebouwd als zomerverblijf voor Augustus, maar uiteindelijk gaf hij de voorkeur aan Ponza, dat groter is. Ook daar gaat ze vaak heen, om uit te waaien en te zoeken aan het Maanstrand.

'Het is de zee van de keizers, de plekken waar ze verkoeling zochten als het in Rome te warm werd. Nero ging naar Anzio, Tiberus naar Capri, Augustus naar Ponza.'

'Hoe gingen ze daarheen? Over de Tiber?'

'Of vanuit de haven van Ostia. Er is sinds kort weer een boot die vanuit het centrum naar Ostia vaart.'

We spreken af dat we dat binnenkort een keer doen. Valentina is een ideale gids. Nu zal ze me voordat ze naar haar werk gaat nog even een klein stukje van Egyptisch Rome laten zien.

In haar straat wordt Valentina door allerlei mensen gegroet. Winkeliers, mensen die op een stoel voor de deur wat zitten te kletsen, een restauranteigenaar die tafeltjes dekt.

'Het leven hier is hetzelfde gebleven,' zegt ze, 'deze wijk is heel geleidelijk over de antieke heen gegroeid. Onder letterlijk elk huis zitten Romeinse resten.' Tja, ze zou graag haar vloer openbreken.

Als we de Piazza Venezia oversteken, die is opgebroken omdat daar een metrohalte wordt aangelegd, vertelt ze dat ze dat in Athene zo mooi hebben gedaan. Alles wat ze tegenkwamen bij het graven van de metro kun je ter plekke zien achter glas. 'Dat zouden ze hier ook moeten doen. Griekenland is niet mooi, maar de metro wel en de hemel, als een sterrendeken.'

Egypte was heel populair in de tijd dat de Romeinse heersers vrijden met Cleopatra en ook na haar komst naar Rome. Keizer Augustus, die Cleopatra niet tot haar minnaar had kunnen maken, droeg een ring met de beeltenis van een sfinx erop. Behalve de reusachtige tempel voor Isis en Serapis vlak bij mijn huis, op het Marsveld, stonden er heel veel Egyptische heiligdommen in de stad. Terwijl de mannen Mithras vereerden, zochten de vrouwen hun heil bij Isis. Er staat veel Egyptische kunst in het Vaticaan, in de Capitolijnse Musea en in Museo Baracco, maar ook op straat, en niet alleen de obelisken.

We staan oog in oog met de zwarte leeuwen onder aan de trap naar het Capitool. Ik ben er zo vaak langsgelopen en heb nooit geweten dat ze afkomstig zijn uit de grote Egyptische tempel op het Marsveld. Ze zijn inmiddels vervangen door kopieën, de echte staan in het Capitolijns Museum boven aan de trap. Later zijn er fonteinen van gemaakt, maar helaas stromen ze nu niet.

'Misschien vanwege de kalkafzetting,' zegt Valentina, 'of om water te besparen. In de zeventiende eeuw waren deze leeuwen erg populair want bij grote feesten kwam er geen water maar rode of witte wijn uit hun bek.'

We gaan de trap op, lopen langs de kopie van het beeld van Marcus Aurelius dat de plaats van het echte heeft ingenomen, dat schitterend gerestaureerd het pronkstuk is van een grote nieuwe zaal, tot we voor het Palazzo Senatorio staan. Aan weerskanten van het beeld van Roma, gehuld in rood porfier uit Egypte, liggen beelden van twee oude mannen met lange baard en een hoorn des overvloeds; twee rivieren: de Nijl, onmiskenbaar, leunend op de Sfinx.

'Maar dat is toch de Tiber, met Romulus en Remus?'

'Kijk maar goed,' zegt Valentina, 'dan zie je dat de wolf geen wolf is maar een tijger. Dit is de Tigris.' De rivier die het oude Mesopotamië doorstroomde. Pas in 1471, toen het beeld van de wolvin werd gevonden, werd zij symbool van Rome, daarvoor was de wolvin symbool van het pausschap. Tegelijk met de gedaanteverandering van de tijger zijn Romulus en Remus toegevoegd.

Deze rivierbeelden zijn gevonden vlak bij de Thermen van Constantijn op het Quirinaal, waar ook lange tijd een grote Egyptische tempel heeft gestaan. In de zestiende eeuw zijn ze naar het Capitool versleept. Zo'n soort beeld van de Nijl stond ook in de Egyptische tempel op het Marsveld en is nu te zien in het Vaticaans Museum, terwijl je het beeld van de Tiber dat ze daar vonden nu kunt bekijken in het Louvre.

Het beeld van Roma is te klein voor de nis. Door de poort zien we op de binnenplaats van het Capitolijns Museum het grote beeld staan van Minerva. Aanvankelijk was de nis bedoeld voor haar.

Valentina moet naar haar keuken in de Schervenberg, waar

haar Egyptische assistent al aan het voorbereiden is. Ze vertelt me dat sinds kort op één ochtend in de maand op verzoek de piramide wordt ontsloten.

Het Egyptische avontuur in Rome is nog lang niet afgelopen.

Barok

'De vier rivieren symboliseren de hele wereld. Daar bovenop staat de obelisk. En daar weer op de duif van de Pamphiljs. De boodschap is duidelijk: de paus heerst over de hele wereld.' Het was paus Innocentius x Pamphilj, die de opdracht gaf tot deze fontein.

Mijn goede vriend Guus, de bezielde directeur van Museum Catharijneconvent in Utrecht, is een paar dagen in Rome. Hij is lid van de Commissie voor het behoud van het kerkelijk erfgoed die zetelt in de Cancelleria, en daar had hij een bespreking. Kerken lopen leeg, sluiten soms, en wat gebeurt er met al die schatten? Veel wordt achterovergedrukt, verdwijnt ongemerkt.

Guus zal me rondleiden langs een paar hoogtepunten van de barok, dingen die hij altijd even gaat bekijken als hij in Rome is. We hebben afgesproken in de vroege ochtend bij de rivierenfontein op de Piazza Navona.

'Iedereen heeft het altijd over Bernini, zeker na dat boek van Dan Brown. Bernini is ook groot, maar Algardi is nog groter.' Gisteren heeft hij me langs een paar beelden van Algardi gevoerd. Inderdaad was het grafmonument voor Leo xi in de Sint-Pieter van een grote verfijning en kracht. Guus legde zijn hand vol bewonderende liefde op de zwierige witmarmeren plooien van de gewaden van de vrouwenfiguren aan weerskanten van de paus. 'Algardi was een heel ander mens dan Bernini. Bernini was een behendig politicus en kind aan huis bij de paus. Hij had een enorm atelier, maar daar hakte hij die beelden niet zelf. Dat liet hij zijn assistenten doen.'

Nu zal Guus me een andere topper laten zien, het plafond van Pietro da Cortona in Palazzo Barberini. Guus vindt Algardi de grootste beeldhouwer en Pietro da Cortona de grootste schilder. 'Ik vermoed, maar heb geen bewijs, dat ze iets met elkaar hebben gehad. Geen van beiden was getrouwd en ze hebben samen een reis gemaakt.'

Er is nog bijna niemand op straat. De beelden hebben het rijk alleen, samen met de mensen die de straat vegen.

'Zo'n paus was ineens koning. Als je als paus uit het conclaaf kwam was je heerser over de kerkelijke staat en dat schiep verplichtingen. Je moest in een paleis wonen, een hofhouding hebben. Familieleden kregen adellijke titels. Een van de neven werd benoemd tot kardinaal, vandaar de term nepotisme. Die moest handelen namens de paus, als een uitvoerende macht, een soort eerste minister. Met de nichtjes werd huwelijkspolitiek bedreven. Zo'n pauselijk paleis was bijvoorbeeld het Palazzo Barberini dat Urbanus viii liet bouwen.'

Voordat we daar het plafond gaan bewonderen, maken we een tussenstop op de prenten- en boekenmarkt van de Piazza di Fontanella Borghese. We lopen door de Via della Scrofa. Guus weet precies welke antiekwinkel wel en welke niet de moeite waard is. Hij blijft staan voor een etalage.

'Hier kun je mooie figuurtjes kopen voor de Napolitaanse kerststal.' Hij had er een paar aangeschaft voor de spectaculaire kerststal van Museum Catharijneconvent.

'Allemaal handgemaakt in de achttiende eeuw.'

Ik kijk naar een mooie Maria naast een straatmuzikant. Drie prachtige wijzen uit het Oosten en een fruitverkoopster. Een geit, een lammetje, een hond. Ook de verfijnde muziekinstrumentjes zijn voor de kerststal. En de kleine beschilderde potjes en pannetjes.

'De details zijn schitterend. De sieraden bijvoorbeeld. Prachtige oorbelletjes, kettingen, zilveren wierookvaatjes voor de engelen.'

Ik heb wel eens door die beroemde straat in Napels gewandeld waar je het hele jaar door onderdelen voor de kerststal kunt kopen. Iedereen is welkom in de Napolitaanse kerststal. Voetballers staan tussen de engelen; ik herkende Maradona, de beroemde Napolitaanse acteur Totò, televisiesterren, en ze zetten er ook graag eigen familieleden tussen. Zo'n stal zit vol diepere betekenissen en boodschappen. Vorige Kerst was er een rel omdat er in de kerststal van de Tweede Kamer tussen de herders en engelen twee paartjes stonden, van twee omstrengelde Barbies en twee gearmde Kens. Dit was onderdeel van de politieke strijd voor geregistreerd partnerschap.

De antiquair is nog dicht en we lopen verder door de straat die is genoemd naar het basreliëf van een zwijn dat nog te zien is op het klooster van Sant'Agostino. Als we op de Piazza di Fontanella Borghese zijn, dat tussen de majesteitelijke palazzi nog kleiner lijkt, loopt hij zonder aarzeling naar een van de kraampjes. Hij heeft hier al heel wat aankopen gedaan, voor zijn eigen verzameling en voor het museum.

De vrouw begroet ons hartelijk. Het hele stalletje hangt vol met grote en kleine, al dan niet ingelijste prenten. De dame prijst in haar Italiaanse Engels de schoonheid van een prent van de Spaanse trappen. Guus schudt zijn hoofd. 'Nooit een ingelijste prent kopen,' zegt hij in het Nederlands. 'Je moet hem vast kunnen pakken, het papier voelen, tegen het licht houden.'

Hij kijkt speurend rond. '*Ha delle stampe antiche?*'

'Maar natuurlijk.'

'Nee, dit is een reproductie,' zegt Guus rustig.

'O, u wilt een echte?'

Ze verdwijnt achter het kraampje, bukt en komt even later terug met een oude map. Ze slaat hem open. Twee grote gravures met grotesken. 'Naar de schilderingen van de grotesken van Rafaël in het Vaticaan. Achttiende eeuw.'

Ik heb erover geschreven, over die schilderstijl geïnspireerd op de schilderingen in de Domus Aurea van keizer Nero. Guus voelt aan het papier, tuurt intens, ik ook. 'Ja dit is bijzonder, dit is echt.'

Nee, Guus koopt ze niet, maar hij vindt het zeker niet gek als ik ze koop. Ik was helemaal niet van plan om iets aan te schaffen, maar in zulk verantwoord gezelschap is het een verleiding. Alleen is het wat onhandig er de hele dag mee rond te lopen. De vrouw zegt dat het geen enkel probleem is als ik ze een dezer dagen kom halen. Ik doe een aanbetaling nadat Guus een korting heeft bedongen zoals dat schijnt te horen, en de dame bergt ze voor me op.

'De meeste mensen willen reproducties,' zegt ze. 'Ze zien het verschil niet. Veel buitenlanders komen hier een souvenir van Rome uitzoeken, helaas steeds minder kenners.'

Ze drukt ons de hand. 'Tot binnenkort. Ik verwacht trouwens nog meer moois.'

Bij het volgende stalletje wordt Guus meteen herkend. Hij stelt me voor aan een man van een jaar of vijfendertig, Alessandro.

'Die verzameling van de vorige keer wil ik nog wel even zien,' zegt Guus. Alessandro diept een grote, zware map op uit de wagen die is opengeklapt tot kraam. Dat zijn allemaal achttiende-eeuwse gravures van klassieke beelden, vertelt Guus. Hij heeft er al een paar gekocht. Nu koopt hij er nog twee. Ik bezwijk voor de muze van de schrijfkunst, met een pen in haar hand. Voor boven mijn schrijftafel. De Sabijnse maagdenroof is ook wel spectaculair. 'Waarschijnlijk zijn ze uit een boek gesneden,' zegt Guus. 'Dat is natuurlijk jammer, maar zo gaat dat nu eenmaal.'

Ik moet denken aan die keer dat ik met Jean Pierre Rawie een antiquariaat bezocht in Rome en hij in een achterkamer waar de meest waardevolle boeken stonden een zeventiende-eeuwse verzamelband ontdekte. De prijs was gepeperd vanwege een bepaalde dichter die erin stond, maar het ging Jean

Pierre nu juist om een andere, van wie hij gedichten had vertaald. 'Dan snijden we die er toch uit,' zei de boekhandelaar alsof het om een stuk vlees ging, en voegde de daad bij het woord. Terwijl onze verbazing steeg, daalde de prijs. Hij gaf ons ook het adres van een boekbinderij tegenover het Capitool waar de katernen een nieuw kaft konden krijgen. Vol liefde bekeek de binder, *signor* Pelle, de antieke, met gedichten bedrukte pagina's. 'Dit moet in perkament, met letters in sepia en goud.' We verwachtten dat het een flinke duit zou kosten, maar dat moest dan maar. 'Tien euro,' zei de man terwijl hij het beeldschone boekje overhandigde. 'Het was een genoegen om te doen.'

Alessandro laat een serie gravures zien uit de zeventiende eeuw. Lang kijk ik naar de gravure van het Pantheon. 'Die is heel mooi,' zegt Alessandro, 'het perspectief is bijzonder, zo schuin van voren. En de torentjes zitten er nog op.' De ezelsoren, zoals die door Bernini gefabriceerde torens gewoonlijk werden genoemd. Alessandro is zelf graveur, heeft de kunstacademie gedaan, dus hij weet waar hij het over heeft. Hij zit al jaren in de kunsthandel. Het is moeilijker geworden. 'Ik leef van de reproducties.' Voor oude prenten is minder belangstelling, en als die er wel is, dan vooral voor de romantische negentiende eeuw. Hij gaat naar beurzen, ook in het buitenland.

Ik kijk weer naar de prent van het Pantheon. Op de plek van mijn vroegere stamterras staan een paar zeventiende-eeuwers te converseren. Zo zag het eruit toen de Amersfoortse Van Wittel hier rondstapte. Guus veegt met zijn vinger over de zijkant van de prent, die een beetje groezelig is. 'Dat halen ze met een gummetje zo weg.' Alessandro weet een goede lijstenmaker. Hij wijst. 'Daar, naast restaurant La Campana. Zeg maar dat ik je gestuurd heb.' Daar hebben we nu geen tijd voor. Ook hij zal waken over mijn aanwinsten tot ik ze kom ophalen.

Een Amerikaans echtpaar keek al even met ons mee. Ze zoeken een afbeelding van de Trevifontein. Eentje die er wat fris uitziet.

Vriendelijk haalt Alessandro een zeer kleurige reproductie tevoorschijn.

'*Marvellous!*' Ze hadden net een muntje in de fontein gegooid, dus ze komen terug. Maar zolang dat nog niet het geval is zullen ze genieten van de aanblik van deze prachtige prent. Zo fris dat het water van de Trevi eraf lijkt te spatten.

'Even een kopje koffie?' Guus weet een mooie bar hier vlakbij.

'Daar kwam ik met *principessa* Letizia Ruspoli.' Deze dame uit een van de oude adellijke families van Rome had hij ontmoet via een vriendin die schrijft over bijzondere locaties waar je op topniveau kunt logeren.

'Kijk, daar woont ze.' Hij wijst op het gigantische palazzo Ruspoli. 'Even kijken of ze thuis is.' We lopen door de grote poort naar binnen. 'Nee, *la principessa* is een paar dagen weg,' vertelt de portier. Die titels worden hier nog gewoon gebruikt en niemand vindt dat overdreven. We bewonderen het imposante paleis. Hij wijst omhoog: dat zijn haar appartementen, en er is dus ook zo'n appartement waar je als een prins of prinses kunt vertoeven.

Het is inderdaad een mooie bar, stijlvol en ouderwets. We gaan in een hoek zitten op een bank.

'De vorige keer werd ik hier voorgesteld aan *principe* Barberini. Dat was wel bijzonder, ik had me enorm in die familie verdiept. Vooral natuurlijk in de grote barokpaus Urbanus VIII.'

Een oude ober in grijs pak komt vragen wat onze wensen zijn. Hij beweegt langzaam en waardig en kijkt ons niet aan terwijl hij de bestelling opneemt. Even later zet hij zwijgend en met een buiging een zilveren blaadje voor ons neer

94

met een kopje koffie en een glas water.

'Het is hier zeer verzorgd. Als je een aperitief bestelt krijg je er allerlei hapjes bij. Ken je restaurant L'Arancio?' Daar had hij met La Ruspoli gegeten en ook weer allerlei namen van pausenfamilies horen vallen.

'Dus als je hier borrelt en in L'Arancio eet, dan doe je wat de *principessa's* doen.'

We zetten onze tocht voort, door smalle straatjes, langs de Trevifontein, over barok gesproken. Verder omhoog naar de Piazza Barberini. Daar gaan we naar rechts. Achter het hoge hek met de beeldenrij ligt het paleis.

'Herken je het?'

Ik kijk vragend.

'Van *Roman Holiday*.'

'Nooit gezien.'

'Wat?'

'Ik ken natuurlijk wel de foto's van Gregory Peck en Audrey Hepburn.'

'Dan krijg je die film van mij.'

We gaan op een muurtje zitten bij de fontein en kijken naar het palazzo, dat is gebouwd op verzoek van Urbanus VIII, uit de belangrijke Florentijnse familie Barberini. 'De grootste kunstenaars hebben hieraan gewerkt, Carlo Maderna, Borromini, Bernini. Urbanus VIII was 21 jaar paus, van 1623 tot 1644. In zijn familie heeft hij vier kardinalen benoemd. Hij heeft erg veel laten bouwen en een enorme invloed gehad op de barok. Over al die uitgaven heeft hij wel wroeging gehad.'

'Dat klinkt sympathiek.'

'Nou, ik weet niet of hij sympathiek was. Hij liet bijvoorbeeld de vogeltjes in het Vaticaan vermoorden omdat hij last had van het getjilp. Hij heeft een onderzoek laten instellen door een speciale commissie die moest uitzoeken of er niet te veel geld was uitgegeven. De conclusie luidde dat dat wel meeviel omdat het allemaal ter meerdere glorie was van het pausschap.'

We gaan de brede trappen op.

Guus loopt resoluut door naar een grote zaal vol schilderijen, vlijt zich neer op een ligbank en kijkt omhoog. Ik ga naast hem zitten en kijk ook omhoog naar het plafond. Een enorm spektakel speelt zich daar af. Ik weet niet waar ik kijken moet, zoveel is er te zien.

'Als je wilt weten wat barok is, moet je hiernaar kijken. Dit is theater, opera. Overdaad die wil verrassen en verbazen. Het plafond vertelt ontzettend veel, maar in wezen draait alles om de triomf van de goddelijke voorzienigheid waardoor Urbanus VIII op de pausentroon kwam.

Overweldigend, van kleur en vorm.

Enthousiast alsof hij het voor het eerst ziet geeft Guus uitleg.

'Kunstenaars vóór Pietro da Cortona plakten als het ware schilderijen tegen het plafond. Pietro da Cortona maakte er één groot geheel van. Alle latere plafonds zijn hierop geïnspireerd. Je ziet, de lucht is dezelfde binnen en buiten de kroonlijst.' *Solenne e vitale*. Plechtig en vitaal. Over deze schilder werd gezegd dat hij vuur had in zijn kleuren, heftigheid in zijn handen, vaart in zijn kwast.

In het midden wordt de kroon van de onsterfelijkheid toegevoegd aan het wapen van de Barberini's, met de drie bijen. Het wapen wordt gesteund door drie vrouwen, Geloof, Hoop en Liefde. Die vrouw boven het wapen die de tiara toevoegt aan het wapen, is de stad Rome. Naast de pauselijke tiara zie je de lauwerkrans voor de dichters. Maffeo Barberini was ook dichter. Hij kreeg dezelfde bekroning als Petrarca. Er was net een nieuw kiesstelsel ingevoerd en dat had geleid tot zijn verkiezing tot Urbanus VIII. Dat is het centrale thema: de triomf van de goddelijke voorzienigheid.

Het plafond is in vijven verdeeld door een schijnarchitectuur die uit de hoeken komt. Met een soort kroonlijst in het midden. Je kunt het zien als een groot podium dat wordt verdeeld door de architectuur.

Kijk, daar zie je Venus, de schoonheid, daar Bacchus. En daar, die vrouw met die opgeheven armen, zoals we bij Algardi zagen, wuift met de Bijbel de wierook richting het goddelijke. Aardse schoonheid, lust, drank moeten we opofferen om ons op God te richten.'

Ik ben er ook bij gaan liggen.

'Daar zie je de strijd van Minerva tegen de Giganten. De Kerk tegen het kwade. We zitten midden in de dertigjarige oorlog. Kijk, hoe monumentaal de vuren zijn, ze laaien zelfs over de schijnarchitectuur heen. Hier zie je Hercules, die de harpijen verslaat zodat de mensen in rust God kunnen aanbidden. En daar zie je de pauselijke heerserswaardigheid, zoals dat heet, die vrouw in het blauw. Ze kijkt in de spiegel van de voorzichtigheid. Ze geeft de sleutel aan de Vrede om de tempel van Janus te sluiten. Daar ligt Mars. Hij wordt door een vrouw geketend. Daar links zie je de werkplaats van Vulcanus waar hij wapentuig smeedt. Urbanus VIII heeft veel vestingen en verdedigingswerken laten bouwen. Castel Sant'Angelo is door hem van het fort eromheen voorzien. Wie vrede wil, wapene zich voor de oorlog, was zijn gedachte.

Je ziet hoe alles in elkaar overloopt. Het is één groot plastisch en harmonieus geheel. Dit is het voorbeeld geworden voor alle andere plafonds, in de paleizen in Rome, Versailles, Zuid-Beieren. Dit heeft eigenlijk veel meer invloed gehad dan de Sixtijnse kapel.

Pietro da Cortona heeft er zeven jaar over geschilderd. Natuurlijk is het een fresco. Hij schilderde het zelf, had wel assistenten die gemakkelijker stukken deden, zoals de lucht, bladeren. Elke dag moet je van tevoren weten hoeveel je gaat schilderen. Eerst gaat de stukadoor aan de slag met het pleisterwerk, vervolgens maakt een assistent het nat. Er wordt geschilderd in de natte stuclaag. Het moet meteen raak zijn, want het is heel snel droog. Zo'n figuur van de goddelijke voorzienigheid nam bijvoorbeeld drie dagen in beslag, een stuk hemel een dag. Een echte grote schilder was een frescoschilder. Caravaggio was daarom een tweederangs kunstenaar voor de zeventiende-eeuwer.

Vier dingen waren belangrijk voor een barokschilder: hij moest fresco's schilderen, grote composities, hij moest zijn klassieken kennen, en het moest gaan met *facilità*. Dat had Cortona allemaal in zich.

Hij is in 1632 begonnen. In 1636 is hij een tijd in Venetië geweest voor een soort studiereis. Hoogstwaarschijnlijk is hij daar zo onder de indruk geraakt van de Venetiaanse schilders dat hij bij zijn terugkeer naar Rome alles heeft uitgewist en opnieuw is begonnen. Er zijn heel veel Venetiaanse invloeden. Die figuur van de goddelijke voorzienigheid lijkt sprekend op een fresco van Veronese in het Dogenpaleis. Er zijn ook andere invloeden, van Caracci bijvoorbeeld, en die giganten lijken wel geschilderd door Michelangelo. De vier Romeinse deugden in die achthoekige tondo's lijken te verwijzen naar het Sixtijnse plafond. Etruskische invloeden zie je in die maskers in de schelpen. Heel opvallend is de kleurenrijkdom. Typisch barok zijn ook de gewaden van de vrouwen, die niet meer naakt mochten worden afgebeeld. Venus heeft slechts één blote borst. Die gewaden en draperieën gingen een eigen leven leiden, waaien en wapperen. Er zijn heel veel mythologische verwijzingen. Daar Chronos, die zijn kind opeet, de schikgodinnen met hun drieën. Mythologie en christendom lopen door elkaar heen. Het is één groot historisch allegorisch, mythologisch-religieus statement. Het is als een Grand Opera in vijf actes, Wagner avant la lettre.'

Guus is even stil en tuurt intens.

'Ik ga hier altijd kijken als ik in Rome ben. Al die mensen die naar de Sixtijnse kapel rennen weten niet wat ze missen.

Het is een kwestie van publiciteit. Onbekend maakt onbemind. Iedereen kent Bernini, maar Pietro da Cortona en Algardi niet.'

Guus heeft ingekleurde gravures van de hoekelementen in de gang van zijn Amsterdamse huis hangen. Ze zijn in 1642 gemaakt, twee jaar na de voltooiing van het plafond. Door Cornelis Bloemaert, zoon van Abraham Bloemaert uit Utrecht. Hier in Rome was hij bekend om zijn gravures en kenners zeggen dat hij het beste de sfeer van het werk van Pietro da Cortona kon weergeven.

'Kijk, wat een mooi beertje, en die eenhoorns. Je blijft kijken. De rook uit de smidse van Vulcanus zie je daar ook nog doorgaan. De vegetatie woekert over de kroonlijst heen.

Bernini heeft veel langer geleefd. Ze konden elkaar niet uitstaan. In zijn eigen tijd was Pietro da Cortona wel zeer beroemd. Niemand is zoveel in prenten gedrukt in zijn eigen tijd als hij.'

Guus komt hier meestal alleen voor het plafond. Nu ook. We gaan weer door. In deze zaal zijn we overigens omgeven door Algardi's en Bernini's. Nog even staan we stil bij een buste van Urbanus viii, van de hand van Bernini. De paus was een mooie man. 'Nee, hij heeft geen kinderen gehad. Hij wilde de teugels aantrekken en besefte dat hij dan zelf het goede voorbeeld moest geven. Het neefje was echt het neefje en niet de zoon.'

Mijn blik glijdt snel langs de meesterwerken. *La Fornarina* van Rafaël, Judith die Holofernes' keel afsnijdt, door Caravaggio, de marmeren kop van San Filippo Neri vervaardigd door Algardi. En dan tot mijn verrassing een Jacob van Campen, nog een Amersfoorter over wie ik wil schrijven. Ik tuur naar zijn *Christus met de doornenkroon.*

We moeten door, maar ik kom zeker terug in dit paleis van *Roman Holiday.*

We dalen de trappen weer af en lopen naar de San Carlino

alle Quattro Fontane van een andere barokmeester, Borromini. Het is een piepklein en intiem kerkje, ovaalvormig met een prachtige ovalen koepel. De wanden golven alsof ze niet van steen zijn maar van soepel materiaal. Versieringen in de vorm van schelpen, engeltjes, rozetten zijn eindeloos gevarieerd. De kerk is sierlijk, helder en licht. We kijken even in de al net zo helderblanke binnenhof en daarna in de sinaasappeltuin omgeven door het aangrenzende klooster, dat wordt gerestaureerd. 'Met Zwitsers geld,' zegt een Spaanse monnik die de binnenhof aan het vegen was en met ons meeloopt. 'Zonder hun steun zouden we het hier niet redden. Ze zijn trots op hun landgenoot, en terecht...'

Daarna wandelen we door naar de volgende kerk een klein stukje verderop, de Sant'Andrea al Quirinale, schepping van rivaal Bernini. Vergeleken met de San Carlino *over the top*, zegt Guus. Inderdaad lijkt het op het boudoir van een koningin, met al dat vergulde stucwerk en kleurige marmer. Grote wapens van belangrijke families liggen onder je voeten zodra je binnenstapt. Boven het altaar hangt een schilderij met de heilige Andreas aan het x-vormige kruis. Daarboven zie je hem in de vorm van een beeld naar de hemel gaan, waaruit een gouden glans op hem lijkt neer te stralen door het gele glas in het koepeltje in het midden van het gouden ronde plafond. Dit is puur theater. En overal spelen engeltjes, klauteren rond en gluren nieuwsgierig. Ook zie je overal de duifjes van de Pamphiljs.

'Dit is een en al energie, spanning, spektakel,' zegt Guus als we de kerk verlaten om nog even boven te gaan kijken. We komen in een wonderlijke ruimte, waar het schemerig is en een vreemde sfeer hangt. Op een bed van marmer ligt het beeld van een zeer jonge Poolse heilige, Stanislaus Kostka, in zwart gewaad, de mooi afgewerkte handen en voeten intens blank. Erg homo-erotisch vindt Guus het.

We lopen langs de zijkant van het Quirinaal, natuurlijk ook

werk van een paus. Gregorius XIII vond dit wel een aardige plek voor zijn buitenverblijf. In de zomer was het in het Vaticaan niet erg gezond door de broeierige moerassen en kon je gemakkelijk malaria oplopen. Nu is het Quirinaal de residentie van de president en de plek waar buitenlandse vorsten logeren.

Door een poort kijken we een tuin in. Er staat een grote man in prachtig uniform. Glanzende laarzen aan zijn voeten en een blinkende helm op zijn fraaie kop. Een lans in de hand.

'Ze moeten twee meter zijn, geloof ik,' zegt Guus. 'Die zou ik wel in een doosje willen doen en meenemen.'

'Voor in de kerststal,' opper ik.

We lopen verder in de richting van de Piazza del Quirinale. Er klinkt muziek.

'Wisseling van de wacht.'

Mannen en een enkele vrouw van land-, zee- en luchtmacht, gestoken in prachtige pakken, marcheren achter elkaar aan het weidse plein op, onder begeleiding van zeer opwekkende muziek. Veel koperwerk glimt in de zon. In rituelen en schone vorm zijn Italianen onovertroffen. Het marcheren ziet er pittig en daadkrachtig uit. Ook worden er klinkende kreten geslaakt, zo aanstekelijk dat een klein meisje op de arm van haar grootmoeder ze telkens herhaalt. Toch is oorlog niet het element van de Italiaan. De uniformen zijn optimaal, het eten zal niks te wensen overlaten, maar niet voor niks heette een beroemde film over Italianen aan het front *Tutti a casa*, allemaal naar huis.

Boven de dapper ogende strijders in hun modieuze kostuums torenen de onverhulde dioscuren met hun paarden. Guus heeft er twee gravures van, gekocht bij Alessandro op het marktje. Vanwege die paarden werd deze heuvel ook wel de *Monte Cavallo* genoemd, de paardenberg. Castor en Pollux stonden ooit in de Thermen van Constantijn. De obelisk achter hen prijkte samen met de obelisk die nu bij de Santa Maria Maggiore staat, voor het mausoleum van Augustus.

Op deze heuvel zouden Sabijnen uit Cures zich hebben gevestigd die hier een heiligdom oprichtten voor hun god Quirinus, vandaar de naam Quirinaal. Hier stond ook de kolossale tempel voor de Egyptische god Serapis. Onder de Scuderie, de pauselijke paardenstallen die nu zijn omgebouwd tot museum, moeten de muren nog te zien zijn.

Guus stelt voor ons ommetje te voltooien en op de Piazza Navona een glas prosecco te gaan drinken, vlak bij de Cancelleria, waar hij nog even heen moet. Bij een marktje staat hij stil en kijkt speurend rond. Niet naar prenten, zo blijkt, want even later overhandigt hij me *Roman Holiday*.

Op de Piazza Navona worden voorbereidingen getroffen voor een demonstratie tegen behoudende ideeën van het Vaticaan, zoals die over geregistreerd partnerschap. Overal hangen plakkaten van de Partito Radicale en aankondigingen dat Vladimir Luxuria komt spreken, de travestiet die in het parlement zit en onlangs een heftige aanvaring had met een dame van Forza Italia die vindt dat hij geen gebruik mag maken van de dames-wc's. Er lopen een stel als bisschop verklede jongens rond. Er zijn ook mensen met borden van de Vereniging van Rationele Atheïsten en Agnosten. 'Basta met de bemoeienis van de kerk met de politiek! Basta met de angst voor seks, de ondergeschiktheid van de vrouw en het vieren van eigen feesten met staatsgeld! We willen meepraten over moraal, onderwijs, bio-ethiek, anticonceptie, abortus, euthanasie!'

We gaan zitten op een terras met uitzicht op de Sant'Agnese van Borromini en Bernini's Vierstromenfontein.

Een levende duif strijkt neer op die van brons boven op de obelisk en wij tikken de glazen vol gouden bellen tegen elkaar.

Biblioteca Angelica

Bij Rossopomodoro heerst een serene rust. Ik steek de brede Via Vittorio Emanuele over, die ook nog stil is. Rechts van me lagen ooit de Thermen van Agrippa, links lag het *Stagnum Agrippae*, het meer van Agrippa. In de Via Monterone kun je gewoonlijk allerlei handwerkslieden aan het werk zien, maar niet op dit uur. Ook bij Eau vive is nog geen leven te bekennen, het restaurant dat geleid wordt door een orde van karmelietessen, die koken, bedienen en om half tien met de gasten het Ave Maria zingen.

Ik drink koffie bij bar Sant'Eustachio, die sinds 1936 de lekkerste koffie van Rome schenkt. De toren van Borromini wordt beschenen door de eerste ochtendzon.

Daarna loop ik door langs de San Luigi dei Francesi, waar al een groep Fransen staat om de Caravaggio's te bewonderen, en ik besluit om voordat ik doorloop naar de prentenmarkt even linksaf te slaan, naar de Piazza Sant'Agostino om te kijken hoe het zit met de openingstijden van de Biblioteca Angelica, en of dat een plek is om te werken als afwisseling met mijn eigen kloostercel. Ik wil ook inventariseren wat voor naslagwerken ze daar hebben die van nut kunnen zijn voor mijn roman over de zeventiende-eeuwse Amersfoortse schilders. De beroemde leeszaal, die ik alleen van plaatjes ken, is de schepping van architect Luigi Vanvitelli, de zoon van de schilder Van Wittel.

Hier op het plein voor de Sant'Agostino is wel beweging. Mannen sjouwen met buizen, emmers en een ladder. Ze zijn kennelijk bezig in de kerk. Nadat ik naast de toegangspoort gelezen heb dat de Biblioteca Angelica bijna de hele zomer openblijft, ga ik de trappen op van de kerk die het plein overheerst en die tot nu toe altijd dicht was als ik er langskwam. Het is een van de eerste renaissancekerken die in Rome werden gebouwd en de brede voorgevel is opgetrokken uit travertijn van het Colosseum. Aan weerskanten staan de strakke muren van het klooster.

Ik vraag me af of ik mijn jasje aan moet doen. Eigenlijk heb ik daar geen zin in, het is nu al zo warm. Het is een keurig bloesje maar zonder mouwen. Een extra knoopje dicht is misschien genoeg.

Ik kijk om me heen in de rijkversierde kerk die in 1760 door Luigi Vanvitelli werd gemoderniseerd. Het koor is volgebouwd met stellages. Op een groot karton zijn foto's te zien van kunstzinnige hoogtepunten in de kerk en er staat bij welke daarvan allemaal worden bedreigd. Daaronder de tekst: 'Wilt u de Sant'Agostino adopteren?' Zoals je naast mijn huis een poesje kunt adopteren. Ik zie nog een vrouw met een jurk zonder mouwen.

Links hangt een Caravaggio, rechts staat een beeld van een mooie vrouw met kind, *La Madonna del parto*, de Madonna van het baren. Er staan vazen met bloemen bij, er hangen votiefgeschenken, lichtblauwe en roze sokjes, hartjes. Er staat een knielbank voor. Naast het beeld, op een katheder, ligt een groot boek met geplastificeerde pagina's vol kaarten, en foto's van pasgeborenen, baby's die omhoog worden gehouden voor het beeld waar ik nu sta. Dankbetuigingen. 'Na jaren van verdriet en teleurstelling is nu onze toekomst geboren!' In vele talen worden hoop en dank uitgedrukt. Lange tijd dacht men dat het een antiek beeld was van Agrippina met de kleine Nero in haar armen, maar Jacopo da Sansovino maakte het aan het begin van de zestiende eeuw.

Ik zou graag een foto willen maken, maar het is zo schemerig dat een flits echt nodig is en dat mag misschien niet. Er

Biblioteca Angelica

staat een man bij een toonbank vol kaarten en boeken. Straks, vlak voor ik wegga misschien. Hij kijkt niet, maar je weet maar nooit. Nu lijkt zijn blik wel op mij gericht. Zou hij afkeurend naar mijn blote armen kijken?

Ik loop naar de nis met het schilderij van Caravaggio *La Madonna di Loreto*. Ook dat hangt in het schemerduister, maar als je iets schenkt dan gaat het licht branden, zo lees ik. Ik pak mijn tas om mijn portemonnee op te diepen. Dan komt de man die bij de boekjes stond toegesneld. O, nu krijg ik op mijn kop voor mijn blote armen.

'Nee, nee,' zegt hij, 'laat maar.' Hij drukt op de knop en kijkt me aan met stralende ogen. Een man tussen de zestig en de zeventig, met een expressief, intelligent gezicht. Hij is gehuld in een blauw T-shirt, dus ook niet erg formeel.

Hij pakt me bij mijn blote bovenarmen en verschuift me iets.

'Kijk, dit is de beste positie, zo bent u in één lijn met de pelgrims die opkijken naar de Madonna.'

Ik kijk naar het mooie schilderij.

'Bent u hier voor de eerste keer?'

'Ja.'

'Vakantie?'

'Nee, ik woon hier.'

'En nog nooit bij ons geweest?' roept hij uit. 'Dit is het tweede museum van Rome! We hebben Caravaggio, Sansovino, Rafaello, Guercino, Bernini. En vandaag hebben we nog een extra kunstwerk.'

Zouden ze daarom zo aan het werk zijn met al die stellages?

'Is er een speciale tentoonstelling vandaag?'

'Ja, u!'

Ik lach. Ze blijven me altijd weer verrassen met hun lef, hun spel, die Italianen. Het gaat ze zo natuurlijk af.

'U tilt me op met uw schoonheid.'

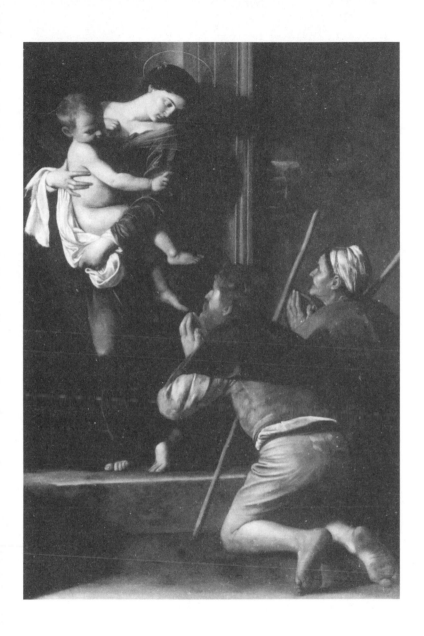

La Madonna di Loreto

Ik lach met vriendelijke spot.

'Kijk, het licht valt op het gezicht van de Madonna en op het kind, het Licht van de wereld, dat afstraalt op de gezichten van de pelgrims. Kijk naar dat opgeheven vingertje van het kind: denken jullie echt dat jullie het aankunnen, deze boodschap, die ik breng namens mijn Vader? Het kind is gehuld in een doek, vooruitwijzend naar de lijkwade. Elk detail vertelt ons iets, niets is toevallig. De Madonna staat wat hoger, ziet u. Dit zijn arme mensen, in haveloze kleren met vieze voeten. De boodschap is voor iedereen. Dat was uitdagend van Caravaggio, die wist dat men in zijn beste kleren naar de kerk ging. Hij was uitdagend zoals Jezus uitdagend was.

Ook de Madonna zelf is niet gekleed zoals we gewend waren, Byzantijns, in het blauw met een ceintuur en wijde rokken. Ze is gehuld in het rood met een decolleté. Niet wat we daar vandaag onder verstaan natuurlijk.' Hij maakt een handbeweging richting navel en lacht. Bij het diepe rood steken haar hals en boezem des te blanker af.

'Er is meer dan twee maanden vergaderd over de vraag of de Madonna niet te wulps was, maar uiteindelijk konden ze dit schilderij niet weigeren omdat het evident van de hand was van een zeer groot kunstenaar. En ook daarin zie je toch uiteindelijk de hand van God?'

Ik knik instemmend.

'Caravaggio heeft voor dit schilderij hetzelfde model gebruikt als voor de *Madonna dei Palafrenieri*, weet u wel, die met haar blote voet op de slang staat. Dat schilderij was bedoeld voor de Sint-Pieter maar vanwege de weelderige boezem ging het niet door en belandde het in de Galleria Borghese.'

Van deze omzwerving wist ik niet.

'Als je goed kijkt is ook de kruisiging te zien. De verticale streep en de horizontale streep, door compositie en lichtval. Niets is toevallig, overal is over nagedacht. In één schilderij zien we geboorte, kruisiging, opstanding. Het kind is geen pasgeborene maar een paar jaar oud, een flink gewicht, maar de moeder draagt het licht. Kijk, ze heeft blote voeten die staan als die van een danseres. Wat gaat komen is zwaar, maar toch draagt ze het licht.'

'U bent vast professor in de kunstgeschiedenis,' zeg ik in het besef dat ik hem een koekje van eigen deeg geef.

'Ik ben een bescheiden *medico* en werk hier 's ochtends als vrijwilliger. U bent het die mijn verstand verlicht, mijn geest opwekt. O, ik hoop u vaak terug te zien. Bent u televisiepresentatrice of zo?'

'Ik schrijf boeken.'

'*O mi scusi, dottoressa.*' En vanaf dat moment is het *dottoressa* voor en na en is het van mijn kant natuurlijk *dottore*.

'Ooit was deze nis de plek waar het liefje van de zoon van de paus begraven lag, Fiammetta.'

'Van Cesare Borgia.'

Hij maakt een buiging. 'Ik zwijg, u weet veel meer dan ik!'

'Nee, nee, ik hang aan uw lippen.'

'*Cortigiane* werden ze genoemd, hofdames. Nu zou je callgirl zuggen. De eenheid van Italië hebben we ook te danken aan zo'n dame. De vriendin van Cavour. Tja *dottoressa*, de macht van vrouwen. Ik verklaar me volmondig hun mindere. Ze mochten niet worden begraven in gewijde grond en werden bij de Muro Torto bij het afval gegooid. Daar was een kapelletje waar gebeden kon worden voor het zielenheil van die arme vrouwen. Als wij in een streng Arabisch land bezwijken moet de ambassade snel ons lichaam opeisen, anders verdwijnen we ook in de vuilnisbak.'

Hij gebaart weer naar het doek van Caravaggio.

'Toen het schilderij er eenmaal hing en de mensen het mochten zien werd het een schandaal. Tot op de huidige dag wordt er vrijwel nooit gebeden, nooit een kaarsje opgestoken of bloemen neergezet, zoals bij andere Madonna's en heiligen. Hoogstwaarschijnlijk heeft Caravaggio het hier geschilderd, op de plek waar het moest hangen. Het licht kwam door het raam dat nu is dichtgemetseld door Luigi Vanvitelli. In augustus valt het door dat raam daarboven dat nog open is. Wat er dan gebeurt met de kleuren is spectaculair! Het geelgrauwe van het been wordt roze. Die gelige broek lijkt van echte stof.'

Ik zeg hem dat ik in augustus terugkom om dat spektakel mee te maken.

'Dat moet u zeker doen. Hebt u iets op internet zodat ik uw beeltenis kan zien totdat ik u weer in het echt aanschouw?'

Ik lach ironisch. Straks praat hij weer zo tegen een volgende bezoekster, maar het is vermakelijk, levenskunst, en ik heb veel van hem geleerd.

'Ik geef u de poster van het schilderij. Ach, die ogen, die glimlach. U bent natuurlijk getrouwd.'

'Een geliefde uit Armenië.'

Ach! Hij had een Armeense vriend, een dichter, gevlucht met zijn vrouw in haar klerenkoffer. Nu ligt hij begraven in Bari.

Hij pakt een poster en rolt die op, doet er een elastiekje omheen en overhandigt hem met een buiging.

'En uw website?'

Ik schrijf het op.

Hij heet Giuseppe en kust mijn hand.

'*Bellissima dottoressa, arrivederci.*'

'Tot ziens Giuseppe.'

Bij de poort waar 'Biblioteca Angelica' boven geschreven staat lees ik dat de ingang tijdclijk in de Via di Sant'Agostino is.

Daar stap ik een moderne ruimte binnen met kasten vol boeken.

'Ik wil graag bepaalde boeken raadplegen,' zeg ik en word door de portier naar boven verwezen. De trap brengt me naar een lange lage zaal met tafels waar mensen achter boeken en computers zitten te studeren. In moderne kasten langs de wand staan oude boeken. Daarboven hangen schilderingen en prenten.

Een aardige, wat verlegen dame komt naar me toe.

'Ik zou graag boeken raadplegen.'

Ze kijkt speurend rond en zegt vriendelijk: 'Ik hoop dat er plaats is.'

'Is er geen plek in de oude zaal?'

'Van Vanvitelli? Het is er te warm, we zitten tijdelijk hier.'

Ze zoekt verder en vindt een plekje.

'Ik heb geen last van de hitte, vind het prettig om in die oude zaal te zitten.'

'Eigenlijk is die zaal dicht, maar als u wilt, dan loop ik mee.'

We nemen de lift en staan even later in een schitterende, zeer hoge ruimte, waarvan de wanden zijn bedekt met oude houten kasten vol boeken. De planken zijn versierd met franjes. Er staan antieke tafels met grote stoelen en zeer ouderwetse lampen. Tussen de boekenkasten staan borstbeelden van pausen. Benedictus xv, Gregorius xiii.

Ik vertel dat ik geïnteresseerd ben in de bibliotheek zelf omdat die is gerestaureerd door Vanvitelli, de zoon van de Amersfoorter over wie ik schrijf in een roman. De vrouw wordt nog vriendelijker. 'Ja, het is een prachtige ruimte. Het is heerlijk om hier te werken. Dit is mijn huis, mijn wereld, mijn leven. Wacht, ik geef u iets, er is een boek over de bibliotheek verschenen.' Ze zoekt, vindt en geeft het me. 'Dit exemplaar is van de zaal, maar u mag het houden, we hebben er meer.' Ik mag daar even blijven zitten. Als ik een boek wil bestellen, moet ik dat tijdelijk beneden doen.

Ik blijf zitten aan die oude houten tafel met die ouderwetse lamp en bekijk het boek.

De Biblioteca Angelica is genoemd naar Angelo Rocca, een augustijner bisschop die leefde van 1546 tot 1620. Hij was verantwoordelijk voor de drukkerij van het Vaticaan in de tijd van Sixtus v en schonk zijn boekenbezit van twintigduizend boeken aan het klooster van de augustijnen. Als voorwaarde stelde hij dat de bibliotheek voor iedereen toegankelijk moest zijn, en zo geschiedde. Dat werd snel bekend bij wetenschappers over de hele wereld. De verzameling van bijzondere werken groeide door schenkingen van edellieden en augustijner monniken. In 1762 werd de bibliotheek twee keer zo groot met twee keer zoveel boeken door de donatie van de bibliotheek van kardinaal Domenico Passionei. De monniken vroegen Luigi Vanvitelli de bibliotheek te herbouwen. Sinds 1873 is de Angelica staatsbibliotheek.

Er zijn hier ongeveer tweehonderdduizend boeken, waarvan honderdduizend antieke, gedrukt tussen de vijftiende en achttiende eeuw. De collectie bevat veel over de augustijner orde en ook over de Reformatie, omdat Luther oorspronkelijk een augustijner monnik was. Vierentwintigduizend documenten, waaronder het handschrift uit de negende eeuw *Liber Memorialis Remiremont Abbey*. Elfhonderd incunabelen, gedrukt voor 1501, waaronder het eerste boek dat in Italië van de pers rolde: *De Oratore* van Cicero uit 1465.

Ik wil graag een paar boeken aanvragen en ga weer naar beneden om te informeren hoe dat in zijn werk gaat. Het valt me op dat ik hier alleen vrouwen zie. Ze zijn allemaal even vriendelijk en stralen rust uit. De boeken hebben kennelijk een goede invloed. Een van de vrouwen gaat wederom met me mee naar boven om me de weg te wijzen. Haar haren draagt ze in een lange paardenstaart. Ze is gehuld in een ouderwetse plooirok met een wat tuttig vest om haar middel geknoopt.

We nemen de lift.

'Lopen zou beter zijn,' zegt ze, 'maar mijn benen doen pijn. Ik heb last van mijn aderen. Ben naar het strand geweest. Het was te warm en dat is niet goed, maar ik heb ook last van mijn rug en voor mijn rug is het juist wel goed.'

We zijn weer boven.

Ze is een week weggeweest, vertelt ze, met haar vriend. Ze gingen te laat naar de zee en dan was het te warm. 'Tja, ik logeerde bij zijn familie, dat is niet als thuis. Je bent altijd bang dat je tot last bent. Kijk, mijn benen zijn helemaal opgezwollen, ik moet steunkousen dragen. Ik ben heel erg gevoelig, kan ook niet tegen airconditioning. Ik ben Ram en dus gaat met sterke airco mijn hele hoofd pijn doen.'

'Wat bent u?' vraag ik omdat ik denk dat ik het niet goed heb verstaan.

'Ram. En u? Ook Ram?'

'Tweeling.'

'O, ik heb gelezen dat die nu een moeilijke tijd gaat doormaken.'

'Ach.'

'Maar het komt goed.'

Intussen lopen we weer door die oude leeszaal naar een ruimte daarachter met deftige houten kasten waarin de kaartenbakken zitten. Erboven hangt een rij portretten.

De vrouw gaat achter een tafel zitten.

'Had ik niet gedacht, Tweeling. En uw ascendant?'

'Ook Tweeling.'

'Dan heb je je Venus in een ander teken. Misschien Ram? Even kijken.' Ze buigt zich voorover en verdwijnt onder het bureau om even later weer op te duiken met een stapel knipsels, allemaal over astrologie.

'Boeken vind ik zo ingewikkeld. Deze artikelen scheur ik uit bladen, dat is overzichtelijker.'

Ze zoekt, heeft een tabel te pakken en studeert.

'Je hebt je Venus ook in Tweeling. Dan is je ascendant vast iets anders. Hoe laat ben je geboren?'

'Kwart voor vier in de ochtend, geloof ik.'

Intussen kijk ik naar de schilderijen, dan naar de laatjes. Ik zoek bij Vasari. Er zijn heel veel verschillende uitgaven, door vele eeuwen heen.

'Ik zou graag een oude druk zien,' zeg ik.

'Dat archief is hiernaast.'

We lopen weer naar de grote zaal.

'Ik wil het verder uitzoeken.'

'Wat wilt u uitzoeken?'

'Uw horoscoop.'

Op een houten blad dat langs de boekenkast loopt, liggen grote boeken met daarop *Catalogus Auctorum*. En dan van welke tot welke letter. We slaan de v op. Het zijn fotokopieën van een met de hand geschreven catalogus.

Ja, de oudste druk die ze hier hebben van de *Vite*. 'Levens van de uitmuntendste Italiaanse architecten, schilders en beeldhouwers, van Cimabue tot onze tijd.' Gedrukt in 1568 te Firenze. Die zou ik graag inkijken.

Ze staan op een speciale plek. 'Geen probleem, ik haal even iemand van beneden.'

Als ze verdwenen is kijk ik verder rond. Smalle trappetjes leiden naar de hoogste boeken, vlak onder het plafond. Na een tijdje verschijnt de astrologe met de vrouw die me de eerste rondleiding gaf. Die heeft een sleutel in de hand waarmee ze een deur opent tussen de boekenkasten. Er ligt weer een prachtige ruimte achter. Het blijkt de directiekamer. De vrouw loopt naar de kast en haalt de boeken er feilloos uit. Drie dikke pillen. Hier staan veel bijzondere, waardevolle werken. Boven de boekenkasten hangt weer een reeks van portretten, van augustijnen, denk ik. Gehuld in zwart en wit.

'Dat zijn de directeuren van de bibliotheek door de eeuwen heen. De huidige directeur is een vrouw. Die hangt er nog niet bij.'

'Schitterend.'

'Ja hè?' zegt ze met een mengeling van trots en verlegenheid. 'Toen ik hier voor het eerst kwam heb ik voordat ik naar binnen ging wel een half uur over het plein gewandeld. Ik dacht: dit kan geen openbare bibliotheek zijn, dit moet een bibliotheek zijn van de kerk. Ik wist niet wat ik meemaakte.' Zij werkt hier nu acht jaar. Sommige dames wel veertig jaar. 'Het is zo rustig, door het hout en door de boeken.' Ze wijst op een vleugel die tussen de boeken staat. 'De laatste tijd worden hier concerten gegeven, dat is wel jammer. En er worden ook modeshows gehouden, onlangs hadden we bruiden. Dat hoort hier niet, dit is een plek voor studie. Er komt nog meer ongecontroleerd volk binnen. Laatst hadden we een boekendief die zich had verkleed als priester. Gelukkig is hij gepakt.'

Ze zegt dat ik hier mag blijven zitten. Nadat ik mijn handtekening heb gezet op een formulier, installeer ik me weer aan mijn tafel en sla het eerste boek open. *Le vite de' piu eccellenti architetti, pittori, e scultori Italiani, da Cimabue insino a' tempi nostri.*

Eerst blader ik erdoorheen, kijk naar de portretten van de grote kunstenaars en blijf steken bij Rafaël. In de kantlijn staat in afwijkend schrift dat hij werd gevoed met moedermelk. Hij verloor zijn moeder al toen hij acht was, zijn vader, die ook kunstschilder was en voor wie hij als kind al een grote hulp was, stierf drie jaar later. Zijn vader liet hem werken in het atelier van Perugino, 'ondanks de tranen van zijn stiefmoeder' die intussen erg aan het jongetje gehecht was geraakt. Het leest als een roman, dit boek van een van de eerste kunsthistorici die ook de ontwerper was van de Uffizi in Florence, de kantoren voor magistraten die later museum werden. In die stad werd Rafaël voorgesteld aan Leonardo da Vinci, die toen werkte aan de *Mona Lisa*, en aan Michelangelo, die de *David* uit het marmer haalde. In Rome kreeg Rafaël meteen grote opdrachten in het Vaticaan, waarmee hij veel indruk maakte. Michelangelo kon het niet uitstaan dat Rafaël zoveel lof kreeg toegezwaaid en zei dat Rafaël alles wat hij van de schilderkunst wist van hem had.

Kardinaal Dei Medici Bibbiena was zo verrukt van Rafaels talent dat hij hem de hand van zijn nichtje aanbood. Dat bracht Rafaël in een lastig parket aangezien hij een bloeiende liefdesrelatie had met een mooie bakkersdochter uit Siena die in de Via del Governo Vecchio woonde, ons bekend als *la Fornarina*. Tegelijkertijd kon Rafaël de hand van het nichtje van de kardinaal niet weigeren. De dood loste dit netelige probleem op door haar voor de huwelijksinzegening weg te rukken. Maar Rafaël volgde zijn aanstaande bruid spoedig in de dood, in hetzelfde jaar 1620, op 6 april, Goede Vrijdag, op zijn zevenendertigste verjaardag.

Er zijn veel theorieën over de doodsoorzaak maar Vasari deelt mee dat Rafaël stierf tengevolge van een heftige liefdesnacht met zijn model, waarna hij hoge koorts kreeg. Doordat hij de artsen niet vertelde wat hij had uitgespookt, kreeg hij de verkeerde medicijnen, die hem fataal werden. Hij kon nog wel de wens uitspreken dat hij begraven wilde worden in het Pantheon. Zijn aanstaande, Maria Bibbiena, werd daar bij hem begraven. Waar *la Fornarina* ligt begraven weten we niet, maar iedereen kent en bewondert haar. Nu, in deze zomer, stapt ze zelfs uit haar schilderij om haar verhaal te vertellen.

De aardige dame is intussen de zaal weer in gekomen met een man voor wie ze een paar boeken heeft gehaald die hij aan een tafel zit te bekijken.

Nu grijp ik mijn kans om nog een paar bijzondere boeken even in te zien en aan te raken, voordat ik mijn prenten op ga halen.

Ik voel een zekere verlegenheid als ik de eerste druk van de *Divina Commedia* aanvraag met houtsneden van Botticelli, en het eerste boek dat in Italië werd gedrukt, *De oratore* van Cicero uit 1465.

De dame vindt het de gewoonste zaak van de wereld. Ik hoef alleen maar een papiertje in te vullen. Mijn paspoort had ik al ingeleverd. Ze verdwijnt en komt na een tijdje terug met een grote rode doos die ze me, nadat ik een handtekening heb gezet, overhandigt. Vriendelijk zegt ze dat voor dit soort boeken het eerste tafeltje is gereserveerd. Daar mogen geen pennen op liggen. Potlood is geen probleem en ook een laptop mag mee.

De derde incunabel in de band is *De oratore. Over de redenaar* werd gedrukt door twee landgenoten van Gutenberg in het klooster van Santa Scolastica te Subiaco. Ik doe de rode doos open en haal het boek er voorzichtig uit. De kaften blijken van hout te zijn, de rug is van rozerood leer. Er zitten twee kleine leren bandjes met metalen gespjes aan de houten kaften om het boek goed te kunnen sluiten. Ik maak ze los en sla het boek open. De bladzijden zijn van zwaar papier, de letter is uitermate helder en er is veel wit gelaten om de gedrukte tekst, wat de pagina een rustige en chique aanblik geeft. De eerste letters van de hoofdstukken zijn mooi en vol toewijding versierd, met kleine groene steeltjes en blauwe bloemen. In de donkerrode versierde c van *Cogitant* lijken twee leeuwtjes te dansen. Behalve blauw en groen is veel goud gebruikt. Ik blader, probeer het Latijn te ontcijferen.

In het huis van Crassus komen zeven redenaars bij elkaar die gesprekken voeren over hun vak. Crassus, die het meest op Cicero lijkt, heeft het over de drie grondvoorwaarden die nodig zijn om een goed redenaar te worden: natuurlijke aanleg, technische vakkennis en oefening. Ook eruditie is belangrijk. ' "Men neemt een loodzware taak op zich door te pretenderen, dat men in een grote menigte waar iedereen zwijgt, als enige aangehoord moet worden over zaken van het allergrootste belang. Onder het gehoor bevindt zich immers nauwelijks iemand, die niet scherper de gebreken bij de spreker waarneemt dan zijn goede kwaliteiten." ' En iets verder: ' "Op mij maken zelfs de beste sprekers, die de taal met het grootste gemak en op de fraaiste wijze hanteren, een bijna onbeschaamde indruk, als ze niet met enige bevangenheid beginnen te spreken en bij de eerste zinnen van hun rede tekenen van verwarring vertonen – en eigenlijk is het ook ondenkbaar dat ze dat niet zouden doen. Want met de spreekvaardigheid neemt ook de angst toe voor de problemen bij het spreken, voor de wisselende effecten van een rede en voor de hoge verwachtingen van de toehoorders. (...) Zelf heb ik de ervaring – die ik ook bij jullie waarneem – dat bij het begin van een redevoering het bloed uit mijn gezicht wegtrekt, mijn hart gaat bonzen, en al mijn ledematen beven."

Hier gaven alle aanwezigen door onderlinge blikken van verstandhouding en opmerkingen blijk van begrip en herkenning. Crassus vertoonde namelijk altijd een merkwaardige bevangenheid, die overigens niet alleen geen afbreuk deed aan zijn woorden, maar zelfs een gunstig effect had door de oprechtheid die eruit sprak.'*

In 55 voor Christus werd dit geschreven, in 1465 gedrukt. Eeuwenlang gelezen. Zo dichtbij en herkenbaar. Deze heldere, gebeeldhouwde taal en de klare afgewogen manier van redeneren werden ons ten voorbeeld gehouden op school en waren een voorbeeld voor eindeloos veel generaties. Ik kijk naar de duidelijke letter, met zoveel zorg gedrukt op het mooie papier. Even zou je denken dat het leven logisch, helder, redelijk en harmonieus was. Slechts twee van de zeven redenaars die Cicero opvoert stierven een natuurlijke dood. Cicero schreef dit in de roerige tijden toen de Republiek instortte en ambitieuze politici probeerden de alleenheerschappij te grijpen. Hij gebruikte al zijn talenten om te pogen orde te brengen in de chaos, recht en redelijkheid te verdedigen, oude Romeinse waarden te redden, maar uiteindelijk viel hij ten prooi aan machtsbeluste lieden zonder scrupules. Zijn hoofd werd afgehakt en een spijker door zijn scherpe tong geslagen. Cicero's

---

* Cicero: *De ideale redenaar*; vertaling H. W. A. van Rooijen-Dijkman en A. D. Leeman. Athenaeum — Polak & Van Gennep, 2006.

neiging tot compromissen werd hem noodlottig in de politiek, maar met zijn literaire werken heeft hij een enorme invloed gehad op de vorming van een humanistisch ideaal dat zijn stempel drukte op de grondwaarden van de westerse cultuur.

Op de laatste pagina staat een verantwoording van het *Istituto centrale per la patologia del libro*, het instituut voor boekziektes en het laboratorium voor conservering en restauratie. De oude lijm is weggehaald, nieuwe lijm gebruikt. De soort staat erbij. Het is opnieuw gebonden, waarvoor katoen is gebruikt. Het leer is gekleurd met extract van Braziliaans hout. Voor het herstel van het papier is Japans papier gebruikt. De doos is bekleed met fluweel. De gespjes zijn van gepolijst messing. Deze informatie heeft iets rustgevends.

Ik breng het boek terug en zet een handtekening om *De komedie* in ontvangst te kunnen nemen. Het boek is heel groot. Ik neem het weer mee naar mijn tafeltje, waar ik het opensla. Voordat het in 1481 gedrukt werd is dit meesterwerk vaak overgeschreven, onder andere een keer door Boccaccio. Dat handschrift ligt in de bibliotheek van het Vaticaan. Mijn vriendin Lidy heeft het bestudeerd en ze vertelde dat je soms kon zien dat Boccaccio moe werd en zijn aandacht wat verslapte.

De beroemde eerste zin staat verticaal afgedrukt, telkens twee letters naast elkaar, beginnend met een heel grote N.

N

EL

ME

ZO

DEL

CA

MI

NO...

Iets verder staat een illustratie van twee mannen die uit een bos komen, Dante en Vergilius. Dit moet een houtsnede van

Botticelli zijn, ook al staat zijn naam er niet bij, wat het nog bijzonderder maakt. Ik vind slechts één andere illustratie, ook die staat wat scheef op de pagina. Daarom is het misschien bij twee gebleven. Verderop staan alleen hier en daar blanke rechthoeken tussen de tekst. Het kan zijn dat deze techniek Botticelli niet zo lag. Hij heeft ook een hele reeks kleurentekeningen gemaakt van de *Divina Commedia*, elegant, sierlijk, niet aangrijpend en bloedstollend zoals de beelden die Dante met woorden schilderde.

De uren zijn ongemerkt voorbijgegleden en ik ben zelfs vergeten om te eten. Maar nu denk ik aan mijn nieuwe aanwinsten en wil die nog even ophalen op de prentenmarkt om ze naar de lijstenmaker te brengen. Hier kom ik gauw terug.

In de Via della scrofa is het nu een gezellige drukte. Ik groet Flavia, die voor de deur van haar winkel staat. Regelmatig koop ik iets bij haar voor mijn nieuwsgierige neefjes. Een stukje meteoriet, een pijlpunt van twintigduizend jaar oud, een schelp, een scarabee, een kleurige kristal, een steen met de afdruk van een rups uit eindeloos verre tijden. De winkel was me aangeraden door een vriend, die vertelde over de aardige eigenaar, maar toen ik daar voor het eerst kwam, werd ik geholpen door een intens droevige vrouw. Het bleek dat haar vader twee dagen daarvoor was overleden, haar vader die deze winkel met zoveel liefde had opgebouwd en van alle voorwerpen het verhaal kende. Haar moeder was al eerder gestorven. Nu stond zij er alleen voor. Haar vader had haar veel geleerd, maar ze wist niet of ze het aan zou kunnen zonder hem. Ze begon te huilen. Ik probeerde haar te troosten, vertelde dat ik mijn dierbare vader ook niet zo lang geleden verloren had.

Een periode verwachtte ik dat ik de mededeling op de deur zou zien dat deze unieke winkel voorgoed dicht was, maar tot mijn vreugde heeft Flavia toch doorgezet en het lijkt geleidelijk beter met haar te gaan. In de etalage liggen versteende dinosauriëruitwerpselen van honderd miljoen jaar geleden. Dat brengt het antieke Rome weer heel dichtbij en maakt de oude Romeinen tot tijdgenoten.

De vrouw op de prentenmarkt duikt zodra ze me ziet weg in haar kraam om mijn prenten op te diepen. Ja, het staat er duidelijk onder: 'Naar Rafaël'. Ze rolt ze op en doet ze in een koker. Ook Alessandro haalt meteen mijn aanwinsten tevoorschijn. Ik zie meer prenten die ik mooi vind, een paar authentieke Piranesi's. Een prent waarop de resten van de Thermen van Constantijn zijn te zien op het Quirinaal. 'Van Rossini. Iedereen heeft het altijd over Piranesi, maar dit is minstens zo goed. Kijk gerust,' zegt hij. Ik zeg dat ik nu vooral geïnteresseerd ben in de zeventiende eeuw, beelden van hoe Rome eruitzag toen de Amersfoortse schilders hier rondstapten. Hij laat me van alles zien. 'Zonder verplichting.' Een prent waarop een obelisk wordt opgedolven, de Piazza Sant'Agostino waar ik net vandaan kom, met de strakke muren van het augustijner klooster eromheen. Twee dames in lange rokken vlak bij de trappen van de kerk, courtisanes misschien.

'Ik kom zeker terug.'

Nogmaals wijst hij me de weg naar de lijstenmaker.

Naast restaurant La Campana staan de deuren wagenwijd open. Achter een enorme tafel vol prenten, papier en lijsten zijn een paar mensen bezig. De muren zijn behangen met eindeloos veel stukken lijst, gerangschikt in dikte en kleurnuances. Daarboven hangen prenten en schilderijen met verschillende kleuren passe-partouts en alle soorten lijsten.

Een jongeman vraagt wat hij voor me kan doen. Ik haal de prenten tevoorschijn.

'Alessandro heeft me hierheen gestuurd.'

De jongen kijkt aandachtig naar de prenten. De oudere man en vrouw gluren mee. 'Ja, Alessandro heeft mooie dingen.'

Ook de grotesken van Rafaël vallen goed.

We bekijken de prenten een voor een, bespreken de grootte en kleur van de passe-partout, en de lijst. 'Misschien een Pompeiaans rode passe-partout voor de grotesken van Rafael,' stel ik voor. Dat vinden ze een goed idee. 'Voor deze prent zou ik een eenvoudige houten lijst nemen,' zegt de jongen. 'Hier zou dat antieke groen wel bij kunnen.' Ook de man en de vrouw leveren soms commentaar, denken mee. Het blijken zijn vader en moeder. De grootvader van de vader is deze zaak voor de oorlog al begonnen.

Over een paar dagen kan ik de prenten ophalen.

Langs de lange muren van het augustijner klooster loop ik naar huis, langs de kerk van Sant'Agostino, die nu gesloten is. Om de hoek, op de Corso Rinascimento, ga ik binnen bij Ai Monasteri, een ouderwets ogende winkel die sinds 1894 producten verkoopt die gemaakt worden door monniken in Italiaanse kloosters. Al vier generaties werkt deze familie van artsen en kruidenkenners samen met de abdijen. De stichter van de winkel was een medicus die meeging op expedities naar Noord-Afrika en zich verdiepte in het gebruik van kruiden en planten door stammen waarmee hij in contact kwam. De laatste vertegenwoordiger van de dynastie onderwijst aan de katholieke medische faculteit in Rome Botanische farmaceutica en natuurcosmetica. In donkere kasten en op donkere toonbanken staan de producten uitgestald. Huidverzorgingsmiddelen, koeken, snoepjes, chocola, honing, likeuren, thee en kruidenmengsels.

Ik koop zonnecrème en rozenwater. Op de etiketten staan twee monniken in lange pij. De vrouw in witte jas geeft me een folder. Hij is nog niet helemaal bijgewerkt zegt ze, 'maar de laatste informatie vindt u op onze website'.

Voor ik naar huis ga besluit ik nog even binnen te lopen bij de wijnbar op de Campo de'Fiori om te zien of Bert Treffers er is, de grote kenner van Caravaggio en zijn tijd.

Zowaar, hij is de warmte nog niet ontvlucht naar zijn huis op het land. We nemen onze traditionele prosecco en ik vertel hem over mijn zeventiende-eeuwse schildersroman.

'Dan moet je het dagboek van Gigli lezen,' zegt hij. 'Een arts die in Rome woonde. Het geeft een prachtig beeld van die tijd. Je kunt het vinden in de Grotta del libro in de Via del Pellegrino.'

Ik vraag hem of hij weet hoe het zat met het werken van protestantse schilders voor pausen en kardinalen. Waarschijnlijk deden ze er niet moeilijk over, zegt hij, als ze maar goed konden schilderen. Bert heeft altijd mooie verhalen, zo vertelt hij over de ontdekking dat de kerk van Genua aan de protestant Rembrandt heeft gevraagd om een altaarstuk te schilderen en nog wel een Maria-Hemelvaart! Rembrandt heeft een stel schetsen gemaakt maar vermoedelijk zijn die verloren gegaan bij een schipbreuk. Kort daarna is hij overleden.

Met het dagboek van Giacinto Gigli onder mijn arm loop ik naar huis. Daar bezoek ik de site van Ai Monasteri. Die opent met een filmpje van een monnik in lange pij en monnikskap die door een hoge kloosterbibliotheek schuifelt met een boek in zijn hand, misschien studerend op een recept voor het behoud van een madonna-achtige huid. Daaronder is de afbeelding van een antieke pen te zien met de mededeling dat je daarop moet klikken als je op de mailinglist gezet wil worden. Ik klik en garandeer zo mijn hotline met de abdij.

Dan glijdt mijn blik over de witte kloosterlijke muren van mijn appartement en stel ik me voor hoe daar straks stukjes van een vroeger Rome hangen.

Egypte in Rome

Om elf uur heb ik een afspraak bij de piramide. Eindelijk zal ik dat wonderlijke bouwwerk binnengaan waar ik al meer dan twintig jaar langskom en zelfs een paar jaar vlakbij heb gewoond. Vanuit de verte zie ik haar al liggen met de witte muren die oplichten in de zon. Daarnaast de Porta San Paolo, die vroeger de Porta Ostiense heette maar de naam kreeg van de apostel Paulus, die door deze poort de stad binnenkwam en dus ook de piramide zag die er al stond voordat Christus werd geboren.

Er staat een groep mensen, maar die blijken voor het niet-katholieke kerkhof te komen dat daarnaast ligt en waar de dichter Keats rust in de schaduw van de piramide. Iets verder daarvandaan ligt Shelley.

Ik ben al bang dat ik me vergist heb, maar dan zie ik nog een vrouw zoekend rondkijken. Ze blijkt een Duitse pelgrim en komt niet alleen de piramide maar ook de paus bezoeken. Even later verschijnt onze gids, Laura, een jonge archeologe. Er wordt verder niemand meer verwacht, de meeste mensen liggen waarschijnlijk aan het strand.

De archeologe wijst op de Latijnse inscriptie die op de oostelijke muur staat die gericht is naar de straat. C. CESTIUS. L.F. POB. EPULO. PR.TR.PL.VII.VIR.EPOLONUM. Gaius Cestius Epulo, zoon van Lucius, volkstribuun, een van de zeven *epulones*. Dat was de laagste rang van de vier priestercolleges, maar nog steeds een erebaan. De *epulones* moesten religieuze banketten organiseren en werden afgebeeld met de *patera*, een ondiepe offerschaal, waar de latere pateen uit voortkomt,

125

de platte vergulde schijf die op de miskelk past en waar de hostie op wordt gelegd en gebroken.

Laura wijst op de puntigheid van de piramide, die steiler is dan de meeste en doet denken aan de piramiden in Nubië, dat werd aangevallen door de Romeinen in 23 voor Christus. Misschien heeft Gaius Cestius meegedaan aan die veldtocht en raakte hij daar geïnspireerd. Maar al na de overwinning bij Actium in 31 voor Christus, op de vloot van Marcus Antonius en Cleopatra, was er een ware Egypterage ontstaan. Niet alleen piramiden, obelisken en Egyptische heiligdommen verrezen in Rome, maar men ging zich ook op Egyptische wijze kleden en richtte de huizen in met Egyptische meubelen.

Onder de eerste inscriptie lezen we een tweede: OPUS. AB-SOLUTUM. EX. TESTAMENTO. DIEBUS.CCCXXX ARBITRA-TU PONTI.P.F. CLA. MELAE. HEREDIS.ET.POTHI.L. Het werk is verricht volgens het testament, in 330 dagen, door zijn erfgenamen L. Pontus Mela, zoon van Publius en door Pothus, een bevrijde slaaf.

Ze zouden alleen erven als de piramide er in 330 dagen stond en dat is kennelijk gelukt. Met zo'n mausoleum en dan ook nog zo'n tekst erop zou de naam van Gaius Cestius op indrukwekkende wijze voortleven. Er staat geen datum op de muur maar via andere aanwijzingen weet men dat de piramide tussen het jaar 18 en het jaar 12 voor Christus gebouwd moet zijn. Er zijn sokkels gevonden waarop fragmenten uit het testament geschreven staan. Daarin zegt Gaius Cestius dat hij begraven wilde worden met kleden van gouddraad uit Pergamum. Maar in 18 voor Christus werd er een wet ingesteld tegen te veel luxe bij openbare plechtigheden en dat gold ook voor begrafenissen. Gouddraad mocht alleen nog maar gebruikt worden om gezondheidsredenen zoals het vastzetten van tanden. De erfgenamen verkochten de gouden kleden en lieten van de opbrengst bronzen beelden maken van de overledene, die bij het grafmonument werden neergezet. De bronzen beelden zijn ongetwijfeld omgesmolten, de sokkels staan in het Capitolijns Museum. Ook Marcus Agrippa werd als erfgenaam genoemd en die overleed in 12 voor Christus. Dus Gaius Cestius moet daarvóór overleden zijn, aangezien hij geen dode in zijn testament zal hebben opgenomen. Er staat nog een regel tekst op de muur, die meedeelt dat de piramide is gerestaureerd in het jaar 1663. Dat gebeurde onder paus Alexander vii Chigi die, uitzonderlijk bescheiden, zijn naam er niet bij heeft laten zetten, uit respect voor dit bouwwerk dat als graftombe dienstdeed. Een voorganger, Alexander vi Borgia, liet daarentegen een piramide weghalen. Bij de Engelenburcht stond er namelijk nog een, maar die moest in 1499 plaatsmaken voor een straat die breed genoeg zou zijn voor de stroom pelgrims die werd verwacht in het heilige jaar 1500. Deze aanvankelijk naar de paus genoemde Via Alessandrina werd later omgedoopt tot Via della Conciliazione. Op allerlei kunstwerken is deze piramide nog te zien, zoals op de bronzen poort die Filaretes maakte voor de Sint-Pieter. Ook in oude reisgidsen voor pelgrims werd hij beschreven. De piramide stond vlak bij een necropolis en zal waarschijnlijk ook als tombe zijn bedoeld voor een vermogende Romein. Waarschijnlijk leek hij erg op de piramide van Gaius Cestius en was hij ook bedekt met marmer. Dat marmer zou in de Middeleeuwen gebruikt zijn voor de Sint-Pieter. Er stond bovendien een piramide op de Piazza del Popolo op de plek van de Santa Maria dei Miracoli.

De piramide waar we nu voor staan lag zoals alle graftombes buiten de toenmalige stadsomwalling, de Serviaanse muur. Onze gids wijst naar beneden, waar men met opgravingen bezig is en waar resten van huizen te zien zijn die in de tweede eeuw tegen de piramide aan zijn gebouwd. In de derde eeuw werd de piramide opgenomen in de Aureliaanse muur. Dat bespaarde materiaal, maakte de muur extra stevig en voorkwam dat de piramide kapot zou worden gemaakt door aanvallers.

We lopen verder naar het grote hek in de stadsmuur. Laura doet het hek open. Over een trap dalen we af naar het oorspronkelijke niveau van Rome. We lopen nu over de oude Via Ostiensis met de authentieke bestrating van grote keien, waarin de karrensporen nog te zien zijn. Links staat een verzameling altaren, voor Hercules en de natuurgod Silvanus, die op deze plek aanbeden werden. Lang lagen hier de *Prati del popolo Romano*, de weiden van het Romeinse volk. Hier graasden kuddes en bij de Schervenberg vond men vertier in de kroegen. Nu liggen er katten op de altaren te luieren, leden van de kolonie die hier huist geheel in stijl met het Egyptische bouwwerk. We staan weer stil en kijken vanuit de verte naar de zesendertig meter hoge piramide waar een smal paadje heen voert over een breed grasveld.

Een tijd lang was de piramide zo overwoekerd, vertelt Laura, dat de teksten niet meer te lezen waren. Men dacht dat dit mysterieuze bouwwerk het graf van Remus was en die andere piramide bij het Vaticaan het graf van Romulus. Petrarca heeft hier ook rondgelopen in die veronderstelling, want hij schreef in een brief dat hij de tombe van Remus had bezocht. De Duitse kijkt zeer aandachtig maar verstaat geen Italiaans. Onze gids spreekt nauwelijks Engels, maar ze lijken er geen van beiden een probleem van te maken. Af en toe vertaal ik heel kort iets.

In de dertiende eeuw werden hier grote carnavalsspelen gehouden, met een tribune die tegen de piramide aan stond. Laura laat oude prenten zien, ook van schaars geklede vrouwen die wulps tegen de piramide leunen. Er is hier van alles gebeurd, het was een plek voor feesten en erotische ontmoetingen, maar ook een plek waar schietoefeningen werden gehouden. Men schoot hiervandaan in de richting van de Schervenberg, maar door de terugslag raakte de piramide beschadigd. De piramide heeft ook een beschadiging opgelopen door de bliksem, die de top eraf sloeg. Inmiddels zit de top er weer op en sinds 1999 ook een bliksemafleider.

In de achttiende eeuw werd dit opnieuw een plek waar mensen werden begraven: protestanten, en daarom gebeurde het vaak 's nachts. Toen er in 1824 een muur om de begraafplaats werd gebouwd werd deze Romeinse weg ontdekt, dit stuk van de Via Ostiensis, met een smal zijpad van dezelfde stenen dat naar de piramide leidt.

We kijken naar de piramide, die bedekt is met marmer van Carrara, en naar het smalle pad dat naar het kleine deurtje voert. Oorspronkelijk zat er geen deur in. Na de bijzetting van de urn of de sarcofaag is de piramide dichtgemetseld zoals dat ook in Egypte gebeurde.

In de zeventiende eeuw zijn de eerste onderzoeken gedaan en is er een opening gemaakt, maar de grafkamer bleek al geplunderd. Bij de restauratie door paus Alexander VII zijn ook de twee zuilen gevonden die weer op twee hoeken zijn neergezet. Het waren er ooit vier.

'Zullen we naar binnen gaan?'

We lopen over de oude keien, over het originele pad waarover ook de rouwstoet ging, wie weet wel in Egyptische gewaden. Laura doet de deur open met een sleutel van een sleutelbos. Tot welke ruimtes zouden die andere sleutels toegang geven? Ze waarschuwt ons. De gang is smal en wordt naar het einde toe nog smaller. 'Jullie moeten bukken om je hoofd niet te stoten. En de deur meteen dichtdoen anders komen er katten naar binnen.' Gebukt lopen we door de nauwe donkere gang. In de verte gloort licht.

We komen in een rechthoekige ruimte die verlicht wordt door lampen in de vloer die bestaat uit in visgraatmotief gevoegde steentjes. De wanden zijn versierd met verfijnde schilderingen. Even kijken we stil om ons heen. Ik had er al die jaren geen voorstelling van hoe het er hier van binnen uit zou zien. Iemand had wel eens gezegd dat het niet erg bijzonder was, daarom overtreft het mijn verwachtingen. Op lichte vlakken zijn ondanks de zware beschadigingen vrouwenfiguren te herkennen. De een brandt wierook, een ander houdt een dienblad vast, de derde bespeelt de dubbele fluit en een vierde heeft een boek in de hand. De vlakken worden gescheiden door sierlijke kandelaren en vazen. Al deze elementen hebben te maken met begrafenisrituelen, vertelt onze gids. De gevleugelde figuren daarboven, afbeeldingen van la Victoria, kom je veel tegen in tombes. In het midden van het plafond zit een gat. Oorspronkelijk was daar een afbeelding te zien van de overledene die door een adelaar werd meegevoerd. Dat gat is het werk van *tombaroli*, die hoopten daar een schat te vinden. Om diezelfde reden zit er een groot gat in de achtermuur. Men dacht dat daar misschien nog een ruimte was, vol rijkdommen.

Laura wijst op een spoor van roet dat herinnert aan de fakkels die werden gebruikt voor de verlichting, en op handtekeningen van bezoekers. De meeste zijn van onbekenden, maar er is er ook een van Antonio Bosio, een autoriteit op het gebied van de christelijke archeologie, catacombenonderzoeker, die in 1620 het boek *Roma sotterranea*, Onderaards Rome, schreef. We kijken een tijd zwijgend rond. Wat zou zich hier hebben afgespeeld? Wie was het die hier binnendrong en de urn of sarcofaag vond? En wat was er nog meer? Wat een moment zal dat zijn geweest! De eerste officiële opgravingen begonnen in 1656, maar Antonio Bosio was hier vele decennia eerder en die trof de tombe al leeg aan. Zouden er misschien toch nog onontdekte ruimtes zijn? De grafkamer is zes bij vier meter met een hoogte van vijf meter, slechts één procent van het hele gebouw.

De schilderingen zijn beschadigd doordat men geprobeerd heeft ook die mee te nemen. Maar Laura vertelt ons dat we in het museum in de Porta San Paolo gravures kunnen zien van deze schilderingen, die een paar eeuwen geleden nog in veel betere staat waren.

We lopen weer terug door de smalle gang, over het smalle toegangspad van keien, over de antieke Via Ostiensis, tot we weer op het moderne plaveisel staan dat over de antieke weg heen is gelegd en waarover ik al meer dan twintig jaar Rome in en uit rijd.

Helaas is het museum in de poort vandaag dicht maar ik besluit mijn Egyptische ontdekkingsreis toch voort te zetten. Ik steek de Via Marmorata over, de straat waar de grote opslagplaatsen waren voor het ook veelal uit Egypte geroofde marmer. Daar stap ik op de bus en rijd langs het Circus Maximus, waar volgens de overlevering Romulus een festival organiseerde dat zo overweldigend was dat ongemerkt de Sabijnse maagden konden worden geroofd. Keizer Augustus liet er in het jaar 10 voor Christus de eerste uit Egypte meegenomen obelisk neerzetten die nu op de Piazza del Popolo staat.

Op de Piazza Venezia stap ik uit en wandel naar de Piazza San Marco. Daar staat, in een hoek, geleund tegen Palazzo Venezia, een kolossale buste van een vrouw. Het gezicht is sterk beschadigd. Men kent haar als *Madama Lucrezia*, genoemd naar de minnares van de koning van Aragon of naar een rijke dame die hier vlakbij woonde in de vijftiende eeuw. Ook Lucrezia is een 'sprekend beeld'. Maar dan spreekt ze waarschijnlijk Egyptisch, want men is er vrijwel zeker van dat dit een beeld van Isis was vanwege het enorme formaat en het gewaad dat onder de borsten is vastgeknoopt. Misschien is het het beeld waar Cassius Dio het over heeft als hij schrijft over een gigantisch beeld van Isis, gezeten op een hond, voor haar tempel op het Marsveld.

Vervolgens ga ik de straat in die langs de zijkant van Palazzo Grazioli loopt, waar altijd gewapende mannen staan en politieauto's om Berlusconi te beschermen, die daar resideert als hij in Rome is. De straat heet Via della Gatta en is genoemd naar het beeldje van een kat dat boven op een hoek van het gebouw staat. Het is de Egyptische godin Bastet. Een kopie, want het origineel staat in het Vaticaan. Katten waren heilige dieren voor de Egyptenaren. Ze waren van levensbelang voor de mensen, want ze zorgden ervoor dat het graan niet werd opgegeten door muizen en ratten. Als er katten meegingen op een schip vol graan was dat hun redding. Daarom moesten bij een brand als eerste de katten worden gered. Ze kwamen met Cleopatra mee naar Rome. In de Middeleeuwen werden ze wél gedood omdat men dacht dat het heksen waren, wat tot gevolg had dat de pest gemakkelijker om zich heen greep omdat de grote overbrengers van die ziekte, de ratten, zo vrij spel kregen.

Ik loop om het Palazzo Grazioli heen, over het gelijknamige plein dat vroeger Piazza della Gatta heette, en ga een klein straatje in met de wonderlijke naam Via Santo Stefano del cacco. De naam heeft te maken met een beeldje dat hier in de buurt werd gevonden. Het leek een aapje voor te stellen, een *macacco*. Die naam sleet af tot *cacco*. Het was geen makaak maar wel een aap, een baviaan die op zijn achterpoten zit, een van de beeltenissen van Thot, de Egyptische god van de schrijfkunst, die het gewicht van het hart van de overledene noteerde en hem begeleidde naar Osiris.

Gillende sirenes.

Geschrokken kijk ik om en zie een ijzeren deur omhooggaan waar een auto vol agenten achter vandaan komt. Het blijkt het politiebureau van de wijk.

Als het geluid is weggestorven sta ik op een klein pleintje bij de oude wat verwaarloosde kerk. Op een bord lees ik dat de kerk verbonden is met het aangrenzende klooster van de silvestrijnen en dat er elke avond om zeven uur vespers worden gehouden. Tussen deze plek en waar nu de Sant'Ignazio staat, lag ooit de grootste van de vele Egyptische tempels van Rome, met afmetingen van 240 bij 60 meter. De plattegrond van de tempel kennen we door de *Forma Urbis*, de marmeren stadskaart van Rome uit het begin van de derde eeuw. De tempel staat ook afgebeeld op munten en reliëfs. Hier aan de zuidkant van de tempel, op de plek van de Santo Stefano del cacco, lag het Serapeum, een tempel gewijd aan Serapis, met een nymfaeum dat de geboortegrot van Osiris moest verbeelden. Waarschijnlijk een halve cirkel omringd door zuilen. Serapis was een versmelting van Osiris en de stiergod Apis, maar had het uiterlijk van een man met lang haar en een baard. Tot voor kort leek het hier nog sprekend op een nymfaeum, want de kerk was volledig begroeid met klimop die in lange ranken voor de deur hing. De huizen naast de kerk zijn nog steeds nymfaeumachtig begroeid.

Aan de andere kant, in het noorden, lag het heiligdom van Isis. Precies zoals de tempel op het eiland Philae in de Nijl bij Assuan. Isis bevond zich in het noorden, in het zuiden lag het water met de grot van Osiris.

Op de klokkentoren uit 1160, die vanaf de straat niet is te zien, staat een kleine pijnappel. Die herinnert aan de enorme van brons die nu in het Vaticaan staat op de grote binnenplaats die naar de pijnappel is genoemd, de Cortile della Pigna. Ooit sierde hij de tempel van Isis en ook deze wijk is naar de pijnappel genoemd, la Pigna. In het oude Rome heette zelfs een wijk Isis et Serapis, het gebied waar nu het Colosseum staat, naar een Egyptische tempel die daar stond.

Het is stil, geen levend wezen te bekennen. Tegen het met klimop begroeide palazzo zie ik tussen de ranken een beeldje van een Madonna met kind. Op identieke wijze werd Isis afgebeeld met Horus op haar arm. Valentina zegt dat er heel weinig onderzoek is gedaan naar deze enorme Isistempel, terwijl die zo belangrijk is geweest in het oude Rome. De kerk heeft het tegengehouden zegt ze, de gelijkenis met de Madonna zou de mensen in verwarring kunnen brengen.

Net zoals de overeenkomsten met andere mysterieculturen verwarrend konden zijn, bijvoorbeeld de cultus van de

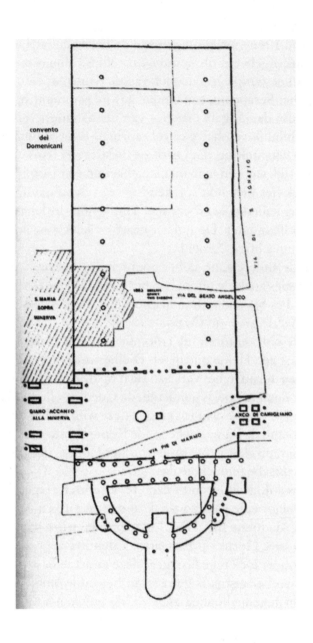

Plattegrond van de Isistempel

Perzische lichtgod Mithras, wiens grote feest werd gevierd op 25 december. Door de uitbreiding van het Romeinse rijk kwamen de Romeinen in contact met deze vreemde godsdiensten, zo anders dan ze gewend waren, geheimzinniger, met inwijdingsriten en zuiveringsplechtigheden, de belofte van een beter leven na de dood. Deze religies hebben invloed gehad op de ontwikkeling van het christendom en zelfs mede daarvoor de weg gebaand. Het Romeinse polytheïsme leefde voort in de heiligenverering. Ook sporen van de Isiscultus zijn terug te zien in de verering van heiligen. Menig heiligenbeeld gaat op een met bloemen versierde boot de zee op, net als Isis, Sterre der Zee.

In het jaar 43 voor Christus werd deze belangrijkste Isistempel gebouwd. Niet lang daarna is hij afgebroken omdat zich er allerlei schandalen zouden hebben afgespeeld. Caligula liet de tempel weer herstellen en nam de Isisfeesten op in de officiële kalender. In het jaar 80 viel de Isistempel ten prooi aan de grote brand maar er werd op dezelfde plek een geweldige nieuwe tempel gebouwd. Keizer Hadrianus breidde de tempel uit met onder andere een heiligdom voor Antinoös, zijn vergoddelijkte geliefde die verdronken was in de Nijl. Hij liet ook een Egyptische tempel bouwen in zijn villa te Tivoli, die nu als replica te zien is in het Vaticaans Museum. Ook daarna werd de Isistempel op het Marsveld nog uitgebreid en verrijkt met nieuwe beelden. Er werden munten geslagen met de Isistempel erop of met Isis die Horus de borst geeft. Caracalla bevorderde Isis tot officiële godin van het keizerrijk.

Vanavond kom ik terug voor de vespers, nu loop ik verder tot ik word tegengehouden door een enorme voet, die de naam heeft gegeven aan de straat waarin ik ben beland. Via del Pie' di Marmo. Ik kijk naar de duidelijk gevormde tenen, de sandaal die kunstig om de voet is gebonden, die waarschijnlijk van de god Serapis was. Misschien hing daarboven een mantel met heel veel plooien zoals bij het beeld van Serapis in Alexandrië.

Rechts ligt de Piazza del Collegio Romano. Hier stond een enorme boog met drie openingen die van de zijkant toegang gaf tot de tempel. De boog heette ooit de Arcus ad Isis. In de zestiende eeuw werd deze boog afgebroken door paus Sixtus v. Delen zijn nog te zien in kelders van de middeleeuwse huizen en onlangs is bij de restauratie van het hoekhuis met de Via di Sant'Ignazio een fragment van de Isisboog tevoorschijn gekomen. Ik kijk naar het stuk witte steen, waar iedereen argeloos aan voorbijloopt. Soms volgen mensen mijn blik en ik zie dat ze zich afvragen wat er zo bijzonder is aan die steen onder in die muur. In het Vaticaans Museum is de boog te zien op een reliëf uit de tijd van Domitianus. Aan de andere kant van de Via del Pie' di Marmo, waar die overgaat in de Via Santa Caterina di Siena, stond nog zo'n zelfde boog, die van de andere kant toegang gaf.

Ik sla de Via di Sant'Ignazio in, waar ik de enige ben tussen de hoge muren van lichte steen. Deze lange straat valt ongeveer samen met de oorspronkelijke *dromos*, een lange weg gesierd met obelisken, sfinxen en andere beelden, die tussen het Serapeum met de grot en het Isisheiligdom in lag. Het is stil. Ik hoor alleen mijn eigen voetstappen. Deze mysterieuze Egyptische wereld met obelisken, hiëroglyfen en dierenbeelden moet indrukwekkend zijn geweest, hier in het hart van Rome. Ik denk aan de *dromos* waar ik een paar maanden geleden doorheen liep naar de tempel van Karnak, bij Luxor, dat lange pad tussen twee rijen sfinxen dat naar het heiligdom voert.

Hier zullen de processies zijn gehouden die staan afgebeeld op reliëfs en die zijn beschreven door klassieke schrijvers. Mensen gehuld in witte linnen gewaden, mannen met kaalgeschoren hoofden. Ze dragen lampen, fakkels, kaarsen als eerbetoon aan de hemelkoningin, de bron der hemelse sterren.

Een obelisk komt aan bij de Romeinse haven

Ze maken muziek en klepperen met ratels, voeren mysterieuze attributen mee, strooien bloemen rond en verstuiven heerlijke aroma's.

Hier hebben de gebeden tot Isis geklonken: 'U bent waarlijk heilig, eeuwige redster van het mensdom, U die de stervelingen onophoudelijk koestert en begunstigt, U die een moederlijke genegenheid betoont aan al wie in nood verkeert. Geen dag, geen nacht, niet het kleinste moment gaat voorbij zonder weldaden van uw kant. Te land en ter zee behoedt U de mensen, U verjaagt de stormen des levens en reikt allen de heilbrengende hand, waarmee U zelfs onontwarbaar verstrikt geraakte draden van het Lot weer lostrekt en orkanen van Fortuna doet bedaren en onzalige sterrenbewegingen weet te bedwingen. Alle machten van boven en van beneden vereren U, U draait het firmament en schenkt de zon zijn licht, U heerst over de wereld en treedt de Tartarus onder de voet.'* Zo klinkt het in de spannende roman *De gouden ezel*, geschreven door Apuleius in de tweede eeuw. Daarin wordt het verhaal verteld van Lucius, die per ongeluk in een ezel verandert en in die gedaante de meest wilde avonturen beleeft. Hij bidt tot de godin Isis om hem te verlossen uit zijn viervoetige staat. Zij verschijnt hem, de godin die onder de meest uiteenlopende namen wordt vereerd: Minerva, Venus, Diana, Proserpina, Ceres, Juno, Bellona, Hecate, maar wier ware naam Isis luidt. Ze raadt de ezel aan om tijdens een processie ter ere van haar een krans van rozen op te vreten die gedragen zal worden door een priester. En zo geschiedt: Lucius krijgt zijn oude gedaante terug en laat zich uit dankbaarheid wijden tot priester van Isis. Hij scheept zich in naar Rome, waar hij dagelijks bidt tot de godin in haar grote tempel die stond op de plek waar ik nu loop. Ook de schrijver Apuleius, die werd geboren in het

---

*Apuleius, *De gouden ezel (Metamorfosen)*; vertaling Vincent Hunink. Athenaeum — Polak & Van Gennep, 2003.

138

huidige Algerije, maar tijden in Athene, Rome en Egypte verbleef, heeft zich laten inwijden in de Isismysteriën en kon dus spreken uit eigen ervaring.

Juvenalis, die leefde in de tweede helft van de eerste en de eerste helft van de tweede eeuw, heeft in zijn satiren de draak gestoken met de Isisvereerders en ze in een kwaad daglicht gesteld. Een mannetje uit de provincie, zei Valentina, die al die nieuwigheden en vrijheden in de grote stad maar gek vond. Later werd hij omarmd door de kerk omdat hij de wantoestanden en liederlijkheden van het heidendom breed had uitgemeten.

Na het edict van Constantijn was het afgelopen met de Egyptische eredienst. In 394 vinden de laatste officiële riten ter ere van Isis plaats in Rome.

In 431 werd tijdens het Concilie van Efeze, in de heilige stad van de godin Artemis, besloten dat Maria Theotokos Mater Dei, Moeder van God, moest worden genoemd. De antieke naam van de godin Isis. Ook Stella Maris, Regina Coeli, epitheta voor Isis, werden aansprecktitels voor Maria.

De tempels werden afgebroken en de onderdelen werden gebruikt voor kerken.

Al die kunstwerken zijn verspreid geraakt door de stad en zelfs daarbuiten. De obelisken hebben nieuwe plekken gekregen, in Rome, zoals op het olifantje van Bernini, maar ook in de Bobolituinen te Florence en in Urbino.

Oorspronkelijk waren de obelisken bedoeld als eerbetoon aan de zonnegod, toen als teken van de macht en heerschappij van het Romeinse rijk en nu zijn er duiven met palmtakjes, kruisen, Madonna's en apostelen opgezet. Ik stel me voor hoe de Egyptenaren moeten hebben gekeken toen deze enorme stenen zonnestralen werden weggehaald en meegenomen. In de zaal van de landkaarten in het Vaticaans Museum is op de schildering van de haven van Ostia te zien hoe die gigantische obelisken op enorme vlotten daar aankwamen.

Intussen ben ik op een stil pleintje beland, de Piazza di San Macuto. Op de kerk staan vier kleine obeliskjes. De *Obelisco Macuteo*, die lang hier heeft gestaan, ooit in de Isistempel, staat nu op de fontein voor het Pantheon.

Ik sla de Via del Seminario in, die ongeveer samenvalt met de voorkant van de Isistempel. Ik wandel langs de obelisk van het Pantheon, langs Piazza Montecitorio, waar de obelisk staat op dezelfde plek als waar hij vroeger stond. Maar vroeger was hij zonnewijzer en gaf hij op een enorme marmeren plaat met bronzen inscripties de uren, maanden, jaren en astrologische tekens aan. Ik heb een prent uit 1738 aan de muur hangen, gekregen van Hanneke 't Hart, de vrouw van Maarten, waarop je kunt zien hoe die obelisk in stukken en brokken onder een palazzo vandaan wordt gehaald. Ik steek de Via del Corso over en zie in de verte op de Piazza del Popolo de obelisk staan die Augustus meenam uit Heliopolis.

Aangekomen bij het Quirinaal ga ik het Museo delle scuderie in, de tot museum omgebouwde paardenstallen van de paus. Er is een tentoonstelling over pop-art. In de museumwinkel vertel ik dat ik gehoord heb over resten van een enorme Serapistempel die hier te zien zouden zijn. Van Serapis hebben ze nog nooit gehoord en ook niet van een Egyptische tempel, maar ze verwijzen me naar de zaalwachten. Ik vraag het aan twee jonge vrouwen in rode jasjes.

'Ja,' zegt een van hen. 'Maar niet van de buitenkant. Dan moet u een kaartje kopen voor de tentoonstelling. Boven, door de glazen achterwand zijn de resten van de tempel te zien.'

Nadat ik een kaartje heb gekocht loop ik langs Campbellblikjes, Marilyn Monroe, Elvis Presley. In een flink tempo ga ik door de zalen, langs de tafeltennistafel van Oldenburg, op zoek naar de Egyptische tempel. Uiteindelijk beland ik in het trappenhuis en blijf meteen betoverd staan. De zon gaat onder over Rome. Hier heb je een fabelachtig uitzicht op de stad, waar een gouden licht over valt terwijl de lucht al roze kleurt en op de achtergrond een gouden bal geleidelijk verdwijnt. Aan mijn voeten liggen de reusachtige, door loof overgroeide muren van de tempel van Serapis. Ook andere mensen blijven staan, er wordt alleen maar Italiaans gesproken. *'Favoloso! Si, quest' è Roma.'* Ja, dit is Rome. *'Incantevole.'* Betoverend. De hele binnenstad is te zien, met koepels, torens, paleizen, geheime daktuinen. Niemand zal weten dat dat de resten van het Serapisheiligdom zijn.

Ik blijf wel een half uur staan kijken tot de zon helemaal verdwenen is en de stad weer anders is gekleurd. Als in een droom daal ik de brede wenteltrap af en zie de vrouw in het rood. Ik bedank haar.

'Indrukwekkend!'

'Ja, dit is een van de mooiste uitzichten over Rome. Ik werk hier al acht jaar en ik ben elke keer weer geraakt. Als de tentoonstelling tegenvalt ga ik daar een tijd staan kijken.

Maar dit is een vreemde plek van Rome, dit plein is bijna niet van de stad, maar mythisch. Zo weids, zo stil vaak. Er heerst een microklimaat. We zitten hoog en het plein is een kale vlakte. Als het waait is het hier soms een noodtoestand, guur, koud, onherbergzaam maar heel erg mooi. Zo veel lagen heeft de stad. Niemand weet dat van die Serapistempel, er is zo veel. Ook de sociale verhoudingen zijn gelaagd, vreemd.'

'Troebel,' zeg ik.

'Ja, troebel. Met dit licht geloof je dat niet, denk je dat alles helder is en oogverblindend, maar veel dingen kunnen het licht niet zien.'

We drukken elkaar de hand. Ik kom snel terug.

Eva heet ze.

Op de terugweg naar huis loop ik langs de Mozesfontein. Ik kijk naar Mozes, die water uit de rots slaat voor het dorstende volk dat uit Egypte wordt geleid. Het water spuit uit de bekken van de vier Egyptische leeuwen die eens in de grote Isistempel stonden. Nu staan de originelen in het Vaticaan.

Het is al donker als ik de deur uitga. Ik wil kijken of de Santo Stefano del cacco nu wél open is, maar eerst loop ik even naar de Santa Maria in Trastevere, want ik las in een artikel van een Amerikaanse archeologe dat de achtentwintig bruine granieten zuilen uit een Egyptische tempel zouden stammen. De kapitelen waren versierd met de koppen van Isis, Serapis en Horus. Die zijn eraf gehaald maar bij sommige kapitelen was dat niet helemaal gelukt.

De kerk is schemerig en de prachtige mozaïeken zijn nauwelijks te zien. Maar daar kom ik nu niet voor, ik loop met toegeknepen ogen omhoog loerend langs de zuilen. Ik zie niks, behalve een grote variëteit aan kapitelen. Nog eens loop ik erlangs, nog scherper kijkend. En zowaar, daar zie ik een kop met een baard. Duidelijk geen Christusfiguur, te breed, met te wild haar, iets op het hoofd. Ik herken Serapis. Ik blijf speuren tot ik er een stijve nek van krijg en dan lijkt het of ik in het schemerduister ook het gelaat van Isis ontwaar.

Toch zit het me niet helemaal lekker en ik ga de souvenirwinkel in, waar een dame achter de toonbank zit. 'Nee, ze zijn uit de Thermen van Caracalla. En dat heeft een duidelijke reden. Paus Calixtus heeft deze kerk laten bouwen rond 220. Hij werd vermoord door een afstammeling van Caracalla en daarom vond de paus die de kerk liet restaureren en vergroten, hoe zal ik het zeggen, het een kleine genoegdoening dat de zuilen uit de thermen van de voorvader van de moordenaar de kerk zouden stutten.'

Van die bebaarde kop wist ze niks.

Ik loop er nog eens langs. Ze zitten er toch echt. En het kan nog steeds Serapis zijn want bij de Thermen van Caracalla stond ook een Egyptische tempel.

Het regent een beetje en dat wordt heftiger als ik de Via Santo Stefano del Cacco in ga. De antieke sarcofaag met twee gevleugelde jongetjes erop die onder een fonteintje is neergezet, loopt over. Er is niemand op straat, alleen een oudere dame met een paraplu en twee grote plastic zakken.

Helaas, bij de kerk is wederom geen enkel leven te bekennen.

Ik blijf staan. Het plenst. De groene klimop glanst.

Ik hoor gepraat, draai me om.

De dame praat tegen een paar katten.

Ik loop naar haar toe en kijk hoe ze de katten voert.

'Ziet u dat licht?' Ze wijst op de verlichte glazen deur in het overgroeide palazzo. 'Dat is een kleermaakster. Als ze me ziet wordt ze boos. Ze wil de katten vermoorden.'

'Waarom?'

'Omdat ze een hekel aan ze heeft.'

Ik vraag of ze weet of die kerk wel eens open is en vertel dat ik hier ben omdat op de plek waar die kerk staat ooit de geboortegrot van Osiris was. Een stuk van de grote Egyptische tempel. 'Voor Egyptenaren waren katten heilig.'

De vrouw knikt vol herkenning. Intussen klettert de regen op onze paraplu's en valt er af en toe een straal licht van de straatlantaarn tussen ons in.

'Ik ben met een Egyptenaar getrouwd geweest,' zegt de vrouw, die netjes gekleed is. 'Vijftien jaar. We zijn heel gelukkig geweest. Hij leek net de zoon van Omar Sharif. Elke vrouw gun ik zo'n man.'

'En nu?'

Ze glimlacht mild. 'Hij is getrouwd met een andere vrouw.'

'Hebt u kinderen?'

'Nee, anders was hij niet weggegaan. Een Egyptenaar wil kinderen. Ik begrijp dat. Maar ik heb hén.' Ze wijst naar de katten. Ze heeft een soort huisje van plastic neergezet waarin ze kunnen schuilen. 'De politie doet niet moeilijk.' Ze wijst op de deur en dan zie ik dat dat de poort is waar die politiewagen met veel kabaal uitkwam.

Ze heeft vier katten in huis en twintig in de tuin. Ja, ze heeft een tuin, vlak bij het Colosseum. Ze heeft net weer voor driehonderd euro whiskas gekocht. Dat doet ze regelmatig.

'Ik ben van een welgestelde familie, heb ook nooit geld willen ontvangen van mijn voormalige echtgenoot. Hij heeft het nodig voor zijn kinderen.'

Ze komt hier elke dag, weer of geen weer.

'Ik lig ervan wakker hoe het met die diertjes moet als ik doodga. Ik laat ze geld na. Hopelijk zijn er andere mensen die voor ze willen zorgen.'

Nadat haar man is weggegaan, wilde ze geen nieuwe man meer.

Ze gaat elke dag naar de kattenkolonie bij de Sapienza, de universiteit.

'Die hebben het heel moeilijk. Ik wil hier op het Kattenforum vragen of ze kunnen helpen, niet met geld maar met adviezen.'

We staan onder onze paraplu's, de regen klettert neer.

'Misschien moet u hier 's ochtends heel vroeg komen. Maar het kan ook zijn dat de priesters te oud zijn.'

Ze wijst omhoog, naar het grote palazzo voor ons.

'Daar woont een markiezin met haar vriend. Als ze me ziet zegt ze: "U bent *la Mondezzaia.*"' Het vuilnisvrouwtje. 'Ach, sommige mensen hebben geen beschaving.'

We groeten elkaar hartelijk, drukken elkaar de hand en dan verdwijnt ze in het zompige duister.

Nu lijkt de deur van de kerk op een kier te staan. Aan weerskanten van de ingang stonden de twee leeuwen van basalt die Michelangelo naar het Capitool heeft laten verslepen.

Ik duw de deur open en kijk in een vrijwel donkere kerk. Er klinkt gezang. In de absis zitten op stoelen met hoge rugleuningen die langs de ronde muur staan, zes mannen. Ze zingen Latijnse vespers met mooie diepe stemmen.

Ik blijf staan en kijk. Het marmer van de vloer glanst in de schemering, en ook over de twaalf zuilen, zes aan elke kant, ligt een glans. Boven de hoofden van de in het zwart gehulde broeders steken de schilderingen in gouden omlijstingen extra af. In het midden de steniging van de heilige Stefanus. Rechts naast de absis zie ik tussen de zuilen door het beeld van Maria in zijden jurk. Een van de Madonna's die huilden toen Napoleon Rome binnenviel.

Ook deze zuilen zouden ooit in de Egyptische tempel hebben gestaan.

Ik stel me voor hoe die zuilen weer een halve cirkel vormen, hoe het glanzende marmer van de vloer verandert in het glanzende water van het nymfaeum en hoe het beeld van Maria de gedaante aanncemt van Isis.

'Voor U bewegen de sterren, keren de seizoenen, in U verheugen zich de hemelse machten, U dienen alle elementen. Om Uw lof te kunnen zingen schiet mijn talent tekort, om U offers te kunnen brengen is mijn erfdeel niet toereikend. Mijn stem is niet bij machte uit te spreken wat ik van Uw majesteit gevoel, geen duizend monden en evenzoveel tongen, geen eeuwigdurende, onvermoeibare woordenstroom zou daartoe volstaan. Daarom zal ik het enige doen wat een religieus man die verder een arme sloeber is, vermag: Uw hemelse gelaat, Uw allerheiligste macht zal ik opslaan in het verborgene van mijn hart en voorgoed bewaren en voor ogen houden.'*

De priesterstemmen klinken: '*In seculo seculorum.*'

---

*Uit: Apuleius, *De gouden ezel*.

Paulus en Pasolini

In de krant lees ik dat de sarcofaag van de apostel Paulus tevoorschijn is gehaald, in de San Paolo fuori le mura, buiten de
muren. Er zal aan de paus worden gevraagd of die mag worden opengemaakt. Ik besluit er een kijkje te nemen en ga te
voet op deze stralende dag.

Ik wandel over de Viale della Piramide Cestia, langs restaurant La Villetta, dat ik leerde kennen door Alberto Moravia,
die daar vaak at met Pier Paolo Pasolini. Hij at ook wel in Il
biondo Tevere, maar na Pasolini's dood niet meer omdat die
daar zijn laatste avondmaal had genuttigd met zijn moordenaar. La Villetta werd een paar jaar ook mijn stamrestaurant.
Ik at er vaak met Marion, met wie ik een huis deelde twee minuten lopen daarvandaan. Alberto is er niet meer, Marion is
er niet meer en de aardige eigenaar Aldo is er ook niet meer.
Ik ben er lang niet geweest vanwege de melancholie om al
die doden en ik kan nog beter navoelen waarom Alberto niet
meer naar Il biondo Tevere wilde. Maar ik zal er binnenkort
toch weer eens naartoe gaan. Ben benieuwd of de zoon van
Aldo er nog is en de mooie ober Orlando, die altijd flirtte met
Marion.

Midden in het drukke verkeer rijst, naast de piramide, de
Porta San Paolo op. Daar begint de Via Ostiense, de lange
weg die al sinds tweeduizend jaar naar de havenstad Ostia
voert. Nu is het museum dat in de poort gevestigd is, wel open
en ik maak een tussenstop.

Het is een wonderlijk bouwwerk als je het goed bekijkt. Eigenlijk een soort burcht. Twee stevige ronde torens met kan-

telen, verbonden door een tussenstuk, ook met kantelen. De aanvankelijk enkele poort heeft er een evenwijdige naast gekregen, die door tussenmuren met elkaar zijn verbonden zodat er een kleine binnenplaats ontstond. Aan de ene zijkant is de poort in de jaren twintig van de muur losgemaakt omdat Mussolini ruim baan wilde geven aan het aanzwellende verkeer. Aan de andere kant is het stuk muur dat de poort verbond met de piramide door een Duitse bom in september '43 opgeruimd. De Aureliaanse muur heeft op allerlei plekken al bestaande bouwwerken in zich opgenomen, om bouwmateriaal en tijd te besparen. Niet alleen de piramide, maar bijvoorbeeld ook een stuk van een aquaduct en de *castra praetoria*, de kazerne voor de lijfwacht van de keizer, werden opgenomen in de stadswal. De muur liep aan de overkant van de Tiber verder en de Tiber kon worden afgesloten door een zware metalen ketting.

Ik klim de trap op en word verwelkomd door een vriendelijke man, Fabrizio. Er hoeft geen kaartje te worden gekocht, maar hij vraagt of ik wel het gastenboek wil tekenen.

In de eerste ruimte staat een grote maquette van *Ostia Antica* zoals die havenstad er aan het begin van de jaartelling uitzag. De halve cirkel van het witte theater springt er meteen uit. Daarnaast staan modellen van Romeinse schepen. Aan de wand hangen een prent en een tekening waarop duidelijk te zien is hoe ten noorden van Ostia een nieuwe haven werd gebouwd. De monding van de Tiber voldeed niet meer toen Rome de hoofdstad van het keizerrijk werd. Keizer Claudius liet een haven bouwen, drie kilometer ten noorden van Ostia. De nieuwe haven werd met de Tiber verbonden door een kanaal, Fiumicino, klein stroompje, nu een naam die je niet met boten maar met vliegtuigen verbindt. De haven had een grote dijk ter bescherming tegen de zee. Aan het einde van die dijk stond een vuurtoren, die geleken moet hebben op de beroemde vuurtoren van Alexandrië. Als fundament is het schip gebruikt waarmee Caligula de obelisk naar Rome bracht die nu voor de Sint-Pieter staat. Het schip werd gevuld met stenen en vervolgens lieten ze het zinken waardoor een kunstmatig eiland ontstond. Deze door Claudius gebouwde *Portus Augusti* werd ingehuldigd door Nero, wat hij liet vastleggen op munten. Maar de haven was te veel blootgesteld aan de zee. Tacitus schrijft dat er al in 62, voordat het werk klaar was, tweehonderd schepen vergingen. Trajanus bouwde een nieuwe haven, tussen 100 en 112.

In een andere ruimte van het museum, een halfronde toren waarin het licht van alle kanten door de schietgaten naar binnen valt, is een maquette te zien van die zeshoekige haven. Er staan majesteitelijke gebouwen omheen, een groot deel voor de opslag van de goederen: graan, wijn, olie, peper, kruiden, bouwmaterialen, kleren, exotische gewaden uit Egypte misschien, boeken van perkament, papyrus, kaarsen. Aan de muur hangen de marmeren koppen van Claudius en Trajanus en een basreliëf waarop is te zien hoe olifanten en apen aankomen in de haven. Er ontstond een nieuwe stad, Portus Romae genoemd, en zo heet het daar nog steeds.

Door een raam kijk ik uit op de kleine binnenplaats en de evenwijdige poort die later aan deze vast is gebouwd als versterking. Boven een terras is een waslijn gespannen waar kleren aan hangen. Er staan potten met cactussen, achter een raampje hangen gordijntjes. Het ziet er knus uit met die lange schoorsteen tussen de kantelen. Hier kun je ook duidelijk zien dat de onderkant van de poort van travertijn is, grote lichte blokken. Er hangt een lantaarn die ongetwijfeld 's avonds op dit binnenpleintje voor romantische verlichting zorgt.

Ik bekijk grafstenen die gevonden zijn langs de Via Ostiense, een beeld van een man en een vrouw die elkaars hand vasthouden. Er hangen gravures van de piramide. Van Vasi, Piranesi, bedreigd door vochtplekken. Op de prenten is duidelijk te zien hoe de piramide in de muur was opgenomen. Er rijdt een koets langs, er flaneren mensen en er worden schietoefeningen gedaan met een kanon dat gericht is op de Schervenberg. Bomen en struiken groeien op de zijvlakken van de piramide tussen de Romeinse inscripties. Er zijn ook gravures van de schilderingen in de grafkamer. De vijf vrouwenfiguren die ik in de grafkamer slechts fragmentarisch zag zijn hier volledig afgebeeld. Dat betekent dat de schilderingen waarschijnlijk onaangetast waren toen deze graveur ze een paar eeuwen geleden kopieerde.

Door schietgaten kijk ik naar de auto's die voorbijrijden, de stad uit, met mensen die een vredig dagje gaan doorbrengen aan het strand, en tegelijkertijd stel ik me voor hoe hier door de eeuwen heen telkens vijandelijke troepen stonden die de stad wilden binnendringen.

Ik daal weer af. Er zijn geen andere bezoekers.

'Erg interessant,' zeg ik als ik de conservator weer tegenkom. 'Jammer dat er geen folder is die uitleg geeft over de geschiedenis van de poort.'

'Kom mee, ik laat u wat zien.'

Ik volg hem en blijf staan voor een vlekkerige muur waar ik net achteloos aan voorbij ben gelopen. Hij toont me hoe in deze muur de geschiedenis van de poort is te zien. Hij wijst me de weg door de vlekken. 'Kijk, dat is de poort uit de derde eeuw die Aurelianus liet bouwen. Die poort had twee doorgangen. En daar zie je de verhoging die Maxentius liet aanbrengen aan het begin van de vierde eeuw omdat hij bang was voor een aanval van zijn zwager Constantijn. Eind 2006 is op de Palatijn, verborgen in een houten kistje gehuld in zijde en linnen, de scepter van Maxentius gevonden. Misschien is die daar verstopt na de nederlaag op de brug, waarbij Maxentius verdronk in de Tiber. Scepters waren alleen bekend van afbeeldingen, dit is de eerste die in zijn geheel werd teruggevonden.'

Fabrizio wijst ook op sporen van de verbouwingen door

Honorius, die in 401 de poort liet bedekken met travertijn, de torens liet verhogen en een van de twee doorgangen liet sluiten vanwege de veiligheid.

'De poorten en muren waren volledig betrouwbaar,' zegt hij trots, 'alleen door verraad kon je binnendringen.' Dat gebeurde in de zesde eeuw toen de Ostrogoten voor de poort stonden, die een eerdere keer waren tegengehouden door de grote veldheer Belisarius, die ook de poort nog heeft laten versterken. De Romeinen waren zo uitgehongerd dat een stelletje de poort opendeed. De stad werd geplunderd door de Goten, maar hun aanvoerder Totila heeft zich gelukkig niet aan zijn belofte gehouden dat hij van Rome een weidegebied zou maken waar vee kon grazen.

Fabrizio wijst op vierkante vormen van een andere steen. Dat zijn misschien kantelen uit een vroegere tijd waar weer bovenop is gebouwd. Hij wijst op de omtrekken van ramen die erin kwamen en later weer werden dichtgemetseld.

'In de Middeleeuwen zat hier een Griekse heremiet en later is dit een periode een Grieks klooster geweest. Beneden aan de buitenkant kun je de omtrekken nog zien van de ingang,' Hij wijst op fresco's, nog steeds op dezelfde muur. 'Deze sierden waarschijnlijk een kapel. En dit zijn tekeningen van een fascistische leider.' Ik kijk naar tekeningen in zwarte lijnen. 'Voor het laatst is hier gevochten in september 1943. De Italianen hadden net een bestand getekend met de geallieerden en de Duitsers probeerden via deze poort de stad in te komen. Italiaanse soldaten en verzetslieden deden een mislukte poging de Duitsers tegen te houden. Toen is door een bom de opening ontstaan tussen de piramide en de poort. Ja, dat is zo boeiend van muren en poorten, die hebben altijd hun functie behouden en zijn zelfs vaak bewoond gebleven.'

'Er wordt nu óók gewoond in de poort zag ik.'

'Dat is de bewaker.'

Hij raadt me aan ook de Porta San Sebastiano te bezoeken,

op de Via Appia. Daar is het Museum van de Muren van Rome en kun je een heel eind over de Romeinse muur lopen. Dertien van de oorspronkelijke negentien kilometer lange muur is nog intact.

'Is er nog iets over van die oude haven?' vraag ik.

'Die zeshoek is heel duidelijk te zien vanuit het vliegtuig. Er ligt een brede rand groen omheen, het grote park van de familie Torlonia-Sforza Cesarini. Dat hele gebied is privébezit.' Onder dat groen, de eucalyptussen en pijnbomen, en onder dat water ligt ongetwijfeld een wereld verborgen. Mensen van het Scheepvaartmuseum geven af en toe een rondleiding, vertelt hij. Er zijn ook rondleidingen die uitgaan van de adellijke eigenaars, maar die zijn erg kitsch en weinig wetenschappelijk. 'Ze laten je een rondje rijden met een namaak-Romeinse wagen.'

Ik loop over de Via Ostiense, die nu iets minder druk is dan gewoonlijk. Langs bars, gokhallen, restaurants, winkels, werkplaatsen, de *Mercati generali*, de grote markt waar de winkeliers hun inkopen doen. Langs de universiteit Roma 3 en de economische faculteit Federico Caffè, genoemd naar de hoogleraar die ineens verdwenen was, waarschijnlijk omdat hij gedesillusioneerd was over de maatschappij, en die ik aan de maaltijd zag in de mensa van de Caritas toen ik daar een bezoek bracht aan Luigi Pirandello. Langs voortrazende auto's loop ik in de richting van de plaats waar Paulus werd onthoofd en waar de basilica verrees.

Ik denk aan het symposium kortgeleden over de filmer en dichter Pier Paolo Pasolini. Daar werd de theorie verkondigd dat Pasolini zijn dood in scène zou hebben gezet. Het was niet toevallig dat hij vermoord werd op 2 november, Allerzielen. En het was evenmin toevallig dat dat gebeurde aan de Via Ostiense, want daar was ook zijn naamgenoot Paulus om het leven gebracht. Pasolini wilde sterven als een martelaar.

De Italianen hadden instemmend geknikt, dit leek hun zeer overtuigend, maar de grote liefde van Pasolini, de acteur Ninetto Davoli, die ook aanwezig was, was overeind geschoten. 'Onzin! Pier Paolo hield van het leven! De levenslust spatte uit zijn poriën.' Na afloop van het symposium heb ik een tijdje met Ninetto gepraat, hij was vaak met zijn gezin in het huis in Sabaudia, dat Pasolini samen met Moravia had laten bouwen en waar Moravia me heeft rondgeleid en veel verteld heeft over zijn vermoorde vriend. Hij zou dit martelaarsscenario ook onzin hebben gevonden.

Italianen zijn verzot op complottheorieën. Enige tijd geleden werd ik gevraagd of ik in een talkshow wilde vertellen dat de moordenaars van Pim Fortuyn nu toch gewonnen hebben. 'Hoe komt u daarbij?' vroeg ik verbaasd. 'Nou, omdat de Dierenpartij twee zetels heeft.'

Ten slotte bereik ik de reusachtige basilica di San Paolo fuori le Mura. Na de Sint-Pieter de grootste van Rome en tegelijk met de Sint-Pieter ingewijd op 18 november 324. Constantijn gaf de opdracht deze oorspronkelijk kleine basiliek te bouwen boven het graf van Paulus. Het gebouw is strak en een beetje koel. Na de brand van 1823 en de wederopbouw in neoclassicistische stijl is de ziel eruit. Stendhal schreef dat hij toen hij de ravage zag, door diepe droefheid werd overvallen.

Tussen zuilen door zie ik op de binnenhof het enorme beeld van Paulus, de dertiende apostel. Op de muur achter hem de portretten van de vier evangelisten in flonkerend mozaïek.

Ik duw de deur open en sta in een kolossale lege kerk. De zuilen staan kalm in het gelid aan weerskanten van de uitgestrekte marmeren mozaïekvloer. In zulk soort ruimtes gaf keizer Nero, die de apostelen Paulus en Petrus ter dood veroordeelde, zijn feesten. Hier word je weer gedrukt op de oorsprong van het woord basilica, van *basilikos*, koninklijk gebouw, afgeleid van het Griekse *basileus*, koning. Ik loop naar het altaar onder het fraaie gotische baldakijn. Daarvoor ligt een lager gedeelte met een reling eromheen waarvan de toegang gesloten is. Onder het altaar, in dat lagere deel, is een gouden hek dat openstaat en een stuk lichte steen laat zien. Dat zal de sarcofaag zijn. Iets verderop staan potten en ligt gereedschap. Een man in een witte overall legt kranten voor het gouden hek en gaat dan weer naar zijn gereedschap. Ik durf niet naar hem te roepen in de stille kerk. Als ik een man zie in een kleurig uniform vraag ik hem of dat de sarcofaag is.

Inderdaad. Veel mensen klaagden de laatste jaren dat het graf van Paulus niet te zien was, in tegenstelling tot dat van Petrus onder de Sint-Pieter. In 2002 zijn de opgravingen begonnen, geleid door archeologen van het Vaticaan. Er is een glazen plaat aangebracht om de resten van de allereerste basiliek te laten zien die in de vierde eeuw over het graf heen is gebouwd. Die stond met de opening de andere kant op. De sarcofaag is nog nooit opengemaakt, maar men weet zeker dat de apostel erin rust. Iets boven de sarcofaag ligt een grote marmeren plaat met de inscriptie 'Apostel Paulus, martelaar'. Er zitten een paar gaten in. Door een vierkant gat liet men één keer per jaar een wierookbrander afdalen in het graf tot op de sarcofaag. Door een rond gat konden mensen stukken stof het graf in duwen die dan als kostbare 'aanrakingsrelikwieën' werden bewaard. De replica van de marmeren plaat is hiernaast te zien in het museum bij de binnenhof, zo vertelt mijn begeleider.

'Misschien gaan ze de sarcofaag toch nog openmaken. Ach Rome, je blijft je verbazen,' verzucht de man. Hij heet Pietro en is van de beveiliging. 'Pietro waakt over San Paolo,' zegt hij met een lachje. Hij woont nog niet zo lang in Rome, komt uit de Abbruzzen. Ja, hij heeft soms wel heimwee.

'Hebt u de klokkentoren gezien? Daar klim ik vaak op. Vandaar kan ik de heuvels zien van mijn geboorteland. Mijn ouders wonen er, mijn vrienden.'

Als hij hoort dat ik schrijfster ben vraagt hij of ik ook boeken schrijf die in de bergen spelen. Dat soort boeken leest hij het liefste. Dan heeft hij het gevoel of hij thuiskomt. Hij is trouwens wel trots dat hij straks als alles klaar is zijn ouders hier mag rondleiden.

Ik kijk naar de rand van pausenportretten boven de zuilen. Alle pausen sinds Petrus staan daar afgebeeld. Op het portret van Benedictus XVI is een spotje gericht. Naast hem zijn nog zeven plekken. Als die lege plekken gevuld zijn breekt de dag des oordeels aan, zo zegt men. Gisteren bleef ik hangen bij een uitzending op de televisie over de Madonna van Fatima. Met de allergrootste ernst werd verkondigd dat er waarschijnlijk een deel van het geheim is achtergehouden vanwege de ernst van de boodschap, die erop neerkomt dat er na Benedictus nog één paus komt en dat het dan afgelopen is met de kerk en met de wereld.

Pietro maakt zich geen zorgen. Hij wijst naar boven. Kijk, er zijn zoveel plekken waar nog wel een portretje tussen kan.

Ik besluit te gaan eten bij Il biondo Tevere, dat moet hier vlakbij zijn. Onlangs las ik in de krant dat dat restaurant nog steeds bestaat en in handen is van dezelfde familie als in de tijd dat Pasolini en Moravia er over de vloer kwamen. Ik loop weer over de Via Ostiense langs hoge bomen en rafelige gevels. Hier liep Paulus, over de oude Romeinse weg. Kortgeleden liep ik ook over het oorspronkelijke plaveisel bij de piramide. Dat zal ik nu weer onder mijn voeten hebben maar dan een paar meter in de diepte. Al gauw zie ik boven een wat slordige poort met grote letters 'Il biondo Tevere'.

Ik ga naar binnen en kom op een rommelige binnenplaats, waar wat oude mannen aan een tafel zitten. Rechts is een eetzaal te zien met een dubbele rij tafeltjes. Een trap brengt me in een nog veel grotere eetzaal, die door een glaswand wordt gescheiden van een ruim terras met een mooi uitzicht over de

Tiber. Ik loop het terras op en blijf staan kijken naar het water en de heuvels aan de overkant. Dan ga ik aan een tafeltje zitten bij de reling.

Een wat verlegen man van middelbare leeftijd komt vragen wat ik wil eten. Ik vraag wat hij aanraadt. Ze hebben vandaag *spaghetti alle vongole*.

Dat vind ik een goed idee.

Even later komt een oudere dame het bord pasta neerzetten. Ze heeft een erg aardige uitstraling.

'Dit is toch de plek waar Pasolini vaak kwam?'

'Ja, bij tijden elke dag.'

'Dat hoorde ik van Alberto Moravia.'

'Die kwam hier ook heel vaak. En Elsa Morante, zijn vrouw. Die zat hier op dit terras haar boeken te schrijven. Visconti heeft hier *Bellissima* gedraaid.'

'*Nonna!*'

De vrouw kijkt op. 'Dat is mijn kleindochter, ze studeert en af en toe helpt ze hier een handje. *Scusi*. Als u klaar bent met eten zal ik u een paar dingen laten zien.' Ze legt haar hand even op mijn arm en gaat naar de keuken.

Ik kijk uit over de Tiber, de struiken onder me, de heuvels met de bomen aan de overkant. Je waant je buiten Rome. Al twintig jaar rijd ik hier langs, langs deze rommelige huizen, vanaf het vliegveld regelrecht naar de binnenstad, en ik heb nooit geweten dat deze wereld hier lag.

Ik bestel nog wat geroosterde groenten, daarna een caffè.

Als *la mamma* me het wisselgeld komt brengen vraagt ze of het heeft gesmaakt.

'Heel goed.'

'De klassieke Romeinse keuken. Eenvoudig maar altijd alles vers.'

'En je zit hier geweldig.'

Ze straalt. 'Ja hè, vroeger graasde hier vee en aan de overkant stond geen enkel gebouw, niks behalve heuvels. Deze veranda was van hout en de bedekking tegen de zon was van stro. Het moest vervangen, zei de politie. O, wat een protesten heb ik toen gehad! Ook van Moravia en Elsa Morante. Die waren heel boos, wilden dat het bleef zoals het was. Kom, ik zal het je laten zien.'

We gaan de grote eetzaal in. Ze wijst op foto's gemaakt tijdens het draaien van de film *Bellissima*, van Anna Magnani en Visconti. De poster van de film.

'Hé, is dat Gorbatsjov?'

'Ja, met mijn man.'

Gorbatsjov wordt toegesproken en joviaal op de schouder geslagen door een man in een kleurige trui en vest.

'Mijn man is een paar jaar geleden overleden,' zegt ze droevig. 'Ik mis hem erg. We waren vijftig jaar samen. Gorbatsjov heeft hier meerdere malen gegeten. Aardige man. Kijk, dit is zijn handtekening.' Ze wijst op een metalen plaatje waarin zijn handtekening staat gegrift, in cyrillisch schrift. Er zijn veel meer van die plaatjes met handtekeningen. Van Moravia, Pasolini, Elsa Morante, Dario Bellezza, de *poète maudit* met wie ik naar de begrafenis van Moravia ging en die kort daarna overleed aan aids.

'Dit is een plek waar kunstenaars kwamen en komen, gewone families, *il popolo*, en ook mensen uit de politiek.' Ze noemt een paar namen, allemaal van de communistische partij.

'Moravia vertelde dat Pasolini hier at op de avond dat hij werd vermoord.'

Ze knikt ernstig. 'Ja, dat was daar.' Ze wijst op de andere zaal die kleiner is en lager ligt.

'Kom mee, ik laat je het tafeltje zien.'

Aan het begin van de ruimte staat een stenen oven waar haar kleinzoon pizza staat te bakken. Hij heet Vincenzo, net als haar man.

Aan de eerste tafel zitten een paar mensen te eten. Ze stelt me voor aan haar dochter Laura, haar kleindochter en aan een

Russische vrouw die helpt in de keuken. De man die de bestelling opnam is haar zoon.

'Daar zat Pasolini.' Ze wijst op een tafeltje iets verderop tegen de muur, met vier thonetstoelen eromheen.

'Het is nog precies zoals toen.'

Aan de muur hangt een ingelijst artikel over Pasolini.

'Het was heel laat, elf uur. Het restaurant was bijna leeg. Hij kwam binnen met die jongen. Er was niets vreemds. Pasolini was altijd heel vriendelijk en ook die jongen was rustig. Ik weet nog wat ze aten. Pelosi at *spaghetti aglio e pepe*, daarna een stuk kip. Pasolini wilde alleen een banaan en een biertje. Pelosi wilde die kip eerst niet eten omdat het vel er nog omheen zat. Pasolini zei dat het daardoor juist beter smaakte.

De volgende dag hoorden we het. We waren verbijsterd. Er was geen enkel voorteken, ze gingen heel rustig weg. Nooit iets van zo'n soort leven van Pasolini gemerkt. Hij was erg beschaafd, *un signore*.'

'Met Pasolini is de Italiaanse beschaving vermoord, zeiden ze.'

'Ja, daar zit wat in. Daarna kwamen er heel veel mensen hier langs. Politie, vrienden, bewonderaars. We zijn eindeloos geïnterviewd. Tot op de huidige dag komen mensen hier vanwege Pasolini. Op zijn sterfdag, 2 november, altijd, die willen dan aan dit tafeltje eten.'

Ik kijk naar zijn portret.

'Weet je waar ik lang van wakker heb gelegen en waar ik nog steeds wel aan denk? In de krant had een interview gestaan waarin Pasolini zei dat hij tegen abortus was. Dat begreep ik niet en ik wilde hem om uitleg vragen, die avond. Ik zei het tegen mijn man, maar die zei: "Nee, je moet hem daar nu niet mee lastigvallen." Wie weet waren de dingen dan anders gegaan. Dat hij langer gebleven was, je weet het niet.'

'Dat moet u uit uw hoofd zetten. Moravia zei ook dat Pasolini een heel lieve, gevoelige man was. Hij belde elke dag een paar keer met zijn moeder en sprak tegen haar als tegen een verloofdetje. Volgens Moravia zocht Pasolini die jongens uit de achterbuurten op omdat hij op die manier contact had met het echte leven, dat rauw is en gevaarlijk.'

'Ik laat je nog wat foto's zien.' Ze verdwijnt en komt even later terug met een grote map. Er komen stapels oude foto's uit, ongeordend. Foto's uit de jaren vijftig, zestig, hier gemaakt. Het lijken *stills* van oude Italiaanse films, maar het zijn gewoon kiekjes. Van een feestlunch van een grote familie. Een verliefd paartje in jarenvijftigkleren. 'Kijk, en hier de veranda.' Inderdaad heel romantisch met die reling van houten planken en die strooien zonwering.

'Ja, daar zat Elsa Morante. Al haar boeken heeft ze hier geschreven.'

'Moravia zei: "Elsa is de grootste Italiaanse schrijver van de twintigste eeuw." Deze omgeving had kennelijk gunstige invloed.'

Ze lacht. 'Ze was hier thuis. Tja, andere tijden.'

'Maar het restaurant bloeit nog steeds. En u ook.'

'Ja, het is nog steeds druk. Maar de sfeer is wel veranderd. Mensen hebben meer haast. Vroeger brachten families hier soms de hele middag door, dan speelden de kinderen op de binnenplaats. Wij wonen hiernaast, dus dat was nooit een probleem. Volgende week wordt er trouwens weer een film opgenomen. Maar ik heb gezegd: het restaurant moet openblijven. Mijn gasten zijn het belangrijkste.'

'*Nonna!*'

De kleinzoon haalt iets uit de pizzaoven en houdt even later een bordje omhoog.

'Wil je misschien een gepofte appel?' vraagt ze.

Ik zie dat er twee op het bordje liggen. Een kleine en een grote.

'Graag. De kleinere.'

'Als je de hele dag in de keuken staat eet je al zo veel. Dus soms neem ik dan alleen een appel. Ze komen van ons eigen land. De wijn ook.'

We gaan aan de tafel zitten naast die van Pasolini.

Ze zegt dat ze het moeilijk vindt zonder haar man.

'We werkten altijd samen. In het begin wilde ik eigenlijk het liefst achter hem aan, maar ik vond dat ik mijn kinderen niet in de steek kon laten. Overdag gaat het wel. Ik werk, ben met hen. Maar 's avonds alleen thuiskomen is moeilijk. Hij was een heel, heel goeie man. Hij wilde een jongen aannemen die geen ouders had, een vondeling. Dat is ook gebeurd. Die jongen had hersenvliesontsteking gehad en daardoor was hij niet helemaal normaal. Op een bepaald moment zei mijn man: "Hij moet ook een graf, bij ons in de kapel, want wie weet wat de kinderen beslissen." Onze aangenomen zoon ging als eerste dood, vier jaar voor mijn man. Vijftig was hij. Nu liggen ze daar samen. Mijn man sprak met iedereen. Of het nou Pasolini was of Gorbatsjov of de groenteboer, het maakte niks uit. En zo is het toch ook?'

'Ik vind het een mooie ontdekking, deze plek en u,' zeg ik als we afscheid nemen.

Ze geeft me een kus op beide wangen.

'Ik hoop dat je gauw weer komt. Nu ken je de weg.'

Over de drukke Via Ostiense loop ik terug naar de stadspoort.

Kazerne vii de cohorte

Boven. *Julius Caesar* op het Forum van Augustus
Onder. Zuilen van kunststof

Boven. De Tiber die vroeger de Tigris was
Onder. Pen en olielampje van tweeduizend jaar oud,
gevonden in de Tiber

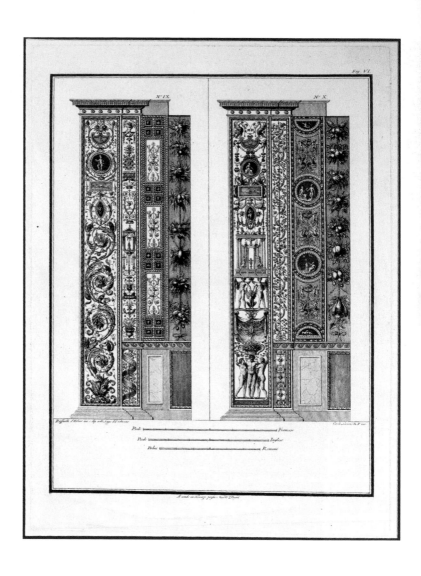

Gravure van grotesken van Rafaël

Guus op de prentenmarkt

Madama Lucrezia

De piramide

Boven. Pijnappel en Egyptische leeuwen
Onder. Isisvolgelingen op zuil

Ponte Milvio met liefdesslotjes

De haven van Ostia

Biechtstoel van Padre Raffaele

Sneeuw in de Santa Maria Maggiore

Boven. Kleren voor de nieuwe paus
Onder. Schoenen voor de paus

Afscheid van de paus

Boven. Straatkunst bij de Ara Pacis
Onder. Valentino bij de Ara Pacis

Villa Giulia Ventotene

Cleopatra aan de Tiber

In alle vroegte sta ik bij de Tiber op een plek niet zo ver van restaurant Il biondo Tevere. Als ik over bruggen loop blijf ik vaak staan en kijk naar beneden naar het trage stromen of naar het kolkend bruisen van de rivier. Nadat ik Valentina vertelde van de tocht over de Nijl die ik onlangs maakte en zei dat ik eraan moest denken hoe Julius Caesar daar voer met Cleopatra, spraken we af dat we over de Tiber naar Ostia zouden varen, de plek waar Caesar en Marcus Antonius uitvoeren naar hun geliefde.

Ik volg een pad dat naar beneden loopt, tussen hoge struiken door naar het water. Het is er stil en groen. Daar ligt de boot. *Batello di Roma* staat erop geschreven. Er klinkt alleen gefluit van vogels. Ik ga aan boord. Er zijn weinig mensen want deze zomerdag is grijs begonnen met dreiging van onweer. Maar Valentina zei dat we ons niet zouden laten weerhouden; dan is het nog mooier en stiller, voorspelde ze, en de zon breekt vast weer door. In de glazen kajuit zitten een moeder met een stel kinderen, een ouder echtpaar en een man alleen. Een jong stelletje staat te zoenen bij de bar, die nog gesloten is. Ik loop door naar buiten, de voorplecht op. Het water van de Tiber stroomt in een behoorlijk tempo. Aan de overkant staan paardenstallen. Kinderen laden met grote vorken kruiwagens vol hooi.

Dan zie ik Valentina. Ze zit gehurkt aan de kant van het water. Ik roep haar. Ze kijkt op, zwaait en komt naar de boot toe lopen. Een man trekt aan het koord van een bel waardoor er een zware galm klinkt over het water. De vogels zijn even stil.

Behalve Valentina komt geen enkele nieuwe passagier toegesneld.

Valentina heeft een witte pet op haar korte blonde haar. Een wit jack boven haar spijkerbroek. 'Ik kon het niet laten om even te zoeken.' Nee, ze heeft niets gevonden.

We gaan voor op het dek zitten.

Meerdere malen heb ik Valentina bezocht aan de oevers in de buurt van het Isola Tiberina. Dan ging ik een trap af, liet het stadsgedruis achter me om even later alleen het water te horen. Valentina stelde me voor aan haar vrienden *fiumaroli*, Tiberschuimers, die elke dag in de oevers zitten te wroeten op zoek naar schatten. Elke dag doen ze nog ontdekkingen. Veel munten, uit alle eeuwen. Het is een heel directe manier om de geschiedenis te leren kennen, zegt ze. Veel munten met koppen van keizers die ze meteen herkent, maar ook van Isis met haar zoontje Horus op de arm of aan de borst. En munten met de afbeelding van de Isistempel. De *fiumaroli* hopen nog steeds de zevenarmige kandelaar uit de tempel van Jeruzalem te vinden waarvan gezegd wordt dat hij in de Tiber ligt. 'Maar misschien is die ook wel ergens verborgen in het Vaticaan. In 1996 heeft een Israëlische minister de paus persoonlijk over die kwestie gepolst. Geleerden hebben geopperd dat de zevenarmige kandelaar die staat afgebeeld op de boog van Titus als onderdeel van de oorlogsbuit die werd meegenomen na de vernietiging van de tempel van Jeruzalem, een kopie zou zijn vanwege heidense elementen die daarop te ontdekken zijn. In dat geval waakt het Vaticaan over die heidense kopie.'

De *fiumaroli* vinden ook munten met de haven van Ostia erop. Valentina heeft me een munt laten zien die Nero liet slaan in 64 bij de inhuldiging van de nieuwe haven. Daarop zie je het bassin vol met bootjes in alle vormen en maten. Neptunus, die ertussen zwemt, en een rij pakhuizen aan de rand. De Rivier troost, zegt Valentina, de Rivier, zoals de Tiber door de *fiumaroli* wordt genoemd, brengt je tot rust.

Soms ging ze er 's nachts na haar werk nog naartoe. Ze steekt haar hand uit en toont een grote gouden ring. 'Die heb ik speciaal omgedaan voor deze tocht.' Ze heeft ook déze ring gevonden in de Tiber. Er zit een piramidetje op met aan weerskanten lotusbloemen. Hij is veel waard, maar ze komt er niet toe hem te verkopen, ze is er te veel aan gehecht. De ring is uit de tijd van Julius Caesar. Ze schuift hem even aan mijn vinger zodat ik kan voelen hoe zwaar hij is.

'Misschien is hij meegenomen door iemand uit het gevolg van Caesar toen die zijn liefje ging opzoeken.'

De winter van 48-47 voor Christus bracht Caesar door in Egypte. Hij raakte in de ban van Cleopatra. Ze kregen een verhouding en als gevolg daarvan een zoon, Caesarion, die tijdens een tocht over de Nijl zou zijn verwekt. Onlangs heb ik tijdens mijn Egyptereis de beeltenis gezien van Cleopatra en haar zoon op de muur van de tempel in Dendera. Helaas geeft die geen indruk van hoe ze er heeft uitgezien, omdat ze op de typisch Egyptische wijze gestileerd is weergegeven, en ook van Caesarion is het geen gelijkend portret.

We varen weg. Een zonnestraal perst zich door de donkere wolken en doet mijn wangen gloeien. Het hooi aan de overkant licht goudachtig op.

'Een klein stukje terug kon je haar zien lopen, Cleopatra. Daar lagen de tuinen van Caesar, vol beelden en hoge bomen.'

In 46 voor Christus kwam Cleopatra naar haar geliefde Caesar, samen met hun zoon Caesarion. Ik stel me voor hoe ze daar liep, in exotische gewaden, oosters opgemaakt, behangen met juwelen, converserend met schrijvers en geleerden. Ze was zeer intelligent en sprak vele talen.

Caesar had het zo van haar te pakken dat hij een goudbronzen beeld van Cleopatra neer liet zetten in de tempel van Venus op zijn Forum. Hij probeerde een wet te laten instellen die toeliet dat hij, ook al was hij getrouwd, ook met Cleopatra kon trouwen. Dan zou hun zoon, zijn enige, later vanzelfsprekend heerser worden over het oostelijk deel van het Romeinse rijk.

Valentina heeft een munt gevonden met de kop van Cleopatra. Daarop is ze niet zo mooi. Maar hoogstwaarschijnlijk zijn de afbeeldingen op munten meer karikaturen en zijn de marmeren portretten betrouwbaarder. Waarschijnlijk was ze wel heel mooi en werd ze met recht in Egypte afgebeeld als Isis en in Rome als Venus.

Onlangs was er in Hamburg een tentoonstelling gewijd aan de legendarische koningin, waar vele beelden van haar op een rij stonden en ook de Venus van de Esquilijn. In het archeologische tijdschrift *Forma Urbis* werd daar uitvoerig verslag van gedaan. Zeer overtuigend werd duidelijk gemaakt dat die beroemde Venus hoogstwaarschijnlijk Cleopatra verbeeldt. Het beeld werd in de negentiende eeuw teruggevonden in de vroegere tuinen van keizer Claudius en is nu na de reis naar Duitsland weer te bewonderen in het Capitolijns Museum. Het is nauwkeurig vergeleken met andere beelden van Cleopatra. Er zijn drie betrouwbare marmeren portretten van haar. Eén in het Vaticaan, één in Berlijn en één in een privé-collectie. De overeenkomsten van het gezicht en het kapsel tussen die drie beelden en de Esquilijnse Venus zijn frappant. Een rand van krulletjes op het voorhoofd. Het haar in kleine vlechtjes over de schedel gedrapeerd en samengebonden tot een wrong in de nek, een diadeem om het hoofd. Een ovaal gezicht met grote ogen, een kleine mond met vólle lippen, de onderste iets voller dan de bovenste en aan de zijkanten naar boven krullend, een smalle lange neus, een smalle maar wilskrachtige kin. Daar komt bij dat deze naakte schone, die waarschijnlijk op het punt staat te gaan baden, leunt tegen een Egyptische vaas met palmbladmotieven waar een cobra omheen kronkelt, symbool voor de farao's. Er zijn nog meer details: het kistje dat vol zit met rozen, de bloem die aan Isis is gewijd. De opvallend diepe navel met het verticale spleetje dat

Esquilijnse Venus

we alleen kennen van Egyptische beelden van vrouwenfiguren en die dan te zien is door de zeer strak om het lichaam spannende gewaden. Omdat Cleopatra niet naakt zal hebben geposeerd, heeft de beeldhouwer hoogstwaarschijnlijk gekeken naar Egyptische beelden. Ook de stevige dijen passen meer in het Egyptische schoonheidsideaal dan in het Grieks-Romeinse. En ten slotte de zelfbewuste blik.

Men denkt dat het een kopie is van het goudbronzen beeld dat Caesar op zijn Forum zette. Zo wilde hij haar als koningin-godin laten vereren in het hart van Rome. Het kan zijn dat deze kopie besteld is door keizer Claudius, kleinzoon van de laatste geliefde van Cleopatra, Marcus Antonius.

Als je naar dat beeld kijkt kun je begrijpen dat die mannen in haar ban raakten.

Het is bijzonder om het gezicht van zo'n legendarische figuur door het marmer te leren kennen. Als je lang en goed kijkt kan dat marmer iemand heel dichtbij brengen. Zo herken ik na al die jaren in Rome ook de keizers meteen. De scherp getekende kop van Caesar, de mollige Nero, de wel knappe Augustus, Tiberius met een wat klein mondje, Marcus Aurelius met zijn krullerige baard en haardos, de zeer stoere kop van Marcus Antonius. In gedachten trek ik ze vaak een hedendaags pak aan en dan zou je ze zo op straat kunnen tegenkomen. Zoals ik me, net als bepaalde cartoonisten dat doen, hedendaagse politici wel eens in Romeins keizerstenue voorstel. Berlusconi maakt die verkleedpartij regelmatig mee.

We varen tussen groene oevers door, vol struiken en eucalyptusbomen die ver over het water hangen.

'Omdat bevers aan de wortels knagen,' zegt Valentina. 'Die zijn in de jaren vijftig van de vorige eeuw ingevoerd om ze te fokken voor het bont, maar bij overstromingen zijn ze ontsnapt uit hun hokken en hebben ze zich over een groot deel van Italië verspreid en hier knagen ze de bomen om. Verdiende loon. Italianen zijn oppervlakkig, ze willen pronken, sho-

Close-up Esquilijnse Venus

wen, zijn bezig met de buitenkant. Een bontjas is een manier om te laten zien hoe rijk je bent. Wat dat betreft zijn ze bij jullie in Nederland beschaafder.'

Maar ook hier wordt wel geprotesteerd. De vorige winter hingen er overal grote plakkaten van een naakte rijpere dame uit de jetset van Italië. Marina Ripa di Meana-Lante della Rovere. Ter hoogte van het donkere driehoekje tussen haar benen stond geschreven: 'Het enige bont dat ik draag is dit.'

Alleen gekwetter van vogels is te horen en het zachte geronk van de boot. Op stenen in de rivier rusten meeuwen uit. Eenden zwemmen op een rijtje en ook menig waterhoentje glijdt voorbij. Het water is troebel als dat van de Nijl. Maar de Tiber is geler door de leem die hij meevoert en daarom hebben ze het nog steeds over de 'blonde Tiber'. We varen langs enorme nederzettingen met barakken van mensen uit verre landen die hier een beter leven hopen te vinden. Sommigen doen de was in de Tiber. Hier en daar zitten mensen te vissen. 'Het water is vervuild, maar niet zo erg als dat van de Rijn,' zegt Valentina. 'Geen vis peinst erover daar te gaan wonen.' Hier zijn veel riviervissen, karpers, paling, maar ook zeevis zwemt de rivier in op zoek naar voedsel. Er zitten kikkers, padden en ook roodwangwaterschildpadden, die zijn ingevoerd uit Amerika en helaas veel kleine vogeltjes opeten. Toen ik laatst wandelde door de Villa Doria Pamphili stond ik onverwacht voor een enorme vijver waar tot mijn verbazing duizenden van die roodwangige schildpadden in rondzwommen of aan de rand zaten te zonnebaden. Het had iets sprookjesachtigs.

Het valt me op hoeveel bloemen en struiken hier aan de oevers bloeien. Vijfenveertig procent van de dertienhonderd plantensoorten die in Rome zijn te vinden hebben te maken met het water en de oevers van de Tiber, vertelt Valentina.

Ze wijst. 'Daar ergens moet het wrak van een Romeins schip liggen.'

De geur van koffie verspreidt zich door de boot. Wij nen een kopje en drinken het op terwijl bloeiende oevers lan glijden, velden met wijnstokken, vruchtbomen. Ik ken de Tiber alleen omzoomd door grootse palazzi en monumenten, en met hoge stenen wallen die een einde maakten aan de overstromingen, die vaak zo dramatisch waren dat de mensen met bootjes door de straten van Rome voeren en zo ook het Pantheon in konden dobberen, waarvan ik een mooi voorbeeld zag op een prent.

Een paar dagen geleden werd mijn aandacht getrokken door de krantenkop 'Opaatje springt in de Tiber om hond te redden'. Het dier was te water geraakt, kon goed zwemmen maar het achtenzeventigjarige baasje was bang dat de hond niet tegen de steile stenen oever op zou kunnen komen. Toen de gealarmeerde brandweer arriveerde was opa alweer verdwenen met de hond onder zijn arm.

In de stad vergeet je dat het grootste deel van de rivier door de natuur loopt. Valentina heeft de plek bezocht waar hij ontspringt. Vroeger lag die in Toscane, maar Mussolini heeft de grens verlegd zodat deze mythische rivier nu ontspringt in Emilia Romagna, de provincie waar hij is geboren.

'Ik vind het zo gek dat we geen enkele boot tegenkomen. Zo'n rivier zou in Nederland uitpuilen van de plezierjachten.'

We besluiten het aan de stuurman te vragen, die in een glazen cabine zit, een pet op zijn hoofd.

'*Buongiorno*, mogen we wat vragen?'

'Een genoegen en een eer, kom erbij,' zegt hij vrolijk. Hij is niet meer zo jong, heeft een aardige, doorleefde kop.

We vertellen dat we verbaasd zijn dat we geen andere boten zien.

'Er zijn verschillende redenen,' zegt hij. 'Op sommige plekken is de rivier erg ondiep. Je moet precies de weg weten. Zojuist zijn we een stuk gepasseerd waar we niet meer dan tien centimeter onder de bodem hadden. Gewoonlijk zeg ik dat niet, om mensen niet zenuwachtig te maken. En er is nog een andere reden: officieel zijn we hier op zee. Tot aan de Ponte Milvio moet je een bewijs hebben voor de zeevaart.'

'We zijn op zee?'

'Anders mocht ik hier niet op. Ik heb geen bewijs voor de binnenvaart. Mensen met een zeevaartbewijs weten niet dat ze hier mogen varen en mensen met een binnenvaartbewijs mogen het niet.'

Hij heeft zijn hele leven op de grote vaart gezeten. Alle wereldzeeën kent hij. Als hij hoort dat ik Nederlandse ben, zegt hij enthousiast: 'Ah, Rotterdam, daar ben ik vaak geweest.' Nu is hij met pensioen, maar hij kan niet thuiszitten. 'Ik ben dol op mijn vrouw, maar we zijn allebei gewend ons te verheugen op het weerzien. Daarom tuf ik wat over de Tiber.'

Sinds enige tijd kun je vanaf het Isola Tiberina naar de Ponte Milvio varen, de legendarische brug waar de slag plaatsvond tussen keizer Constantijn en Maxentius. Aan de vooravond van die slag zag Constantijn een kruis aan de hemel en de tekst *In Hoc Signo Vinces*, In dit teken zult u overwinnen. Maxentius, die de muren van Rome had versterkt, wachtte Constantijn gek genoeg buiten de muren op, bij de Ponte Milvio, waarschijnlijk omdat de heidense goden die hij fel verdedigde duidelijk hadden gemaakt dat hij zijn tegenstander daar moest opwachten. Maxentius verdronk in de Tiber en Constantijn bekeerde zichzelf en het keizerrijk tot het christendom.

Nu kent iedereen die brug vanwege de *lucchetti*, de slotjes. Het was heel lang een gebruik dat geliefden om hun band te bezegelen een slotje vastmaakten aan de lantaarnpalen op de Ponte Milvio en vervolgens het sleuteltje in het water gooiden. Maar niet zolang geleden was het dagenlang kranten- en televisienieuws dat de lantaarnpalen bezweken onder zoveel liefde. Er móést een oplossing komen. *Il popolo degli lucchetti* eiste dat. Een kunstenaar kreeg de opdracht een zekerder constructie te ontwerpen. Ook dat werd door de media gevolgd.

170

Sinds kort staan er langs de stenen relingen van de brug lange metalen hekken met hier en daar twee metalen hartjes tegen elkaar gedrukt. Toen ik over die brug liep stond een stelletje met grote toewijding een slotje vast te maken. Het regende pijpenstelen. Nadat ze het sleuteltje met een grote zwaai in het water hadden gegooid gingen ze innig zoenen onder een roze paraplu, vlak bij de man die, ook onder een paraplu, slotjes verkocht in alle maten en prijzen.

'De Japanners hebben aangeboden de Tiber bevaarbaar te maken van de bron tot de monding, maar dan wilden ze wel alles mee naar huis nemen wat ze zouden vinden. Dat ging dus niet door. Mussolini had ook van die plannen. Hij heeft geprobeerd de waterval bij het Tibereiland te laten verdwijnen. En hij heeft een bocht uit de Tiber gehaald. De eucalyptus is hier ook ingevoerd door hem, voor de drooglegging van gebieden langs de oevers, want die boom zuigt veel water op.'

De rivier wordt breder, het land lager, het is duidelijk dat we in de buurt komen van zee.

Ostia, van *ostium*, riviermonding, lag vroeger direct aan zee, maar nu niet meer omdat er in die twintig eeuwen drie kilometer land is aangeslibd.

'Hier kwam Aeneas aan land,' zegt de stuurman. 'Onze voorvader. Het zal toch nooit eens zomaar iemand zijn. En de vierde koning van Rome, Ancus Marcius, maakte daar de eerste nederzetting in 630 voor Christus.'

'De oudste resten die gevonden zijn stammen uit het einde van de vierde eeuw voor Christus,' zegt Valentina.

'Als je het water beheerst heb je de macht,' zegt de man met een trotse blik onder zijn pet. 'Zonder de Tiber was Rome niet geboren.'

'En zonder de Nijl had de oude Egyptische cultuur geen kans gekregen.'

Na een tocht van twee uur, waarbij de zon zich steeds meer laat voelen, naderen we de haven. Er liggen heel veel verschillende bootjes en zelfs een Egyptische faloeka, waarvan ik er onlangs zoveel zag dobberen op de Nijl.

Toen Caesar in 44 werd vermoord vluchtte Cleopatra terug naar Egypte. In een onopvallend bootje waarschijnlijk en niet op haar eigen legendarische jacht waarmee ze naar het afspraakje ging met een andere Romeinse heerser, Marcus Antonius, die na Caesars dood de macht kreeg over het oostelijk deel van het Romeinse rijk. Hij nodigde de Egyptische koningin uit naar Tarsus te komen voor een politiek gesprek. Ze arriveerde op een schip met vergulde voorsteven, purperen zeilen, zilveren roeiriemen. Ze lag op een gouden sofa als de godin Isis-Aphrodite en werd omringd door meisjes gekleed als nimfen, en jonge mannen in cupidokostuum. De politieke ontmoeting werd een amoureus rendez-vous. Ook Marcus Antonius liet zich betoveren. Hij bleef in Egypte. Ze kregen een tweeling: Cleopatra Selene (maan) en Alexander Helios (zon). Later kregen ze nog een zoon: Ptolemaeus Philadelphus.

Omzichtig legt onze stuurman aan. We nemen hartelijk afscheid en hopen nog eens een tochtje met hem te maken, misschien naar de *lucchetti*.

We stappen af en lopen door hoog gras en bloemen over Romeinse wegen naar wat er over is van de oude stad. We komen langs antieke huizenblokken van meerdere verdiepingen, langs het Forum, badhuizen en tempels. Het is stil, ooit was het hier een drukte van belang, klonken alle talen en werden alle goden hier aanbeden. De Romeinse goden, maar ook Kybele, Attis, Isis, en er was een synagoge. Hier gingen Cleopatra's minnaars scheep naar Egypte en hier kwamen ze aan. Hiervandaan vluchtte de koningin. 'En hier dronken ze hun glaasje.' Ik volg Valentina een café in dat de tijd heeft getrotseerd. We leunen op de marmeren toog. Er zit een stenen bak op gemetseld. Daar zaten waarschijnlijk kruiden in waarmee de wijn samen met de honing op smaak werd gebracht. Valentina wijst op bakken onder de toonbank waar water in zat om de drinkbekers te spoelen.

We bezoeken de uitgestrekte thermen, lopen over de mozaïeken vloeren en bewonderen het ingenieuze verwarmingssysteem, we rusten even uit in een nymfaeum en verwonderen ons over de mooi bewaard gebleven latrines, waar je gezellig in een vierkant zat en waar vaak slaven eerst even de plek verwarmden voordat de meester plaatsnam. In een deftige villa voor een familie is een ruime privé-wc bewaard gebleven, dus dat fenomeen kenden ze ook.

We lopen verder en komen langs het antieke theater, gebouwd door Agrippa, waar elke zomer voorstellingen worden gegeven. We gaan zitten op de tribune. Regelmatig speelt het drama van Antonius en Cleopatra zich hier af in de bewerking van Shakespeare. Ik zie voor me hoe de vloot van Augustus, de grote rivaal van Marcus Antonius, tegen hem ten strijde trekt en zijn vloot en die van Cleopatra verslaat. Hoe Cleopatra vlucht naar haar paleis. Antonius denkt dat zijn geliefde dood is en laat zich in zijn zwaard vallen. Ernstig gewond wordt hij naar Cleopatra gebracht, die nog in leven blijkt, om te sterven in haar armen. Cleopatra wil niet als oorlogstrofee door Augustus worden meegevoerd naar Rome en laat zich dodelijk bijten door een slang. Onder de indruk van zoveel drama en passie spreekt Augustus de woorden: 'Begraaf Cleopatra bij haar Antonius. Nooit zal een graf een beroemder paar herbergen.' Augustus werd zo de eerste keizer van het Romeinse rijk.

Caesarion werd gedood, om te voorkomen dat hij aanspraak zou maken op de troon. De beelden van Cleopatra werden vernietigd, maar gelukkig ontsnapten er een paar aan de *damnatio memoriae*. Niemand vatte haar leven zo bondig samen als Cassius Dio: 'Cleopatra ketende de twee grootste mannen van haar tijd aan zich en benam zich het leven om de derde.'

Over een andere Romeinse weg lopen we Ostia Antica weer uit en wandelen naar de zee.

De man die in Sint-Juliaan het trappenhuis schoonhoudt en de binnenplaats, gaat daar elke avond dansen. Hij heeft me een keer uitgenodigd. Ik was de enige die in het palazzo was achtergebleven en misschien dacht hij dat ik me eenzaam voelde. 'Het is er veel goedkoper en veel romantischer dan in de stad,' zei hij. 'Je bent aan zee, onder de sterren en ze draaien muziek waarop je kunt stijldansen.' Ik heb hem vriendelijk bedankt en zei dat ik moest werken.

Onderweg wijst Valentina op de resten van de villa van de schrijver Plinius, die tweeduizend jaar geleden aan zijn vrienden schreef dat het zo fijn was de vieze lucht van Rome en de hypocrisie van de mensen te ontvluchten naar zijn buitenverblijf dat driemaal werd weerspiegeld: in de hemel, de groene natuur en de zee.

We eten aan de kust met uitzicht over het water. De zon voert een gevecht met de wolken en in dit mysterieuze spel van licht en schaduw is het of de boot van Cleopatra opdoemt uit de nevelen met haar gouden voorsteven, zilveren roeispanen en purperen zeilen. Het piramidetje aan Valentina's hand glinstert tussen de lotusbloemen.

In het treintje zoeven we weer terug naar de stad. Valentina gaat koken in de Schervenberg en ik ga eten bij vrienden op een dakterras achter de Piazza Navona met een gezelschap van Italianen en Nederlanders.

Als ik verslag doe van mijn tocht door de natuur zeggen ze dat je daarvoor de stad niet uit hoeft. 'Kijk, boven de kerk, daar hangt een valk te bidden!' Iedereen kijkt naar de machtige vogel boven de Sant'Agnese. Hij woont in een oud kraaiennest in de lantaarn van die kerk op de Piazza Navona. Vanaf haar dakterras heeft mijn vriendin goed kunnen volgen hoe zes kleine valkjes werden grootgebracht en vervolgens uitvlogen. 'Ook op de Sant'Andrea della Valle zijn de valken terug.' Binnen de kortste keren heeft het hele tafelende gezelschap het over het leven in de Romeinse lucht. Menigeen wordt 's nachts wakkergeschreeuwd door de meeuwen, die ook steeds talrijker zijn in de oude stad. Hun grote centrum is het Altare della Patria. Soms zijn de strijdwagens die op het dak van het Vittoriano staan volgeladen met koningsmeeuwen. Ze hebben daar de duiven verjaagd, die naar het Pantheon zijn gevlucht. Ook de spreeuwen winnen steeds meer terrein. Bij Stazione Termini is het vaak net of er elk moment een donderbui kan losbarsten, zo zwart is de lucht. Soms zie je de spreeuwen in wolken omhoogvliegen. Dan zijn ze geschrokken van valkengeroep dat is opgenomen op een bandje. Maar als de spreeuwen geen dreigende schaduw van een roofvogel zien langsscheren zijn ze snel weer terug. Soms moeten valken echt in actie komen: ze worden getraind om de luchthaven van Rome vrij te houden van vogels, die anders in de motoren zouden kunnen komen.

Bijna iedereen die in het centrum woont kent het wonderlijke ballet van zwaluwen en vleermuizen in de avondschemering. De late zwaluwen en vroege vleermuizen dansen vijf minuten in verschillende ritmes door elkaar heen tussen de koepels en torens. Ook roodborstjes zijn dol op deze stad en de Romeinen op hen omdat ze afstammen van dat musje dat een doorn haalde uit het voorhoofd van de gekruisigde Christus waarbij een druppel bloed op zijn borstje viel. Uilen wonen op het Forum en jagen er op knaagdieren. Als je daar een late avondwandeling maakt hoor je in plaats van het stadsrumoer het bloedstollende roepen van de uilen.

Mijn vriendin Lidy vertelt dat ze bij de eerste opname was van *De ontdekking van de hemel*. Iedereen stond klaar voor de scène waarbij de raaf door een raam naar binnen vliegt. De raaf zat op de arm van zijn trainer boven op een hoogwerker vanwaar hij door het raam boven restaurant Da Luigi naar binnen moest vliegen. De camera liep, er was 'Actie!' geroepen. De raaf riep 'kra kra' maar kwam niet in beweging. Hij riep nog een keer 'kra kra', en ineens ontstond er een geweldige chaos in de lucht. Van alle kanten kwamen luid schreeuwend vogels aangevlogen. Ook het hemelruim van Rome bleek in territoria ingedeeld en de bewoners hadden geen zin in deze indringer. Op een bepaald moment vloog de raaf naar de top van het dak boven het raam, bleef daar doodkalm zitten, riep af en toe 'kra kra', maar filmen was er niet meer bij. Ze hebben het toen de rust was weergekeerd, overgedaan met een andere raaf. Die vloog keurig zoals afgesproken door het raam naar binnen, ging op de arm van de hoofdpersoon zitten en zelfs op zijn hoofd.

Rome heeft sinds zijn prilste begin een bijzondere relatie met vogels. Toen Romulus en Remus zich afvroegen hoe hun stad moest gaan heten, besloten ze het aan de goden te vragen. Beiden gingen ze een andere heuvel op. Al snel kwam Remus naar beneden rennen; hij had zes adelaars gezien, een duidelijk teken dat de stad Reme moest heten. Even later rende Romulus naar beneden en die had twaalf adelaars gezien, dus de stad werd naar hem genoemd.

Er zijn meer vogels dan ooit, aangetrokken door het afval van de bewoners en de toeristen. Rome is weer een wilde stad aan het worden. Bevers knagen bomen om. In de parken wonen vossen en aan de rand van Rome sluipen wolven rond. We zijn terug bij af.

Als ik met een omweg huiswaarts ga en langs de Tiber loop, heb ik even het idee dat ik gekwaak hoor van kikkers. Vlak bij mijn huis kijk ik of ik valken zie bij de koepel van de Sant'Andrea. Eenmaal in bed hoor ik het luide geschater van de meeuwen.

Sneeuw in augustus

Door een lege en al behoorlijk warme stad loop ik naar de Santa Maria Maggiore. Een sneeuwbuitje zou een lekkere opfrisser zijn. Het is 5 augustus en vandaag wordt herdacht hoe Maria op 5 augustus van het jaar 356 door een sneeuwbui duidelijk maakte dat op die plek, boven op de Esquilijn, een kerk voor haar moest worden gebouwd. Paus Liberius gaf meteen gehoor aan haar verzoek. Die eerste kerk is verdwenen. Na het concilie van Efeze in 431, waarbij Maria werd uitgeroepen tot Maria Theotokos, godbaarster, moeder van God, liet Sixtus iii de huidige kerk bouwen.

Ik loop door de stille Via Panisperna, eerst omhoog, dan naar beneden en daarna weer omhoog, en ervaar dat Rome echt op heuvels is gebouwd.

Ik verheug me erop padre Raffaele weer te ontmoeten. Raffaele Jan de Brabandere luidt zijn mooie naam. Een Vlaamse dominicaan die ik vaak tegenkwam in Sint-Juliaan bij lezingen en concerten. Werner had tegen me gezegd dat ik eens met hem moest kennis maken. 'Hij is een zeer beminnelijk man en erg interessant. Hij is ook componist, exorcist en neemt de biecht af in tien talen.' Ik raakte met hem in gesprek in Sint-Juliaan en meerdere malen nodigde hij me uit eens langs te komen in de Santa Maria Maggiore, waar hij elke ochtend in de biechtstoel zat. Hij zou me de kerk tonen en ook onder de kerk waren zeer interessante dingen te zien, zo zei hij. Niet zo lang geleden hoorde ik van pater Tiemen, een Nederlandse priester die ook de biecht afneemt in de Santa Maria Maggiore, dat padre Raffaele zou teruggaan naar België vanwege zijn leeftijd en zwakke gezondheid. Ik schrok – je denkt altijd dat je alle tijd hebt – en ik zei dat ik de volgende ochtend langs zou komen.

Het lampje van zijn biechthokje brandde, de deurtjes stonden open, maar er was niemand. Ik keek om me heen in die majesteitelijke kerk en zag hem zitten bij het middenpad, luisterend naar een oude vrouw. Nadat hij afscheid van haar had genomen, zag hij me en stond enthousiast op.

'Ik verwachtte u! Even de boel afsluiten.'

We liepen naar zijn biechtstoel. Er hingen kleine kleurige plaatjes in met afbeeldingen van Maria.

Hij wees op de lijst talen waarin kon worden gebiecht.

'Die spreekt u ook allemaal hè?'

'Nou, deze drie niet,' zei ik wijzend op Noors, Zweeds en Deens.

'U kent Fries, dan is Deens een peulenschil.'

Hij was priester geweest in Noorwegen.

'Als je je een half jaar onderdompelt, spreek je de taal. Maar je moet alleen zijn, niet met zijn tweeën. Een klein kind leert het in een maand.'

Hij deed het lampje van zijn biechtstoel uit.

'Ach, wat een drama's, wat een drama's hoor ik hier. We zitten hier vlak bij het station. Veel jonge vrouwen die abortus hebben gepleegd, in een wanhopige situatie leven. Er waren twee Spaanse biechtvaders en die zeiden tegen die vrouwen: "Je bent een zondares en voor eeuwig verdoemd." Ik zei tegen die mannen: "Jullie hebben er niets van begrepen." Nu zijn ze weg, gelukkig, terug naar Spanje. Het is onze opdracht om op te vangen en te troosten.'

Hij had dertig jaar psychologie gedoceerd.

'Dus u kent de wonderlijke kronkels van de menselijke ziel.'

'Ja, maar ook de mooie dingen,' riep hij geestdriftig. 'Je

kunt mensen indelen in twee groepen. Zij die stralen, en daar hoort u bij, en zij die dat niet doen, van wie er helaas veel meer zijn.' Hij hoorde ook duidelijk bij de stralende soort. Een man met een totaal open geest en hart. Ik begreep meteen dat hij demonen kon uitdrijven.

'Er is iets heel ergs gebeurd,' zei hij. Ik keek hem aandachtig aan. 'Iemand wilde graag stoelen schenken aan de kerk. De kerk heeft die geaccepteerd en dat is heel jammer. Kijk eens wat lelijk. De stoelen hebben een lelijke kleur bruin die vloekt bij de subtiele kleuren van de mozaïekvloer. Bovendien wordt het mozaïek beschadigd. En nog iets ernstigs.' Hij draaide zich om en wees naar een glas-in-loodraam. 'Een gift. Monsterlijk.'

We liepen door naar een zijkapel.

'Ik hoorde dat u wegging.'

'Ik heb tegen de overste gezegd dat ik geen zin heb. Geen punt, zei hij.'

'Gelukkig, dus u blijft!'

'Nog een paar jaar misschien.' Het ging beter met zijn gezondheid. Hij had een joodse arts, die werkte in een katholiek ziekenhuis, Sint-Jan. Er waren joodse verpleegsters en twee katholieke. 'Die twee nonnen waren vreselijk. "*Bocca!*" riepen ze dan. Mond! En dan hadden ze weer een pil of een drankje.'

Hij nam me mee naar de kapel van de verlaten en mishandelde vrouwen. Eén keer had hij iets hartverscheurends gezien, een hoogzwangere vrouw die op haar knieën door de kerk naar dat altaartje schoof. Padre Raffaele wees me op de schoonheid van het crucifix. Een heel mooi houten beeld van een broze Christus. Christus zou zijn hoofd hebben omgedraaid. 'Kan illusie zijn geweest,' zei hij. 'Wonderen, tja. Ach, dat mensen een kaarsje aansteken, goed. Dat ze daarvoor moeten betalen – vind ik weer minder.'

Ik was vaak in de Santa Maria Maggiore geweest, maar hij

wees me op dingen die ik nog niet wist.

We liepen door in de richting van het altaar en keken naar beneden, naar het beeld van paus Pius ix die knielt voor een kostbare relikwie, een verzameling fragmenten van de kribbe. 'Hij heeft de blik van Johannes Paulus ii. Kijk, die handen. Dat die vingertoppen niet afbraken.'

We bewonderden de mozaïeken uit de vijfde eeuw op de boog boven het altaar. Abraham in senatorstoga te paard, die erg doet denken aan het ruiterbeeld van Marcus Aurelius. Het mozaïek uit de dertiende eeuw van de kroning van Maria. Hij wees me op een klein franciscaantje. 'Dat is de maker.'

Bij het afscheid zei hij: 'U had een cadeautje bij u.'

Ik had hem beloofd mijn laatste boek mee te nemen.

'Staat er een opdracht in?'

Ik signeerde het boek, geleund op zijn biechtstoel.

'Ik zal het verslinden.'

'Het is een weemoedig boek.'

Hij keek verschrikt: 'Maar u bent toch niet weemoedig?!'

'Ik ben vaak ook heel vrolijk.'

Er stond alweer iemand te wachten op zijn luisterend oor.

'Ik ga je kussen,' zei hij en we gaven elkaar een zoen op beide wangen.

Schillebeeckx was een groot leermeester voor hem. 'Ik ben het met hem eens dat er nog heel wat verbeterd kan worden in de kerk.'

Daar rijst de Santa Maria Maggiore op. Het onderste gedeelte van de zuil die ooit voor de ingang stond van het mausoleum van Augustus is verdwenen achter stellages die zijn opgesteld voor het spektakel dat hier vanavond plaatsvindt en dat wordt uitgezonden op de televisie. Vanavond schijnt het nóg eens te gaan sneeuwen.

Ik ga naar binnen, er zitten al behoorlijk wat mensen. Eerst even langs padre Raffaele. De tweede biechtstoel. Maar ik zie het vertrouwde lijstje met tien talen niet. Zou ik me hebben vergist? Ik kijk op de biechtstoelen ernaast. Nee. Hij zal toch niet weg zijn? Ik loop langs alle biechtstoelen. Pater Tiemens naam staat wel op de biechtstoel, maar hij is er op dit moment niet. Er springen tranen in mijn ogen. Hij wilde niet weg. Ik voelde me hier thuis omdat hij er was. Ik loop naar voren om te kijken of ik Lidy zie, die hier opnames zou maken voor de website van de KRO, en om een plek te zoeken vanwaar ik de plechtigheid en de sneeuwbui goed kan zien.

De mozaïeken schitteren extra luisterrijk in het licht van de schijnwerpers. Het marmer glanst en aan het plafond flonkert het goud dat Columbus meenam uit Amerika. Tussen de gouden rozetten is ook af en toe een stier te zien op de wapens van de twee Borgiapausen.

In een zijkapel die is afgesloten door een hek houdt kardinaal Law een soort voor-plechtigheid. Ik gluur naar binnen, maar een mannetje in beige pak jaagt me met een vervaarlijke kop weg en ook andere belangstellenden worden als honden verjaagd. Waarschijnlijk een gek uit de buurt. Ik loop door en vind een plek aan de zijkant vlak bij het altaar, naast een groepje dames met een rozenkrans in de hand. Ze zijn vriendelijk en vertellen dat ze hier elke dag komen bidden. Dit is de mooiste plek, zeggen ze, want hier kun je Maria goed zien, anders zit het altaar ervoor. Het schitterende mozaïek van Maria die door Christus wordt gekroond.

Lidy staat al te filmen. Even later komt ze naast me zitten.

Op het altaarpodium, dat is versierd met rode en witte bloemen, wordt druk geregisseerd door een strenge ceremoniemeester gehuld in een fuchsiakleurig gewaad. Hij maakt weidse bewegingen met zijn armen om de choreografie goed in te prenten bij een reeks jonge priesters in zwarte toog die aandachtig luisteren. Ik maak wat foto's.

De eerste rijen zijn voornamelijk bezet door nonnen. Aan de ene kant van de rode koorden bevinden zich fraai geklede mannen, aan de andere kant zonder opsmuk geklede vrouwen.

De muziek speelt. Er komt een stoet binnen van mannen en vrouwen in lange zwarte en witte capes met rode kruisen erop. De mannen in het wit, de vrouwen in het zwart met een zwarte sluier over het hoofd. Zowel de handen van de mannen als die van de vrouwen zijn gehuld in witte handschoenen.

'De ridders,' zegt de vrouw naast me.

'Wat voor ridders?'

'Van het heilig graf van Jeruzalem.'

Ze gaan precies aan de overkant zitten op de gereserveerde eerste rijen achter een balustrade die is versierd met doeken in hun kleuren.

In de kapel achter hen hangt de icoon waarover het Vaticaan bekendmaakte dat door middel van c14-onderzoek bewezen is dat die echt door de apostel Lucas is geschilderd.

Ik maak een paar foto's, zonder flits om niet op te vallen. Even later komt er een man in een zwart pak op me af. Een ordebewaker met een grote speld op zijn jasje. Hij zal me wel op mijn kop gaan geven.

'Mag ik u wat vragen? Zou u de *cavalieri* willen fotograferen?'

'Nu?'

'*Per favore.*' Ik loop met hem mee naar de belangrijkste van het stel die een gouden koord om heeft en een beetje apart zit. Hij stelt zich voor.

'Alberto Consoli Palermo Navarra. Wij zijn vergeten een fotograaf te regelen. Erg vriendelijk dat u wat foto's wilt maken.'

Ik doe mijn best alle ridders erop te krijgen.

Er klinkt muziek, de klokken luiden. Er wordt gebaard dat ik naar mijn plek moet. Het koor begint te zingen, trompetten schallen. Groots klinkt dat geluid van honderd in het wit gehulde mannen die de lof zingen van Maria. Een indrukwekkende processie schrijdt binnen, in de allerfraaiste gewaden. Zwart met witte kant eroverheen. Wit met goud over het fuchsia. Mooie hoofddeksels; zwart met rode pluimpjes. Er lopen ook een paar zeer oude prelaten tussen. Daar is kardinaal Law, een Amerikaan, in het goud met een band hemelsblauw, de kleur van Maria, een gouden mijter op het hoofd. Ik herken hem van beelden uit de krant en van de televisie. Law is een tijd geleden veel in het nieuws geweest omdat hij Amerikaanse pedofiele priesters de hand boven het hoofd had gehouden. Op zijn vorige post kon hij niet blijven en nu heeft hij deze erebaan in een van de vier pauselijke basilieken van Rome.

Ik ben nog steeds aangeslagen dat padre Raffaele er niet is. Hij liet een ander gezicht van de kerk zien. Vlakbij waar ik nu zit stonden we bij de eenvoudige grafsteen voor Bernini. Hij wees me op het gothische graf iets verderop tegen de muur. Voor een Spanjaard die volgens hem niet veel had voorgesteld maar ondanks dat in zo'n praalgraf terechtkwam. Zijn handen waren niet gevouwen, maar lagen gewoon op elkaar. Dat betekende dat hij geen rustige dood was gestorven. Waarschijnlijk was hij hier voor de deur vermoord.

Ik kijk omhoog naar het gouden cassettenplafond en vraag me af waar die sneeuw uit moet komen. Nadat ik een tijd speurend heb gekeken, zie ik dat een van de rechthoeken een beetje openstaat, als een luikje.

Law vertelt het verhaal van de geschiedenis van de kerk. Dat de rijke Romein Giovanni droomde dat Maria een sneeuwbui liet neerdalen op de Esquilijn om aan te geven dat daar de kerk moest komen. Hij snelde naar paus Liberius, die vertelde dat hij dezelfde droom had gehad. Toen ze samen naar de Esquilijn gingen zagen ze dat die inderdaad was overdekt met sneeuw. Daarop trok paus Liberius de omtrek van de kerk in de sneeuw en met de financiering van Giovanni werd de kerk gebouwd, zoals vele rijke lieden tijdens het opkomende christendom hun geld staken in het bouwen van godshuizen.

Trompetgeschal.

Honderd mannenstemmen zingen de lof van de hemelkoningin.

En dan dwarrelen de witte blaadjes neer, uit het gouden plafond, het gaat maar door, ze dwarrelen de grote opening in, op het kribje en het beeld van Pius IX. Mensen kijken omhoog, de handpalmen omhooggeheven. Tussen de nonnen zie ik een oude man, gehuld in de kleurige vredesvlag. Hij doet me denken aan Pirandello de beroemde clochard. Binnenkort eens uitzoeken of hij nog leeft. Het blijft maar sneeuwen terwijl de stemmen galmen.

Ook de marmeren vloer raakt bezaaid met witte blaadjes.

'Dahliablaadjes,' zegt de vrouw naast me. 'Vroeger waren het rozenblaadjes. Hebben de nonnen van de steeltjes gehaald.' Een paar vrouwen schieten naar voren, pakken wat blaadjes van de vloer, houden ze koesterend vast, mompelen iets. *'Tu sei benedetta fra le donne.'* Terwijl ik naar de blaadjes kijk op die kleurige vloer moet ik weer denken aan de wandeling die ik met padre Raffaele maakte onder de vloer.

Ik volgde hem door de boekwinkel, door de zalen van het museum vol kerkschatten, tot we bij een metalen deur kwamen die toegang gaf tot een onderaardse wereld van ruimtes en gangen. Hij wees me de weg door het labyrint onder de kerk. Langs bovenste stukken van bogen die waren opgenomen in nieuwe muren, langs een nymfaeum dat misschien ooit bij thermen hoorde, vanwege de dubbele bodem die duidelijk te zien was, waar het warme water doorheen ging en die door vroege christenen misschien was omgevormd tot kapel. Op allerlei plekken waren eerdere schilderingen overdekt met kleurige geometrische vormen, waarschijnlijk om de heidense voorstellingen onzichtbaar te maken. Over metalen loopplanken liepen we en keken naar beneden, ook in een ruimte die op een taveerne leek, met grote in de grond gemetselde amforen. We liepen door een zaal met dakpannen van de allereerste kerk. En toen kwam het mooiste: een enorme ruimte die helemaal beschilderd was met een kalender. Op rode zuilen waren in witte letters de dagen van de maand onder elkaar geschreven met de toevoeging van wat er die dag gebeurde, of wat voor feest er moest worden gevierd. Daarnaast een groot geschilderd tafereel dat paste bij die maand. Alleen de zuil van de maand oktober en de verbeelding van september zijn goed bewaard gebleven. We keken naar een blauwe lucht, sappig groen gras met bomen vol appels die geplukt werden. Mannen op ladders, een man die met een nieuwe ladder aan kwam zetten. Grote manden, leeg of met appels gevuld. Beelden van eind tweede, begin derde eeuw en zo dichtbij. Lang heeft men gedacht dat dit onderdeel was van de grote markt die was genoemd naar Livia, Macellum Liviae. Maar waarschijnlijk was het de villa van een rijke familie, een grootgrondbezitter, en waren dit beelden van zijn landgoederen. Daarna nam padre Raffaele me mee naar een ruimte waarvan de wanden bedekt waren met graffiti. Tekeningen van poppetjes, woordgrapjes, woordspelletjes, bijna twee millennia geleden in de muur gekrast.

Intussen wordt hier boven de grond, boven de hoofden van de appelplukkers, de eucharistie gevierd. De hele kerk komt in beweging. Ik ga in de richting van de ridders om nog wat foto's te maken, maar wordt weggestuurd door een man in een zwart pak die de mensenstromen in banen moet leiden. Even later komt de andere in zwart pak gestoken man die me vroeg de foto's te maken weer naar me toe en vraagt of ik straks nog wat foto's wil maken in de sacristie. 'Als de stoet de kerk verlaat loopt u maar mee. Ik geef u wel een teken.'

En zo ben ik even later opgenomen in die processie en loop ik tussen de ridders en de geestelijken door het gangpad met

mijn camera, mee naar de sacristie. In de hoge, met hout be-
klede ruimte hangt een feestelijke sfeer. Grote dienbladen
staan vol met glazen prosecco. Andere zijn beladen met kleurige hapjes. Gouden en witte overkleden worden uitgetrok-
ken en op een grote tafel neergelegd die in het midden van de
ruimte staat.

Nu moet er worden geposeerd. Er wordt druk overlegd.
Kardinaal Law en de hoogste ridder naast elkaar in het midden. Ja, een beetje dichter naar elkaar toe. Zelfs de wat stug
overkomende Law doet een aanzet tot een glimlach. Ik maak
een paar foto's.

'Nog eentje en dan is het genoeg,' zegt de kardinaal weer in
stijl met zijn niet zo vriendelijke uitstraling.

De opperridder geeft me zijn visitekaartje. Visitekaart kun
je beter zeggen. Hebt u e-mail? vraag ik. Nee, dat is een probleem, maar een andere ridder blijkt wel in het bezit van zoiets futuristisch en hem zal ik de foto's mailen. Niemand komt
op het idee me een glaasje aan te bieden en ik ga er snel weer
vandoor.

In de kerk is het een heksenketel. Mensen verdringen zich bij
de omheining rond het lager gelegen gedeelte met het kribje,
grijpen naar blaadjes, verzamelen ze haastig, drukken ze tegen
zich aan, stoppen ze in hun tas, in hun zakken. Het beeld van
de paus is geheel overdekt. Witte blaadjes op zijn witmarmeren hoofd, zijn marmeren schouders, handen. Ook de vloer is
overdekt. Mannen in zwart pak verzamelen ze in manden en
delen ze uit. Mensen storten zich erop, met zoveel heftigheid
en emotie alsof hun leven ervan afhangt en menigeen zal dat
waarschijnlijk ook denken.

Ik weet niet wat padre Raffaele hiervan zou hebben gevonden.

Nu brandt wel het lampje in de biechtstoel van pater Tiemen.

Ik zie hem, hij is niet bezet. Ik ga naar hem toe en vertel dat ik zo schrok toen ik padre Raffaele niet zag.

'Padre Raffaele is terug naar België.'

'Ach, hij wilde toch niet weg?'

'Zijn gezondheid was niet zo best. Hij zit nu in een dominicaner klooster in Gent.'

'Wat jammer.'

'Daar kan hij nog veel goeds doen,' zegt pater Tiemen troostend.

Lidy stelt voor om in de buurt te gaan lunchen.

Overal hangen affiches met de Madonna van de sneeuw. Een engeltje strooit sneeuw uit boven de kerk. Op de voorgrond staat de zuil van keizer Augustus met Maria erbovenop.

We vinden een trattoria op een straathoek vlak bij de Santa Prassede.

'Als je die kerk binnengaat zijn je zonden je vergeven,' vertelt Lidy. 'Je kunt ook een soort reserve opbouwen. Er is een man die elke dag voor jou even de kerk in en uit wil lopen. Daar wil hij natuurlijk wel voor worden betaald.' Wij gaan er zelf even binnen en bewonderen de mozaïeken.

Aan het eind van de middag zijn we weer terug in de Santa Maria Maggiore, waar nu de rozenkrans wordt gebeden. De kerk zit vol met voornamelijk vrouwen.

Het lijkt op een soort oosterse meditatie die tot trance leidt, door de eentonige herhaling.

'*Ave Maria, piena di grazia, il Signore è con te. Tu sei benedetta fra le donne e benedetto è il frutto del tuo seno, Gesù. Santa Maria, Madre di Dio, prega per noi peccatori, adesso e nell'ora della nostra morte.*'

Dat laatste stukje, moeder van God, werd toegevoegd na het concilie van Efeze, waarna ook deze kerk werd gebouwd.

Poort van de hemel, bid voor ons, Moeder van de kerk, bid voor ons, Zetel van de wijsheid, ochtendster, koningin van de hemel, mystieke roos, spiegel van volmaaktheid, reden van onze vreugde, bid voor ons.

Hier zal toch wel wat van de oude vereringen van heidense godinnen in opgenomen zijn, want de Bijbel biedt geen grond voor ál deze titels.

Zoals gezegd, werd bij het concilie van Efeze in 431 besloten Maria Moeder van God te noemen. Zo kon de leegte die godinnen als Isis, Diana, Artemis hadden achtergelaten worden gevuld met de verering van Maria. Veel beeldtaal is overgenomen. Isis werd meestal afgebeeld met Horus op haar arm, vaak op de maan, net als Maria.

'Bid voor ons zondaars, nu en in het uur van onze dood.' Het gaat maar door.

Lidy vertelt dat er een slotklooster is in Vaticaanstad waar om de zeven jaar een andere orde van nonnen bidt voor de paus, de kerk en voor de noden in de wereld.

'*Ave Maria, piena di grazia,*' klinkt het nog steeds als een mantra.

Maar als de sneeuwbui weer neerdaalt is ook de gekte terug en storten al deze ingetogen vrome bidsters zich vol hartstocht op de blaadjes.

Het schemert al, het plein voor de kerk is afgezet met dranghekken, maar wij mogen erin omdat Lidy een pasje heeft met de toestemming dat ze mag filmen en ik ben voor de gelegenheid uitgeroepen tot assistent.

Even later deelt Lidy mee dat de regisseur van het spektakel graag geïnterviewd wil worden. Dat moet ik maar even doen, vindt ze.

'Ik weet helemaal niks van die man.'

'Doet er niet toe.'

Daar komt hij al aan, met een woeste witte haardos.

Ik vraag aan Lidy: 'Wie is hij, wat doet hij?'

'Hij heeft architectuur gestudeerd en doet dit soort shows.'
'Ja, we kunnen beginnen,' zegt de regisseur-architect. 'Camera loopt.'
De vragen komen vanzelf en de antwoorden ook. Als je niet tegen improviseren kunt moet je niet in Italië zijn. Vaak lijken de dingen mis te gaan en uiteindelijk komt alles toch goed. Toen de paus stierf en er plotseling twee miljoen extra mensen in de stad waren liep alles op rolletjes. Italië lijkt voortdurend failliet te gaan, onregeerbaar, in handen van maffiosi, en toch draait alles door.

Het duurt vervolgens nog uren voordat het spektakel begint. We raken aan de praat met twee jongemannen die opnames maken voor de Rai.

Ik vertel over de rode rozenregen in het Pantheon. Daar hadden ze nog nooit van gehoord.

Om negen uur, als het volledig donker is, het plein vol en achter de dranghekken een menigte, schalt grootse muziek uit de luidsprekers. Sterren vliegen over de voorgevel van de Basilica, die wordt gebruikt als filmdoek.

Maria verschijnt, daarna zien we paus Liberius, die de omtrek van de kerk tekent. De zuilen worden groen, rode namaakvuren branden.

Dan verstommen de luidsprekers en verschijnt een fanfare uit de Castelli Romani.

Ze zetten een opgewekte melodie in.

'Het Vaticaanse volkslied.'

Dat herkenden de jongens niet. De een komt uit Lecce, de ander uit Napels.

Daarna het Italiaanse volkslied.

'Is toch een belachelijk volkslied?' zegt de Napolitaan. 'Die melodie, het lijkt wel een kinderliedje, en de tekst is helemaal idioot. Italianen, grote vechters, dappere strijders. Wat een misplaatst patriottisme.'

Hij is voor een onafhankelijk Napels.

'Wij zijn alleen maar achteruitgegaan sinds de eenheid.'

'Bij jullie gebeuren ook veel wonderen.'

'Ja, San Gennaro met zijn bloed dat telkens gaat stromen. Ik geloof het niet, hoor.'

Dan klinkt er iets zeer dynamisch. 'De binnenkomst van de toreador' uit *Carmen*.

'Laten we dat maar nemen als volkslied,' oppert de Napolitaan.

En dan wordt er een hartelijk welkomstwoord gesproken door een vlotte dame die ook Law en Tavanti speciaal noemt. Granito Tavanti, die zit hier dus nog. Ik ben ooit bij hem op bezoek geweest in zijn appartement boven in de Santa Maria Maggiore. Een goede vriend van de beroemde dakloze Luigi Pirandello had me meegenomen naar de *monsignore*. Tavanti sprak nogal onaardig over een paar mij onbekende Nederlandse nonnen die hij weg wilde hebben. Later begreep ik dat de zaken volledig tegenovergesteld waren. Dat die nonnen juist heel goed werk deden, veel mensen in nood opvingen en dat het heel dramatisch was dat ze van hun plek werden weggestuurd. Omdat ik Tavanti via een dakloze had leren kennen ging ik ervan uit dat hij de waarheid sprak. Ik heb van meerdere mensen op mijn kop gekregen.

De ene toespraak volgt op de andere – daar zijn Italianen ook goed in, in oreren. Veel mensen moeten worden bedankt, er worden zelfs prijzen uitgedeeld en dan volgt er weer een muziekje door de fanfare.

Er zitten telkens lange pauzes tussen de programmaonderdelen.

'Tijd om rustig na te denken,' zeggen de televisiejongens laconiek, 'de belichting te veranderen, te experimenteren met het kader.'

Het begint steeds meer op een dorpsfeest te lijken.

Als de luidsprekers het weer overnemen komt er wat grandeur terug. Een hele voorgevel vol engeltjes, begeleid door kerkmuziek, opnieuw sterren. Dan zeer romantische muziek. En ineens zien we het gezicht van Benedictus XVI, vrolijk lachend.

'Het moet niet gekker worden,' zegt Lidy.

Daarna klinkt een vertrouwde stem. De stem van de vorige paus, die even later ook op de muur verschijnt. Mensen klappen. Ontroerd.

Dan zien we beide pausen glimlachend op de voorgevel. Af en toe ruilen ze van plaats. Er wordt over de hele voorgevel geschreven dat Johannes Paulus II heilig moet worden verklaard.

Weer dansen de sterren, zien we Maria in de sneeuw.

De zuilen worden groen. Groene stralen schijnen over het plein, rook stijgt op en dan begint het te sneeuwen. De vlokken lichten op in de schijnwerpers en het groene licht. Vanuit een hijskraan die hoog boven het plein hangt blaast de schuimmachine de vlokken over de mensen.

Sneeuw!!!

'Binnenkort hebben we een feestje op het Sint-Pietersplein,' zegt de jongen uit Lecce. 'Dan is ie zalig.'

'Een applaus voor de Madonna!' wordt er geroepen.

'Harder, harder! Een applaus voor kardinaal Law!! Voor monseigneur Tavanti!!'

Voor Maria wil ik wel klappen, voor Tavanti niet. Ik klap voor de Nederlandse nonnen.

De fontein onder de zuil van Augustus met Maria erop ligt vol schuim en lege flesjes.

Door de Suburra loop ik naar huis, over de hobbelige, met vierkante stenen geplaveide straten. Langs de Salita dei Borgia. Het is donker, stil en nog steeds warm.

In de verte rijst de machtige muur op van het Forum van Augustus en de boog van Patano die de achterbuurt scheidde van het Forum.

Als ik daar vlakbij ben hoor ik geluid, voetstappen. Ik kijk door een opening, zie stofwolken opwaaien.

Een man in een lange witte toga, een lange rode sjaal.

Uit de verte klinkt een angstkreet. 'Wie ben je????!!'

'Ik ben je slechte geweten,' galmt het over de antieke stenen.

Een visioen.

Julius Caesar.

Ik loop snel door naar de voorkant van het Forum.

In de verte zie ik de grote trap van de tempel van Mars Ultor, op het Forum van Augustus in het helle licht. Een groep mannen in toga.

Geheven dolken. Lemmets flikkeren.

Ze steken ermee.

Caesar tuimelt neer, de lange rode sjaal ligt over vele treden uitgerold als een stroom bloed.

Lang blijft iedereen en alles roerloos.

Dan barst de discussie los onder de moordenaars, de paniek.

Langzaam en waardig komt een man aangelopen, gehuld in toga. Iedereen is stil. Hij klimt de trappen op, blijft even roerloos staan en zegt dan: 'Ik kom om Caesar te begraven, niet om hem te prijzen.'

Marcus Antonius steekt zijn beroemde rede af. *I come to bury Caesar, not to praise him.* Voortdurend noemt hij de moordenaars van Ceasar 'eerbare mannen', maar langzaam maar zeker wordt duidelijk dat hij het tegenovergestelde bedoelt.

De meesterlijke ironie van Shakespeare. Indrukwekkend om die woorden hier te horen, teruggekaatst door de stenen van het Forum, op de trappen van de tempel van Mars Ultor, die Augustus beloofde te bouwen als deze god hem zou helpen Caesar te wreken.

Gedragen klinkt de beroemde uitspraak: 'Het kwaad dat mensen doen overleeft hen, het goede wordt vaak begraven met hun botten.'

Al die tijd blijft Caesar daar liggen op de trap.

Dan wandel ik naar huis, naar de plek waar de scène die ik zojuist zag, zich werkelijk voltrok. Bij mij naast de deur, daar waar nu het theater van Rome staat en waar katten onverschillig staren in de nacht.

Villa Torlonia

Mijn gouden sandalen zijn te comfortabel voor de afspraak met Simone, ik moet hoge hakken aan.

Een tijdje geleden belde hij.

'*Ciao*, Rosita, ik ben jarig!'

'*Tanti auguri!*'

'Dankjewel. Wil je me dan het grote genoegen doen een kopje koffie van mij te accepteren? In de bekende bar.'

Ik kon niet weigeren.

'En één vraagje, zou je alsjeblieft voor mijn verjaardag mooie schoenen aan willen doen?'

Ik trok voor deze speciale gelegenheid de roodsuède hooggehakte schoenen van Jan Jansen aan met een glanzende rode mond net boven de tenen en lange linten die om de enkels worden gestrikt.

Simone was er al. Hij zag er jarig uit, gehuld in overhemd en jasje.

Zijn blik ging meteen naar beneden. Zijn ogen werden groter, maar hij hield zich in en vroeg wat ik wilde drinken.

Voor de gelegenheid bleven we niet aan de bar staan maar gingen even zitten aan een tafeltje. Hij keek me stralend aan en gluurde toen onder de tafel.

'Wat een prachtige schoenen, apart. Ik heb nog nooit zoiets gezien.'

'Een bekende Nederlandse ontwerper.'

'Erg bijzonder. Klassiek maar ook modern.'

Ik gaf hem mijn eerste boek, *De laatste vrouw*. Op de Italiaanse vertaling staat een schilderij van vrouwenbenen, het ene been in een hooggehakte laars, het andere in een hooggehakte schoen.

Simone wist niet waar hij moest kijken, naar mijn schoenen of naar het schoeisel op het boek. Hij beloofde me dat hij me zo snel mogelijk een boek van zijn grootvader zou geven.

'Dit jasje heb ik van mijn moeder gekregen. Ik ben heel benieuwd wat ik van Mirella krijg.'

'Zie je die dan?'

'Ja, vanmiddag.'

'Is het weer goed?'

'Ja, we gingen naar de film. Hebben wat gepraat, elkaar een kus gegeven en toen was het weer goed.'

Ze zouden nu wederom samen naar de film, een horrorfilm, *Anche le colline hanno degli occhi*. Ook de heuvels hebben ogen. 'Ken je die? Daarna gaan we eten met mamma, Mirella, mijn broer en mijn schoonzusje.'

Later op de dag belde Simone weer: 'De film was vreselijk. Heel griezelig.'

'Dat kon je verwachten.'

'Eigenlijk wel. Mirella was boos. Veel te eng. Nu is ze zich aan het verkleden voor het diner. Ze trekt mooie kleren aan. En mooie schoenen natuurlijk, bordeaux met een heel hoge dunne hak. Van Adriana Campanile. Ik denk dat ze ook bordeaux nagellak opdoet om me te verrassen. Morgen begin ik in je boek. En ik wil zo snel mogelijk een boek van mijn opa aan jou geven. Heb je trouwens nog meer schoenen van die Nederlandse ontwerper? Zou je die dan aan willen doen?'

Hij had een foto van mooie voeten naast mijn huis gesignaleerd.

'Een nagelstudio.' Inmiddels is het er behoorlijk druk. Sint-Juliaan, die boven onze deur de wacht houdt, hoeft zijn blik niet af te wenden omdat het een dekmantel zou zijn voor andersoortige activiteiten.

Van verre zie ik al dat hij een boek in zijn hand heeft. Hij staat voor de deur van de boekenbar. Plechtig overhandigt hij me het boek. *La sposa Americana.* De Amerikaanse bruid. Simone heeft er in een zeer verzorgd handschrift een opdracht in geschreven. 'Jammer dat mijn opa dat niet meer voor je kan doen.'

Als we zijn gaan zitten op het terras bij de bar, deelt hij plechtig mee dat zijn moeder een week weg is. 'Ik lijd altijd erg als mamma er niet is.' Ze heeft hem honderd euro gegeven om eten van te kopen. 'Dat moet lukken, denk je niet? Het is vreemd, Rosita, ik ben een man van zesendertig maar ik kan niet koken. Straks komt Mirella pasta voor me maken. Of ik neem haar mee uit om een pizza te eten. Misschien blijft ze bij me slapen. Dat doet ze wel vaker. Ik zal haar voeten masseren. Misschien dat ik ook haar nagels ga lakken. Ik heb heel veel kleuren.'

'Dus al je problemen zijn opgelost.'

'Nou, niet helemaal.' Hij kijkt me wat aarzelend aan. 'Ik ben bij een psycholoog.'

'Voor je opa?'

'Ja, daar praten we ook over, maar ook over mijn belangstelling voor voeten en schoenen. Hij probeert erachter te komen waar het vandaan komt.'

'Heeft hij al een idee?'

'Hij zit midden in het proces van het onderzoek.'

'Heb je zelf een vermoeden?'

Simone is even stil en zegt dan: 'Ik heb het vanaf mijn eenentwintigste. Daarvoor niet. Mijn moeder gaf een groot feest. Op een bepaald moment was iedereen heel euforisch, er werd gedanst, gedronken. Een vriendin van mijn moeder had haar schoenen uitgedaan en ze kietelde me met haar blote voeten. Ze raakte me overal aan met haar gebruinde voeten met gelakte nagels en maakte me helemaal gek. Het was midden in de zomer. We lagen op een divan. Het was mijn eerste lichamelijke contact met een vrouw. We hebben niet alles gedaan. Dat vond ik niet respectvol tegenover mijn moeder, met haar beste vriendin. Pas een jaar later heb ik het voor het eerst echt gedaan. Op het strand. Een mooie vrouw, ook een stuk ouder dan ik. Maar die eerste keer met die voeten, ja ik denk dat dat...'

'Dat lijkt me voor die psycholoog toch ook wel duidelijk.'

'Hij onderzoekt waarom het zo heftig is, kijkt wat er misschien nog meer meespeelt. Het kan best zijn dat als wij straks afscheid nemen en ik zie een mooie vrouw op mooie hoge hakken, dat ik haar twee kilometer achtervolg in de hoop dat ze een kopje koffie van me accepteert. En dan hoop ik dat ik even haar voeten kan aanraken. Soms doe ik het op straat. Dan duik ik naar beneden en zeg: "*Signora*, er zit een papiertje aan uw schoen," en dan raak ik haar voet even aan. Soms geloven ze me en blijven vriendelijk, maar er was ook een keer een dame die me een keiharde klap gaf. Mijn bril was kapot.'

'Is het daarom fout gegaan met het *centro estetico*?'

Hij knikt.

'Ze hebben me ontslagen. Een paar dames hebben geklaagd. De bazin zei: "U bent niet punctueel." Verder zei ze niks.'

'En met de schoenenwinkels hetzelfde?'

'Ja. Ik ga nog wel eens een schoenenwinkel binnen en als ik een verkoopster zie met mooie gebruinde voeten en gelakte nagels dan vraag ik haar bepaalde schoenen voor me te passen. Om te zien hoe ze staan, zeg ik dan, omdat ik ze aan mijn vriendin wil geven. Als ik die voet maar even kan aanraken. Dan zeg ik: "Even de hak meten." Een keer ging een meisje gillen. "Geef onmiddellijk uw identiteitsbewijs! Ik bel de politie!" Ik heb mijn excuses aangeboden en ben snel weggegaan.'

Hij kijkt me ernstig aan. 'Ja, ik moet dit oplossen, hopelijk ben ik daar niet te oud voor. Anders beland ik nog in de gevangenis.'

'Dan kom ik je opzoeken.'

Hij lacht. 'Wel met mooie schoenen.'

Tegen de avond ga ik naar de Villa Torlonia, het grote ommuurde park aan de rand van de stad. In de krant had ik gelezen dat er een concert is. Ik was er vaak langsgekomen maar nooit binnengegaan. Er lag een doem overheen omdat Mussolini daar had gewoond. Je hoorde er bijna nooit over, in tegenstelling tot de Villa Borghese of de Villa Doria Pamphilj, waar mensen gingen wandelen of picknicken. Dit is een kans om er toch eens rond te kijken. De villa wordt volledig gerestaureerd en het is onvolwassen, zo zegt de burgemeester van Rome, om het verleden te verdringen.

Ik stap uit de bus in de Via Alessandro Torlonia en loop langs de antiek aandoende muur naar de toegangspoort. Aan het eind van de achttiende eeuw was de in korte tijd rijk geworden bankiersfamilie Torlonia in de adelstand verheven. Daarbij hoorde een villa zoals de grote adellijke Romeinse families bezaten, een parkachtig landgoed met een paleis, priëlen, paardenstallen, theaters, vijvers met watervallen en fonteinen. De Torlonia's hadden deze lap grond, waar eerst wijngaarden en artisjokkenvelden waren, gekocht en omgetoverd tot een vorstelijk landgoed.

Het is al schemerig. Palmen in alle vormen en maten werpen schaduwen over het pad. Tussen de stammen zie ik een enorme obelisk. Ik tuur naar de raadselachtige hiëroglyfen. Dit moet een van de twee obelisken zijn die Alessandro Torlonia in 1848 liet oprichten voor zijn ouders. Echte obelisken waren niet meer voorradig in Rome, daarom heeft hij ze uit een blok roze graniet laten hakken en via Venetië, de Adriatische Zee waar het stormde, de Straat van Messina en ten slotte over de rivier de Aniene hiernaartoe laten vervoeren. Een egyptoloog heeft vervolgens gezorgd voor een tekst in echte hiëroglyfen.

Er is niemand te bekennen. Alleen de roep van een vogel klinkt af en toe. Achter de obelisk ligt het met zuilen gesierde paleis waar de Duce vanaf 1925 resideerde en waar de Amerikaans-Britse troepen in 1943 hun intrek namen. Daar brandt wel licht en het lijkt of ik fakkels zie op het bordes. Er staan hekken omheen, barakken, hijskranen. Ik wandel verder tussen de palmen, ceders, oleanders, tot ik bij een aangetaste muur kom met nissen en afgebroken pilaren. Op een bordje lees ik: *Finti ruderi*. Deze namaakruïne krijgt ook een opknapbeurt, evenals de bouwvallige Tempel van Saturnus. Ik tuur naar het reliëf van de god van de Tijd die Vreugde, Kunst en Cultuur verzwelgt. De antieke tempel ziet er verdacht nieuw uit.

Het grind kraakt onder mijn voeten als ik doorloop. In de verte glanst licht. Dat zal La casa delle civette zijn, het huis van de uilen, waar het concert is. Hoe dichter ik nader, hoe meer ik het gevoel heb in de Efteling te zijn. Ik zie een sprookjeskasteeltje, met torentjes, balkonnetjes, zuilen, koepeltjes. In een soort gewelf naast het huis staat een vleugel en rijen stoelen. De deur van het wonderbaarlijke bouwwerk is open. Ik loop naar binnen en kom in een hal met houten wanden en kleurig glas-in-lood. Ik ga de houten kronkeltrap op en wandel door kamertjes, halletjes, koepeltjes, allemaal voorzien van kleurige glaskunst. In al dat glas zijn vogels verwerkt. Zwaluwen, pauwen, eksters. In de badkamer zwemmen zwanen en in de zoldering van de slaapkamer boven het bed waar prins Torlonia sliep, fladderen vleermuizen.

De prins was een mensenschuw man, vertelt de conservatrice van het Uilenhuis. Hij voelde zich meer thuis in de wereld van de nachtvogels en de vleermuizen en trok zich hier terug toen de familie Mussolini het paleis betrok. De dame klaagt dat alles veranderd is. Het was hier doodstil, nu worden ze overspoeld door lawaaierige kinderen met ouders die denken dat dit een soort Eurodisney is. Tot voor kort kwam hier alleen een groep archeologen die onder leiding van een Nederlandse *professore* onderzoek deed naar de catacomben.

'Catacomben?'

'Ja, er zijn joodse catacomben onder dit terrein ontdekt,' vertelt ze, 'ouder dan de christelijke.'

'Zijn die te bezichtigen?'

Ik vertel dat ik Nederlandse ben en er misschien over wil schrijven.

'Moment, ik roep iemand.' Even later komt ze terug met een jonge vrouw, klein van stuk met lang glanzend zwart haar.

'Elsa,' zegt ze, terwijl ze me de hand drukt met een open blik.

'Ik ben hier voor het concert en hoorde over de catacomben.'

Ze heeft gewerkt met de Nederlandse professor Leonard Rutgers en een vriendin van haar heeft in de Domus Aurea met een andere Nederlandse professor gewerkt. Het is hun beiden zeer goed bevallen. Ik vertel dat die andere professor, Paul Meiboom, mij eens heeft rondgeleid door de Domus Aurea.

'Ja, er liggen zeer uitgebreide catacomben onder dit terrein.' Maar helaas kan ze me die nu niet laten zien. Ze heeft de sleutel niet en bovendien is het te gevaarlijk. Er wordt aan gewerkt om ze toegankelijk te maken. Maar misschien... Ze denkt even na.

'U gaat naar het concert? Na afloop kan ik u wel de Villa nobile laten zien. Die is open voor een feest en ik heb de sleutels, even denken, ja, ik heb sleutels van de bunkers.'

'Bunkers?'

'Er liggen niet alleen catacomben onder dit terrein, maar Mussolini heeft er ook twee bunkers laten bouwen.'

We spreken af dat ik na het concert weer terugkom naar deze vogelhal.

Tijdens de lieflijke muziek van Mozart sluipen katten rond, die verlekkerd omhoogkijken naar de houten, metalen en glazen vogels boven hun kop.

Samen met archeologe Elsa wandel ik door het schaars verlichte park, dat vol staat met exotische bomen en planten die de familie Torlonia hier heeft laten neerzetten. De vrouw van Mussolini heeft hier een tijd aardappels, maïs en groenten verbouwd om een voorbeeld te geven aan het Italiaanse volk, dat steeds meer geplaagd werd door honger. Elsa leidt af en toe groepen rond, vertelt ze. Dat vindt ze leuk, maar ze hoopt ook weer mee te gaan doen met het echte graafwerk.

'In 1918 zijn de catacomben ontdekt. Er waren twee catacombencomplexen die later met elkaar zijn verbonden. Ze liggen onder de paardenstallen. We kunnen er even langs lopen, dan gaan we met een omweg.'

Ik volg haar over het grindpad.

'Ze dachten altijd dat deze joodse catacomben stamden uit de derde, vierde en vijfde eeuw, net als de christelijke,' zegt Elsa terwijl we langs het zwartglanzende oppervlak van een grote vijver wandelen dat net de ingang tot de onderwereld lijkt. 'Maar *il professore* Rutgers heeft ontdekt dat de joodse ouder zijn. De graven vlak bij de ingang zijn waarschijnlijk al uit de tweede eeuw, toen hier nog vrijwel geen christenen waren. De eerste christelijke catacomben zien we pas een eeuw later. De christenen hebben deze manier van begraven waarschijnlijk overgenomen van de joden. De graven werden dichtgemaakt met een stenen muurtje, dat bedekt werd met een laagje kalk. Die werd gemaakt in ovens gestookt op hout, bij voorkeur jong hout omdat dat heter vuur gaf.' Ze praat met enthousiasme terwijl ook haar handen meedoen. 'In de kalk zijn stukjes houtskool achter gebleven. Door c14-onderzoek kon de ouderdom van de graven worden vastgesteld. Dat de christenen dit gebruik van de joden zouden hebben afgekeken stuit bij sommige mensen op weerstand omdat men graag de gewoonte om in onderaardse gangen te begraven in verband brengt met de christenvervolging. Maar waarschijnlijk kwam het gewoon voort uit gebrek aan grond, en daar hadden de joden ook al mee te kampen voordat Christus werd geboren.'

Dit is een van de zes joodse catacomben. Er wordt hard gewerkt om ze zo te restaureren dat ze kunnen worden opengesteld voor het publiek. Want in tegenstelling tot de christelijke catacomben zijn de joodse nauwelijks te bezoeken.

Elsa vond het erg bijzonder om mee te werken aan dit project. Ze vindt het jammer dat *il professore olandese* weer terug is naar Nederland. Ze heeft veel van hem geleerd, bijvoorbeeld ook dat er in de periode van de vierde tot de zesde eeuw twintig nieuwe heidense heiligdommen in Rome zijn gebouwd. Terwijl ze eerder altijd gehoord had dat het hele Romeinse rijk in het jaar 500 christelijk was.

In de verte zien we een gebouw waar muziek klinkt en licht brandt.

'Dat is de Limonaia, de oranjerie. Die is kortgeleden geopend. Er zit nu een restaurant-pizzeria, waar het steeds drukker wordt.' Mussolini had de Limonaia omgebouwd tot filmzaal, waar hij met familie en vrienden een paar keer in de week naar films keek. Het aangrenzende gebouw had hij afgestaan aan het Istituto Luce, het filminstituut, en hij had Cinecittà laten optrekken. Het fascistische regime was zich bewust van het propagandistisch belang van dit medium.

Voor de deur zijn citroenbomen neergezet ter herinnering aan de vroegere bestemming.

'Kijk, en daar is de ingang tot de catacomben,' zegt ze wijzend in de richting van een donker gebouw. Er staan werktuigen bij en een stuk is afgezet met een hek.

'Het is bijzonder om hier te lopen en te weten dat er zo'n wereld onder ligt. Ze lijken op de christelijke catacomben, alleen de symbolen zijn anders. Op de muren zie je schilderingen van de zevenarmige kandelaar, palmtakken, ceders, hoorns. Ook een heel mooie van de geopende ark des verbonds waarin je de rollen van de wet ziet. Aan weerskanten zon en maan en twee zevenarmige kandelaars. De inscripties zijn meestal in het Grieks. Er staat dan bijvoorbeeld geschreven bij welke synagoge de overledene hoorde. Er waren er zeker elf in het oude Rome. Veel mensen die hier begraven liggen kwamen uit de Suburra. Door allerlei archeologische vondsten van de laatste jaren is duidelijk geworden dat de joden heel goed geïntegreerd waren in de antieke samenleving en *il professore* zei dat het antisemitisme van de christenen ook daarmee te maken kan hebben. De christenen hadden aanvankelijk een veel zwakkere positie dan de joden en zetten zich tegen hen af.'

Intussen zijn we vlak bij het paleis. De restauratie van dit *casino nobile* is nu vrijwel klaar. Het was in zeer vervallen staat. In 1925 kwam de familie Mussolini hier wonen. Nadat Mussolini in 1943 had moeten vluchten, installeerden de Britse en Amerikaanse troepen zich hier. Toen is er veel kapotgegaan en daarna is het paleis totaal in verval geraakt. Pas onder het laatste stadsbestuur is besloten de hele villa op te knappen. Het paleis was aan het begin van de negentiende eeuw voor de familie Torlonia ontworpen door Giuseppe Valadier, die het zeventiende-eeuwse huis uit de tijd dat kardinaal Benedetto Pamphilj hier zetelde, in zijn ontwerp heeft opgenomen. Later wilden de Torlonia's het nog imposanter maken en toen is die enorme trap aan de voorkant gebouwd en de loge met de zuilen.

Er branden fakkels op het bordes.

'Het is afgehuurd door een adellijke familie. Zij hebben geen geld meer, maar de dochter is getrouwd met een rijke televisieproducent.'

De entree is koninklijk. Het uit vele vakjes bestaande plafond dat de meerkleurige marmeren vloer weerspiegelt, leunt op hoge blanke zuilen. Een kroonluchter schittert maar er staan ook overal hoge, met bloemen en fruit versierde standaards met enorme kaarsen, die de geelgemarmerde wanden een gouden gloed geven. In klassieke vazen zijn metershoge boeketten geschikt. Een orkestje speelt. Mannen in rokkostuum en vrouwen in het lang staan vrolijk te converseren met een glaasje champagne in de hand. In het grote gezelschap vallen we niet op.

De familie Mussolini huurde de villa van prins Torlonia voor het symbolische bedrag van één lire. Ze gebruikten het meubilair dat er stond. Het enige wat Mussolini liet aanbrengen waren twee wc's, één bij zijn eigen slaapkamer en één bij die van zijn vrouw, en twee bunkers. Ze leidden hier een nogal teruggetrokken leven, met weinig ontvangsten, zo vertelde de jongste zoon van Benito, Romano Mussolini, een bekend jazzpianist, die in 2006 overleed.

Ik werp een blik in twee zalen rechts en links, met marmeren vloeren, gemarmerde wanden, stucwerk en veel klassieke beelden. Voornamelijk kopieën van Romeinse beelden die in het Capitolijns en in het Vaticaans Museum staan. Allemaal uit de collectie-Torlonia.

'Die Fortuna is uit de tijd van keizer Trajanus.'

We komen in een zeer kleurige ruimte met grotesken op rode wanden. In het midden van die grotesken zie je hoe Europa wordt geschaakt, hoe Leda wordt bemind door een zwaan en hoe Venus wordt geboren. Naast ons staan zuilen van albast. Deze ruimte is geïnspireerd op de zestiende-eeuwse badkamer die gebouwd werd in de Engelenburcht voor paus Clemens VII, en die was weer geïnspireerd door de grote ontdekkingen in de Domus Aurea van keizer Nero met al die kleurige schilderingen, bladgoud en marmer.

'Vroeger stond er een albasten badkuip.'

We komen in de bibliotheek, waar we op het plafond zien

hoe Dante door Vergilius wordt meegevoerd naar het voorgeborchte om daar de grote dichters te ontmoeten.

We lopen door een zuilengalerij met Romeinse beelden, de kamer van Psyche, weer vol grotesken, de kamer van de dichters, als een gotisch prieel met gouden zuilen waarboven de beeltenissen te zien zijn van Dante, Petrarca, Michelangelo, Tintoretto, Titiaan en vele andere kunstenaars.

'Kijk, en dat is Carlo Torlonia, de vroeg gestorven broer van Alessandro Torlonia. Hij heeft de plek ingenomen van Giorgio Vasari.'

In marmeren bustes herken ik keizer Hadrianus en keizer Caracalla, replica's van de beelden die in de zaal van de keizers staan in het Capitolijns Museum.

De muziek wordt steeds luider, we naderen de balzaal. Een zaal uit een film. Heel hoog en vol van kleur. Onder de flonkerende kroonluchters schuiven paren over de marmeren vloer. Tegen witte zuilen staan mensen geleund met een glas in de hand. Overal schilderingen, verguldsel. Een plafond vol stucwerk en in het midden daarvan wordt Amor meegevoerd door de drie gratiën.

'Hier danste Mussolini?'

'Nee, die danste niet. In zijn tijd werd deze zaal gebruikt als filmzaal. Er stond een grote projector en er hing een doek. Het raam was afgeschermd door de twee wc's die nu zijn weggehaald om het licht weer toe te laten. Een heel enkele keer ontving hij iemand.'

Hij heeft hier Mahatma Gandhi ontvangen in 1931. Italië steunde de Indiase zaak tegen de Britten, maar de ontmoeting kon tot niets leiden vanwege de totaal tegengestelde idealen. Ik kijk naar de dansende mensen en vraag me af hoe die ontmoeting, dat gesprek verliep, hier in deze zelfde ruimte. De paus wilde Gandhi niet ontvangen omdat die 'niet gepast was gekleed'.

Een ober in een jasje met gouden tressen biedt ons op een

zilveren dienblad een glas prosecco aan. Met vanzelfspre-
kendheid pakken we er een en toosten. 'Op de verrassingen
van Rome.'

We lopen weer verder, nippend van de bubbels, gaan een
trap op, lopen door de zaal van Bacchus, waar we een extra
slok nemen, door de gotische kamer, het kamertje van Venus,
de Egyptische kamer, waar we het avontuur van Cleopatra
en Marcus Antonius beleven. We zien hoe ze elkaar ontmoeten die eerste keer, de kroning van hen beiden, Cleopatra die
neerknielt voor Marcus Antonius. Op de vierde wand staat de
personificatie van de Nijl, met de Sfinx en op de achtergrond
de piramiden. Al deze taferelen zijn omlijst door randen die
het Egyptisch basalt imiteren, overdekt met hiëroglyfen. Ook
mijn voeten staan op hiëroglyfen.

'Dit is de typisch eclectische stijl van de negentiende eeuw.'

In de majesteitelijke zaal van Alexander werd gegeten, door
de Torlonia's maar ook door de Mussolini's. Hier stond de eet-
tafel omgeven door de heldendaden van Alexander de Grote.
Ook Apollo en de negen muzen keken en kijken toe vanuit
hun nissen. Hier zat Mussolini te tafelen terwijl verderop in
de stad gehakt werd en gebroken. Vijftien eeuwen geschiedenis van de stad werden weggehakt om daaronder vandaan de
grootse hoofdstad van het wereldrijk tevoorschijn te halen en
ten voorbeeld te stellen. Die draad zou worden opgepakt. Zo
zal hij gedacht hebben terwijl hij boven zijn bord pasta uitzicht had op de glorieuze intocht van Alexander de Grote in
Babylon en andere momenten van triomf van de legendarische wereldveroveraar die ook veel Romeinse keizers al als
voorbeeld namen.

Kerken werden omgehaald tijdens het fascistische regime,
hele wijken platgelegd, het huis van Michelangelo weg-
gevaagd, opgeofferd aan de mythe van ROMA. De Viale del
Impero – later omgedoopt tot Via dei fori imperiali – werd aangelegd voor de fascistische triomftochten die tussen de fora,

waar de beelden van de keizers voor waren gezet, door konden paraderen. Geen grazende koeien meer, maar de zichtbare resten van het Rijk. Het Rijk dat weer zou herrijzen onder de Duce.

En 's nachts sliep Mussolini in dat ledikant van barok bewerkt Italiaans notenhout, en als hij wakker lag zag hij boven zich tussen de geschilderde draperieën in de vorm van een baldakijn de beeltenis van Psyche die werd meegevoerd door de winden.

Gek om bij dat bed te staan, in die hoge vierkante kamer met uitzicht op het park en een groot terras waar aan de andere kant de slaapkamer van zijn vrouw, *donna* Rachele lag. Hier zal hij wakker hebben gelegen en bedacht hebben dat er bunkers moesten worden gebouwd.

Elsa neemt me mee, de kamers en zalen weer door, de trappen af, en brengt me heel diep onder dit paleis vol feestgedruis in smalle gangen waar niemand meer te bekennen is en waar ook elke versiering is verdwenen. Ze pakt haar sleutelbos en opent een deur. We lopen wéér door een kale lange gang tot we bij een grote metalen deur staan. Ook die opent Elsa.

'Dit is de *bunker antigas*.' Aanvankelijk werd een wijnkelder tussen het theater en de vijver omgebouwd tot antigasbunker. Maar de vijver zou te makkelijk zichtbaar zijn vanuit de lucht en ze zouden bij een eventuele vlucht een stuk door het park moeten afleggen. Daarom werd deze bunker gebouwd, die direct bereikbaar was vanuit de balzaal. Ik kijk rond in de kale ruimtes met metalen bedden, primitieve lampen, een telefoon, een wc en een hoek die bestemd was voor eerste hulp.

'Dit is de ontgiftingsruimte.' Ik kijk naar de grote metalen wasbakken en douches waarmee de overblijfselen van gifgas van de huid konden worden gespoeld.

Toen de luchtaanvallen frequenter werden besloot Mussolini nog een bunker te bouwen waarin ze veilig zouden zijn als de villa zou worden gebombardeerd.

Elsa sluit weer af en we lopen verder door deze onderwereld waar ooit de keukens waren. Nog dieper dalen we af over een steile trap. Weer staan we voor een zware metalen deur. We zijn nu zesenhalve meter onder de grond. Elsa maakt de deur open die toegang geeft tot een cilindervormige ruimte.

'De muren zijn van vier meter dik gewapend beton.'

Ze wijst op de stevige metalen tussenwanden die op enige afstand van elkaar in de cilinder zitten en die een deurvormige opening vrijlaten.

'Voordat die deuren erin werden gezet moest Mussolini vluchten. De mensen uit de buurt hebben deze plek nog wel gebruikt als schuilkelder.'

Verder voert Elsa me door dit labyrint. Een vreemd idee dat op ditzelfde niveau iets verderop de joodse catacomben liggen. Weer gaan we een gang door en weer staan we voor een deur waarvan ze de sleutel heeft.

'Deze wonderlijke plek is ontdekt bij de restauratie,' zegt Elsa terwijl ze de deur opendoet.

We staan in een ronde ruimte met koepelvormig plafond. In de muren zitten nissen en daarboven zijn ze volgeschilderd met allerlei soorten dieren.

'Maar dit lijkt Etruskisch!'

'Dat is ook zo. Dit is een Etruskische tombe, gemaakt op verzoek van prins Torlonia. Toen deze ruimte werd gebouwd waren er net heel veel Etruskische ontdekkingen gedaan. Het Etruskisch Museum in het Vaticaan was kort daarvoor geopend en in Londen waren op een tentoonstelling Etruskische tombes nagebouwd met de complete inhoud erin. Dat was een enorm succes en iedereen sprak erover. Bovendien hadden de Torlonia's net een gebied gekocht bij Cerveteri waar ook heel veel Etruskische schatten werden gevonden. Hoogstwaarschijnlijk is dat de verklaring.

'Was het de bedoeling dat prins Torlonia hier begraven werd?'

Bruiloft van Edda Mussolini en Galeazzo Ciano.
Uiterst links Benito Mussolini

'Waarschijnlijk niet. Het zou kunnen dat dit een ruimte was voor bijeenkomsten van vrijmetselaars. Hij hield ervan om met een select gezelschap om te gaan en om zich uit te drukken in een soort geheimtaal. Daar wijzen ook de hiëroglyfen op.'

We klimmen weer omhoog, waar de muziek intussen nog luider klinkt, de ogen van de mensen nog meer stralen en de wangen dieper gloeien.

Elsa moet nog even terug naar het Uilenhuis. Ik bedank haar heel hartelijk voor haar rondleiding.

'Ik vind het zelf ook altijd weer bijzonder om hier rond te lopen. Doe de groeten aan professor Rutgers als je hem ziet.'

Zodra het kan zal ze me de joodse catacomben laten zien. 'Achter het Uilenhuis komt een museum van de Shoah. Het is de bedoeling dat het op 16 oktober wordt geopend. Dan wordt herdacht hoe op die datum de joden in het Romeinse getto werden opgepakt.'

Tussen de feestelijk geklede mensen door daal ik de trappen af en denk aan de foto die ik zag van een elegant bruidspaar op deze zelfde plek. Edda Mussolini, de dochter van de Duce, en haar bruidegom Galeazzo Ciano. Daarnaast, niet in uniform maar in rokkostuum, zijn schoonvader Mussolini, die hem later ter dood zou laten veroordelen, waarover Ciano's zoon het boek *Quando il nonno fece fucillare papà* schreef. Toen opa papa liet doodschieten.

Terwijl ik terugwandel naar de uitgang fladderen echte vleermuizen boven de namaakruïnes, en even lijkt het of de sfinxen terug zijn die de toegangspoort sierden.

Castel Gandolfo

In de vroege ochtend geef ik de planten water op mijn terras. De bougainville vormt nog steeds een roze krans rond het kerkraam met de heilige familie. De plumbago heeft meer blauwe dan groene blaadjes, de basilicum is een struikgewas geworden en de takken van het citroenboompje buigen door onder de geleidelijk dikker wordende vruchten. Het is zo warm dat er steeds meer tropische planten ontspruiten in de stad, er worden avocado's geoogst, exotische vlinders fladderen rond, de tuinen van het Vaticaan worden opgefleurd door Zuid-Amerikaanse papegaaien en in de Villa Borghese en bij de Via Appia Antica zijn papegaaien uit India neergestreken. Mijn overburen Viviana en Mario zijn met mij de enigen in het palazzo. De andere bewoners zijn verdwenen naar strand, bergen of het koelere Vlaanderen. Hier belooft het weer een zeer warme dag te worden.

Lidy vroeg of ik zin had om mee te gaan naar Castel Gandolfo, waar ze de paus wil filmen tijdens het Angelus. Ze gaat met de auto. Het leek me wel wat, zo'n verkwikkende tocht de heuvels in en ook om de zomerresidentie van de paus nu eindelijk eens in het echt te zien. In en om de Sint-Pieter heb ik al veel meegemaakt.

Ik stond met mijn neus vooraan toen de huidige paus voor het eerst als paus verscheen. Er hing een wonderlijke sfeer in de stad in de tijden voorafgaand aan dat moment. Eerst de spanningen om en speculaties over de gezondheidstoestand van paus Johannes Paulus II. Vervolgens zijn dood. Zelfs de meest verstokte heidenen, en die zijn er ook veel in Rome, hadden het erover. Twee miljoen extra mensen waren plots in de stad om afscheid te nemen. Er stonden kilometers lange rijen voor de Sint-Pieter. Ik besefte dat het een unieke gebeurtenis was en besloot ook afscheid te gaan nemen, samen met die miljoenen anderen, van de paus die bisschop van Rome was zolang ik hier woon.

Omdat kranten en televisie waarschuwden dat er urenlange wachttijden waren stond ik om drie uur 's nachts op straat, in de veronderstelling dat het op dat uur wel mee zou vallen. Het was donker en stil en er waren heel wat mensen op de been die allemaal dezelfde kant op gingen. In de verte straalde de koepel van de Sint-Pieter als een toverlantaarn. De Via della Conciliazione, de brede, door Mussolini aangelegde weg die naar de Basilica voert, was afgesloten en stond vol mensen. Ik werd naar een andere straat geleid, waar ik al snel tot stilstand kwam bij een enorme menigte die vooral bestond uit jongelui. Boven hun hoofden riepen spandoeken *Santo subito!* Meteen heilig! Een vlag met de leeuw van Venetië was versierd met een rouwsluier, ook Corleone, centrum en broedplaats van de maffia, dankte de Heilige Vader. De pelgrims kwamen uit alle hoeken van Italië. Miljoenen Polen waren nog onderweg. Een half uur stilstaan werd afgewisseld met tien meter lopen, maar niemand wond zich op. Er heerste een sfeer van algehele verbroedering rond deze gestorven vaderfiguur.

Na vier uur waren we een hoek om en stonden we aan het begin van een nieuwe met mensen volgepakte straat. 'Hoe lang is het nog?' 'Zeker zes uur,' antwoordde de carabiniere kalm. De mensen reageerden nauwelijks. Alleen twee jonge vrouwen waren bang dat ze te laat op hun werk zouden komen. Brandweerlieden gaven dekens aan verkleumden, overal werden flessen water uitgedeeld.

'Halleluja,' klonk het achter ons, begeleid door een gitaar. 'Halleluja, zeg dat wel,' mompelde een man.

De hemel was langzaam van zwart lichtblauw geworden. 'Op internet wordt een hostie aangeboden die door Johannes Paulus de Grote is geconsacreerd,' zei iemand naast me. 'Zelfs de koks moeten voor het conclaaf een eed afleggen dat ze hun mond houden.'

'Sssst, ik wil nog niet denken aan een nieuwe paus.'

'Die tien stappen van een half uur geleden bevielen me wel,' zei mijn Bolognese buurman droog.

Toen we eindelijk weer een hoek om mochten, stonden we in de felle schijnwerper van de zon en zagen we in de verte de Sint-Pieter. We waren acht uur onderweg en hoorden dat we over het kippeneindje dat ons nog van de stal scheidde zeker vijf uur zouden doen. Overal klonken mobieltjes. Ook het mijne: een sms van de *Protezione Civile*, Bescherming Bevolking, deelde mee dat we beter thuis konden blijven. Op grote schermen aan weerskanten van de weg zagen we beelden van de paus op zijn doodsbed. Ik werd bijna jaloers op hem. Toen volgden beelden van de rouwende mensen op het Sint-Pieterslein vlak na het bericht van zijn dood.

Toen ik na een pelgrimage van veertien uur eindelijk voor de paus stond, flitste door me heen: het is volbracht. En ik dacht aan ons allebei.

Tegen het vallen van de avond was ik thuis.

Ook de periode na de begrafenis bleef er een speciale sfeer hangen in de stad. Na de dood van de paus beginnen de voorbereidingen van het conclaaf, dat vijftien dagen later van start gaat. Dan gaan maximaal honderdtwintig kardinalen van hoogstens tachtig jaar achter slot en grendel, verstoken van telefoon of internet om de nieuwe paus te kiezen. Twee maal per dag verzamelen ze zich in de Sixtijnse kapel voor een stemming. Ik kwam regelmatig langs de etalage van Gamarelli. Daar hingen de drie witte pauselijke gewaden en glansden de rode schoenen.

Iedereen had het erover.

'Ratzinger heeft al veertig stemmen,' hoorde ik een langslopende man zeggen tegen zijn metgezel. Een ander zei: 'Ze moeten maar een Italiaanse paus nemen. Die weet hoe het hier gaat.' Er werd druk gespeculeerd. Twee keer per dag ging ik naar het Sint-Pietersplein om naar de rook te kijken. Dat moment wilde ik niet missen.

Het kan wel weken duren, zeiden ze. Ik was met vrienden naar een tentoonstelling in de Engelenburcht en tegen zessen zei ik dat ik naar de rook wilde kijken. Ze woonden in Rome, maar het gebeuren was hun grotendeels ontgaan en ze wisten zelfs niet van het fenomeen van de rook. Graag gingen ze mee om dat eens te zien. Het plein was volgepakt met mensen die allemaal keken naar dat kleine schoorsteentje.

'Ja!!! Wit!!!... Nee... het is niet wit, het is grijs.' Grote vertwijfeling, sommige mensen liepen alweer weg. En toen toch: 'Ja, wit!'

Er was totale opwinding onder de menigte.

Wie zou het zijn? Nu ging hij zich verkleden. Van rood in wit.

En toen galmde de bekende uitspraak over het Sint-Pietersplein: '*Habemus papam!!*'

Je kunt tegen het instituut zijn, maar deze zeer oude rituelen hebben iets indrukwekkends.

En daar verscheen hij, op het balkon.

'Ratzinger!!' Sommigen verheugd, anderen diep teleurgesteld. Een grote groep maakte het niks uit. Een nieuwe paus is een nieuwe paus. 'Wat een telcurstelling, zo'n conservatief.' Zij hadden gehoopt op iets sensationeels, iets verfrissends, een zwarte paus, een Zuid-Amcrikaanse, een met revolutionaire ideeën. 'Zeg dat niet. Ratzinger moest behoudend zijn in zijn vorige rol van prefect van de Congregatie voor de Geloofsleer, maar wie weet wat er nu gebeurt. Hij gaf Frère Roger, de oecumenische protestant uit Taizé, de heilige communie.' Dat deed hij voor het oog van de wereld tijdens de rouw-dienst van Johannes Paulus II. 'Een conservatieve paus is het meest geschikt om veranderingen voor te bereiden. Dat kan niet plotseling in zo'n oud en log instituut.' Ik had verschillende geluiden gehoord over Ratzinger. Pa-ter Rood zei lang geleden toen ik hem in het Geheim Archief van het Vaticaan hielp met het vertalen van correspondentie tussen Moskou en de Heilige Stoel: 'Geef me een arm, want nu lopen we onder het raam van Ratzinger door, het hoofd van de inquisitie.' Mijn goede en zeer geestige vriend, helaas wijlen Werner Quintens, vertelde een half jaar eerder op een ochtend op mijn terras dat hij de vorige avond had aangeze-ten aan een diner naast Ratzinger, en dat dat een zeer geestige, aardige en slimme man was. Werner zat nog een beetje na te grinniken.

Na alle opwinding op het Sint-Pietersplein wandelde ik te-rug naar huis samen met priester en auteur Antoine Bodar, die in een kerk vlak bij de mijne woont. Hij was blij met de nieuwe paus. Behalve een begaafd theoloog vond hij Ratzin-ger ook een begenadigd schrijver.

Inmiddels heb ik de plek gezien waar de paus terechtkwam onmiddellijk nadat hij gehoord had dat hij de opvolger was van Petrus. Onlangs bracht ik met Lidy een bezoek aan de sacristie van de paus. Een dergelijke ruimte bestaat sinds de vierde eeuw en bevond zich eerst bij de Sint-Jan van Latera-nen maar verhuisde in de vijftiende eeuw naar het Vaticaan.

Lidy had geregeld dat we bij de uitgang van het Vaticaans Museum naar binnen konden en niet hoefden aan te sluiten bij de ellenlange rij. Slingerend, langs klassieke kunstwerken die allemaal ooit ergens in Rome stonden, belandden we in de Sixtijnse kapel.

'Doorlopen, schouders bedekken, niet te hard praten.'

Lidy sprak een van de ordebewakers aan en allervriendelijkst deed hij een koord opzij, maakte een deur open onder *Het Laatste Oordeel* van Michelangelo en gebaarde ons naar binnen te gaan.

Daar kwam een andere man ons tegemoet, een oude bekende van Lidy, Leonardo Marra. Een keurige verschijning, geheel in het zwart, met op zijn revers twee gouden speldjes met de sleutels van Petrus. Hij begroette ons hartelijk. Lidy gaf hem een pak stroopwafels voor zijn kinderen.

We stonden in het huilkamertje.

Een eenvoudige ruimte met een tafeltje en een rode chaise longue op een stenen vloer. Fragmenten van oude fresco's op de verder blanke muren. In deze ruimte komt de kardinaal terecht die net gehoord heeft dat hij paus is geworden. Hier kan hij bijkomen, hier kan hij huilen. Het is zo'n grote emotie, soms na dagen of weken van spanning, dat dat menigmaal is gebeurd. Van Pius ix wordt verteld dat hij niet alleen in huilen uitbarstte maar ook flauwviel. Hier hangen de pauselijke gewaden. Hier wordt hij gekleed om even later de menigte die buiten staat de zegen te geven.

'Ratzinger had een te kleine gekozen, hè?' zei Lidy.

Leonardo Marra glimlachte en zei dat dat inderdaad zo was. Het gebruik om drie maten klaar te hangen is ontstaan nadat Johannes xxiii niet in het pauselijk gewaad bleek te passen en dat aan de achterkant opengeknipt moest worden.

In deze ruimte kiest de paus zijn naam.

We volgden Leonardo Marra de stenen trap op en kwamen in een rechthoekige ruimte waar langs alle wanden negentiende-eeuwse houten kasten stonden. Hij trok een kast open, liet een prachtig gewaad zien, met bloemmotieven in schitterende kleuren. Die werd gedragen door de diaken van Urbanus viii. Een andere kast trok hij open en met een waardig en tegelijk zwierig gebaar haalde hij een volgende tevoorschijn. Een goudkleurige, voor Pius xi gemaakt in 1926, ter gelegenheid van zevenhonderd jaar Sint-Franciscus. Het hele leven van Franciscus is erop geborduurd, maar ook de franciscaner monniken die vermoord zijn om hun geloof. Langs de randen kun je de gezichten zien, allemaal anders, met de namen eronder. Zeer verfijnd, de gezichten lijken wel geschilderd. Nog een prachtige liet hij zien, met een schildering van Rafaël erop, geborduurd door zestien weeskinderen.

'Deze misgewaden horen bij de weinige die ontsnapt zijn aan de vernietiging door Napoleon,' zei Marra op rustige toon. 'Hij heeft alles op een hoop gegooid en in brand gestoken. Ze zeggen dat het twee dagen heeft gebrand.'

'En deze.'

Ik herkende hem meteen. Dat was de toog die Johannes Paulus ii droeg bij de opening van het Jubeljaar. Metallic glanzend paars, zilver, rood. Er is veel om te doen geweest, de kranten stonden ervan vol. Men vond het te modern, met die synthetische stof, materiaal voor popsterren.

'Inderdaad heel modern,' zei Marra. 'Maar ook vol betekenis. Een poort met twee rode strepen. We gaan door die poort heen, door het bloed van Christus.'

In een andere ruimte stonden een heleboel tiara's op een rij. Een cadeautje van de koningin van Spanje aan Pius ix. Een spectaculaire vol kleurige stenen uit Nederland. Een heel oude die twee keer begraven is geweest tijdens een burgeroorlog en waarvan de stenen namaak zijn omdat de echte tijdens de Tweede Wereldoorlog verkocht zijn om joodse gevangenen vrij te krijgen. Alleen de smaragd is echt, die had Julius ii gekregen vlak na de ontdekking van Amerika. Deze tiara was door Napoleon meegenomen. Toen de paus werd uitgenodigd naar Parijs om bij de kroning van Napoleon te zijn, leek dat op een verzoening en de paus dacht dat hij de kronen op de hoofden zou zetten, maar Napoleon en zijn vrouw deden het zelf. Vervolgens kreeg hij de tiara ten geschenke, zijn rechtmatig eigendom. Napoleon wilde duidelijk maken dat hij boven de geestelijke macht stond. Paulus vi schafte de tiara af.

Kasten vol mijters volgden. De mijter van Pius IX, met de Onbevlekte Ontvangenis erop geborduurd, het dogma dat hij heeft ingesteld. De mijter die Pius XI kreeg van Mussolini bij het Verdrag van Lateranen. Dan een kast vol halskettingen met kruisen. Ratzinger, inmiddels Benedictus XVI, heeft er twee. Een voor feesten en missen en een voor het gewone leven. Onlangs zag ik op de televisie hoe een kindje op de arm van zijn moeder volledig gebiologeerd was door dat kruis, zijn handje uitstrekte, het pakte en probeerde het in zijn mond te stoppen. De paus lachte.

De pallius. Een soort sjerp die om de schouders hangt. Benedictus wilde een bredere pallius zodat het nog duidelijker het lam symboliseerde over de schouders van de herder. 'Ze zijn gemaakt van de wol van lammetjes die eerst door de paus zijn gezegend. Met Pasen worden de pallii gegeven aan de aartsbisschoppen.' Erbij lagen de gouden spelden die op de pallius worden geprikt in de vorm van de spijkers waarmee Christus aan het kruis werd genageld. Een hele reeks staven, niet voor niks *pastorale* genoemd, van pastor, herder.

Een vitrine vol ringen. Lange tijd waren ring en stempel gescheiden van elkaar. Benedictus heeft weer een stempelring met de vissende Petrus erop om zijn vinger, zoals in zeer oude tijden gebruikelijk was.

Kasten vol misgerei, uit de Middeleeuwen, Renaissance, maar ook moderne. Een cadeau van Carlo Azeglio Ciampi, voormalig president van Italië, een misbeker gekregen van Nelson Mandela. Een andere miskelk vol diamanten, gemaakt van het met diamanten bestrooide zadel en de teugels die Pius IX kreeg van de Emiraten. Een reisset met misgerei dat de vorige paus cadeau kreeg toen hij de mis celebreerde in de Ferrarifabriek. Miskelk en pateen, de hostieschotel, zijn gemaakt uit één stuk titanium. Op alle voorwerpen staat het steigerende Ferraripaard.

Een gouden roos die geschonken werd aan heiligdommen of katholieke koninginnen.

Attributen voor het ritueel van de heilige deur. Tegels, troffels van goud, zilver, ouder en minder oud.

Ik vroeg wat er onder die rode doek zat. Dat bleek de oudste beeltenis van Christus te zijn, uit Odessa. Er mocht geen licht bij komen. In de buurt van die schildering waren wonderen gebeurd.

In een volgende ruimte zagen we de gewaden voor de nieuwe paus, die te groot of te klein waren, de rode schoenen.

'Niet van Prada, zoals de bladen schreven,' zei Marra. 'Van een schoenmaker hier uit de buurt, een handwerksman.'

In het blad *Esquire* stond onlangs dat de paus bij de honderd best geklede mannen ter wereld hoorde. Er stond een foto bij die was ingezoomd op zijn rode schoenen onder de zoom van zijn witte kleed terwijl hij een trap afdaalde.

Attributen voor het conclaaf. De hulpmiddelen waarmee de rook werd gemaakt, de zwarte en de witte.

'De laatste keer was het niet meteen duidelijk of het zwarte of witte rook was,' zei ik.

'Ja, er ging iets mis. Het deurtje van het kacheltje ging niet dicht waardoor er enorme rook in de Sixtijnse kapel ontstond.'

We zagen ook het met een rood kleed overdekte tafeltje dat elke kardinaal voor zich had, met daarop een mooie map. *Ordo rituum.* Marra sloeg hem open. Daar stonden alle namen van de kardinalen op een rijtje. Nummer één was Ratzinger. Ook de naam van Simonis las ik.

'En hierin werden de briefjes met de stemmen gedeponeerd.'

Uit die zilveren schaal in de vorm van een ruimteschip kwam Benedictus XVI tevoorschijn.

De bel. De auto staat voor.

Lidy en ik rijden door een verlaten Rome en over een stille Via Appia richting Castelli Romani.

In de verte zien we de Albaanse heuvels al liggen, met Velletri, waar keizer Augustus vandaan kwam, Grottaferrata, met het beroemde klooster dat gebouwd is op de villa van Cicero. Rocca di papa, dat van 1855 tot 1955 een onafhankelijke republiek is geweest.

Men vermoedt dat Castel Gandolfo verrezen is op de plek waar ooit Alba Longa lag, de stad die in 1152 voor Christus werd gesticht door de zoon van Aeneas, Ascanius, die ook wel Julus werd genoemd en stamvader werd van de familie der Julii. Julius Caesar beroemde zich erop van hem af te stammen en zo dus ook van de godin Aphrodite, die immers de moeder was van Aeneas. Sinds 1608 is Castel Gandolfo bezit van de Heilige Stoel.

Niet alleen de rijke families en gewone burgers zochten verkoeling en rust in die heuvels, het werd ook de vaste zomerresidentie van de paus.

Elke zondag om twaalf uur houdt de paus een heel korte preek op de binnenhof van zijn buitenverblijf. Alleen op de woensdagen gaat hij even terug naar Rome voor de woensdagaudiëntie.

Lidy parkeert de auto wat lager op de heuvel en dan gaan we te voet verder omhoog naar de grote poort. Achter openstaande ramen in een ronde toren staan mannen in uniform de boel van bovenaf in de gaten te houden. Ook bij de poort staan mannen in blauwe uniformen, die even in onze tassen willen kijken. Ze hebben een speldje op met het wapen van het Vaticaan.

'Is het druk?'

'Minder druk dan bij de vorige paus, dan was het op dit uur al propvol.'

'Maar op het Sint-Pietersplein is het drukker,' zegt Lidy.

'Nee, ook minder druk.'

'Zij komt er vaak,' zeg ik.

'Ik werk er al twintig jaar, en ik heb mijn vader opgevolgd.' We komen op een mooi dorpsplein met gezellige terrassen waar nog bijna niemand zit. Het is inmiddels al behoorlijk warm geworden. Voor de poort van het imposante palazzo waarin twee kleurige Zwitsers prijken, staat al een rij mensen tussen houten dranghekken. Door een straatje zien we het meer van Albano glanzen in de ochtendzon.

We nemen een kopje koffie op het terras. De mensen die staan te wachten, twee uur voordat ze erin mogen, heffen een religieus lied aan.

'*Santo Dio*, beginnen ze nu al,' bromt een man aan het tafeltje achter ons. Hij dacht rustig de krant te kunnen lezen, de *Repubblica*, een anticleruskrant.

'Sommige mensen weten geen maat te houden.' Hij vertelt dat het hier door de week heel rustig is.

Lidy filmt de mensen die in de rij staan. Ik loop de kerk in aan de overkant van het plein. Daar moeten kunstwerken van Bernini en Pietro da Cortona te zien zijn. Het is er erg vol want er wordt een mis gecelebreerd, maar over de hoofden van de mensen heen zie ik boven het altaar een gekruisigde Christus van Da Cortona.

Ik ga weer naar Lidy. Ze wil nog even de mensen die aankomen filmen, dus we moeten weer onder de poort door en langs de tassencontrole.

In een zijstraatje, op een heel klein pleintje, staat een bus van de Televisione Vaticana. In de muur naast de bus zit een klein nisje van waaruit Maria alles rustig gadeslaat.

Steeds meer mensen komen met verwachtingsvolle blikken aangewandeld over de oplopende straat. Lidy heeft haar camera neergezet en houdt af en toe iemand aan om te vragen waar hij of zij vandaan komt. Dat blijkt uit alle hoeken van Italië te zijn, maar ook veel van daarbuiten.

Een man in een blauw pak vraagt waar die filmopnames voor zijn. Ik leg uit dat Lidy een filmpje maakt voor de website van de Nederlandse televisie en vraag wat zijn rol is.

'Gianni, hoofd van het vervoer.'

'Van de paus?'

'Soms, maar nu vooral van het gevolg, personeel, gasten die van Rome naar Castel Gandolfo heen en weer moeten.'

Er komt een wit busje aangereden met de afbeelding van een Zwitserse gardist boven de ruit.

Gianni zwaait. Lidy ook.

'Dat is de commandant van de Zwitserse wacht.'

Lidy had laatst een interview met een Zwitserse wacht die Nederlands spreekt. Toen ze onlangs weer in het Vaticaan was zei een andere Zwitserse gardist: 'Prettige dag verder.' Lidy vroeg verbaasd of hij ook Nederlands bloed had. 'Nee, ik loop de Vierdaagse.' Twee dagen geleden was er een derde Zwitser die zei: 'Hallo, goedenavond.' Nee, hij had verder geen banden met Nederland maar hij sliep met die andere twee op de kamer.

De persoonlijke garde van de paus bestaat uit Zwitsers, maar de lijfwachten van de eerste keizers kwamen uit de Betuwe. De *Batavi* waren beroemd om hun lengte, hun kracht, hun schoonheid en hun talent om te paard in volle wapenrusting rivieren over te zwemmen. Als buitenlanders waren ze bovendien minder gevoelig voor politieke stromingen in Rome. Onlangs liep ik door de resten van hun kazerne onder de Sint-Jan van Lateranen.

Lidy praat met Spanjaarden, Duitsers, Amerikanen en ook met twee Nederlanders. Sommige mensen dragen т-shirts met de foto van de paus erop, anderen hebben een spandoek bij zich.

Gianni werkt al twintig jaar voor het Vaticaan en kent iedereen. Hij kent ook de paus goed. Als jongetje ging hij naar de kerk van Santa Maria Consolatrice, de kerk waar Ratzinger bij hoorde als kardinaal. 'Moeder Teresa is er ook op bezoek geweest, ik wist niet dat ze zo klein was. Ratzinger heeft een keer een groep uitgenodigd naar Duitsland. Ik mocht ook mee. We hebben met ons allen muziek gemaakt, ook met zijn broer.'

Toen Ratzinger tot paus was gekozen was de Santa Maria Consolatrice de eerste parochie waar hij een bezoek bracht. Een man in een zwart pak met wit boordje wordt hartelijk door hem begroet. 'Dat is Scotti. Hoofd van de Vaticaanse uitgeverij en drukkerij.'

'O, daar heb je Caso,' zegt Lidy. Ze zwaaien. 'Hoofd van het Inspectoraat.'

Dat is de politie van de Italiaanse Staat die belast is met de bescherming van de paus buiten Vaticaanstad. Op Vaticaans grondgebied wordt de paus beschermd door de gendarmerie van het Vaticaan en de Zwitserse garde. De mensen van het Inspectoraat waken over het Sint-Pietersplein, controleren bijvoorbeeld de tassen voordat je de basilica in gaat, maar zodra de paus op het Sint-Pietersplein verschijnt, trekken zij zich terug naar de rand en maken plaats voor de gendarmerie en de Zwitserse garde.

'Kijk, daar heb je de *assistenti del papa*. Drie vriendelijk ogende mannen lopen voorbij, één in een zwart, de tweede in een blauw en de derde in een roze overhemd. Zij staan om de paus heen, houden mensen die hem begroeten in de gaten en als dat nodig is ook mensen op afstand. Een andere naam voor hen is *sediarii*, dat dateert uit de tijd dat de paus in een draagstoel zat. Zij droegen ook de kist van Johannes Paulus II. Bij die gelegenheid waren ze gehuld in paars.

'Moet hij nu heen en weer worden gereden naar Rome voor de woensdagaudiëntie?'

'Meestal gaat hij per helikopter.'

Lidy heeft voor ons beiden een pasje van het Vaticaan gere-geld, dus wij mogen straks als eersten naar binnen. De klok-ken gaan beieren. Het is elf uur en de rij wachtenden is heel lang geworden. Er staan ook mensen van de pers te wachten. Lidy kent het hoofd van de *Communicazioni sociali*. Hij geeft een teken dat we naar binnen mogen.

We komen op een vierkante binnenhof, tussen lichtgele muren met ramen waarvan de luiken gesloten zijn. Bij de ver-schillende deuren op de begane grond staan Zwitserse gar-disten. Boven onze hoofden hangt een plafond van brede ba-nen zeildoek. Zo beschermden ze de antieke Romeinen in de theaters ook tegen de zon. Door spleten tussen die banen valt hier en daar een straal licht naar binnen en doet een pluim van een Zwitserse gardist extra rood opvlammen.

Er zijn geen stoelen. Wij mogen op een verhoging gaan staan pal tegenover een klein balkon waar een rode doek voor hangt met het pauselijke wapen erop. De nieuwe paus kiest zelf zijn naam, maar ook zijn wapen. Benedictus xvi koos een moor en een beer. 'Het hoofd van de Ethiopiër' maakt sinds de Middeleeuwen deel uit van het wapen van Freising, waar Ratzinger theologie studeerde, en bleef onderdeel van het wapen van de bisschop van Freising en München, een func-tie die Ratzinger bekleedde van 1977 tot 1982. De beer met het pakket op zijn rug verwijst ook naar Ratzingers Beierse verleden. Van de heilige Corbianus, de eerste bisschop van Freising, wordt verteld dat op een van zijn reizen een beer zijn ezel doodde, waarna de beer de bagage op zijn rug nam. Ver-der nam de nieuwe paus de sint-jakobsschelp op als symbool voor pelgrimage en mysterie en verving hij de tiara door een mijter.

Achter de geopende deuren van het balkon is een schilde-ring te zien van Christus. Hij heeft iets in zijn omhooggesto-ken hand. Ik kan het niet goed zien en vraag aan de journalist van de Rai die naast me staat of hij kan zien wat Christus in zijn hand heeft. '*Momento.*' Met zijn kolossale lens zoomt hij in op de hand van Christus. 'Een olijftak.'

Even later stromen de mensen binnen. Er is ook een muziekband bij, gehuld in Duitse klederdracht, met grote glanzende blaasinstrumenten. Op een scherm zijn beelden te zien van een verlaten Sint-Pietersplein.

'Fantastisch,' zegt de man naast me. 'Ik heb een optocht meegemaakt in Duitsland, die vrouwen met die boezems in witte blouses en dan bloemen erin.' Hij maakt een welvende beweging met zijn handen over zijn borst om hun weelderigheid aan te geven. 'En dan bloemen, geweldig! Waar komen jullie vandaan? Nederland, daar zijn ze veel serieuzer dan hier. Hier is geen leiding. Wie geeft de leiding hier? Allemaal. Wie het eerste opstaat, heeft de leiding. Dat verandert nooit. Alles is ingestort. Hier is het vol maar de kerken zijn leeg.'

Het orkest barst los, uitbundige, vrolijke muziek. De mensen klappen, zingen mee. Het is nu tjokvol. Door de poort zien we dat het dorpsplein ook helemaal vol staat. Als het nummer voorbij is roepen de mensen scanderend: 'Be-ne-det-to!' Klappen, en weer 'Be-ne-det-to!'

Ze zwaaien met vlaggen, Duitse, Franse, Spaanse, Poolse, Vaticaanse. Op het grote scherm wordt ingezoomd op het wapen van de paus. Boven het balkon tikt de klok verder. Vijf minuten voor twaalf, vier, drie, twee. Duitse *Pünktlichkeit*? Twaalf uur. Ja, daar verschijnt hij, in het wit. Achter hem even de gedaante van een man in het zwart. Zijn secretaris, de mooiste priester van het Vaticaan, zeggen ze.

Er wordt gezwaaid met vlaggen, borden met wensen in vele talen omhoog geheven. Een daverend applaus barst los, gejuich. 'Be-ne-det-to!!' Alsof hij een popster is. Het past eigenlijk niet bij deze oude intellectueel, maar hij speelt zijn rol goed. Hij maakt langzame gebaren met zijn armen die tegelijk groet en dank lijken uit te drukken.

Mensen blijven roepen en klappen.

'*Cari fratelli e sorelle.*' Hij spreekt Italiaans met een Duits accent en zegt dat we ons deze week voorbereiden op het grote feest van Maria-Hemelvaart. We zijn gericht op de toekomst, op de vreugde van het paradijs waarheen Maria ons al is voorgegaan. Door het evangelie worden we uitgenodigd ons hart niet te verliezen aan materiële zaken, maar onze talenten en tijd in dienst te stellen van de medemens. We moeten wakker blijven zoals de bedienden wakker blijven die hun meester verwachten. De aarde is slechts een doorgangsoord. Hij citeert de brief aan de Hebreeën waarin we Abraham zien als pelgrim, als nomade die in een tent leeft en zich laat leiden door zijn geloof, op weg naar een land dat hij zal erven. Zijn echte doel is de stad met een stevig fundament, waarvan de architect en bouwer God zelf is. Het paradijs.

Ook de eerste christenen voelden zich vreemdelingen hier op aarde en ze noemden hun groepen in de stad parochie, van *paroikoi*, wat kolonie van vreemdelingen betekent. Zo werd het wezenlijke uitgedrukt van de kerk: het gericht zijn op de wereld die komt. We worden uitgenodigd ons leven met wijsheid te leven en dat in het licht te zien van de laatste werkelijkheden: de dood, het laatste oordeel, de eeuwigheid, de hel en het paradijs.

'We vragen of de maagd Maria die vanuit de hemel over ons waakt, ons helpt om niet te vergeten dat we hier maar tijdelijk zijn en ons leert om ons voor te bereiden op de ontmoeting met Jezus die "zit aan de rechterhand van God de Almachtige Vader vanwaar hij komen zal om te oordelen de levenden en de doden".'

Dan heet hij de Franse pelgrims welkom in het Frans. Gejuich stijgt op en borden met Franse teksten gaan omhoog. Het ritueel herhaalt zich in het Engels. Vervolgens in het Duits en in die taal heet hij ook de blaaskapel uit Neukirchen am Inn welkom. Zelf is hij geboren in Marktl am Inn. Dan volgt een welkom in het Spaans, het Pools en ten slotte in het

Italiaans. In de verschillende talen dankt hij de mensen voor hun aanwezigheid en wenst hun een prettige zondag: '*A tutti una buona domenica.*' De blaaskapel begint te spelen. De paus lijkt ontroerd. Hij zingt mee. Ook ik herken de melodie uit mijn jeugd.

Vijfentwintig minuten later stroomt iedereen met een tevreden uitstraling weer naar buiten, het plein op, dat helemaal vol staat met mensen. Aan deze kant van het paleis heeft de paus zich ook even laten zien.

We gaan een plek zoeken om wat te eten, lopen over het drukke plein, door een zijstraat en daar zien we een tafeltje staan voor twee personen alsof het voor ons is neergezet, met uitzicht over het meer. Ja, het is vrij, we mogen daar gaan zitten. We kijken naar de zeilbootjes die over het water glijden en naar de stranden die zijn bezaaid met zonaanbidders. Iets verderop liggen de resten van de villa van keizer Domitianus. Ook het luchthaventje voor de helikopter ligt daar en de boerderij van het Vaticaan waar de appeltjes voor de paus vandaan komen, de groenten en ook de melk van de Friese koeien die daar grazen.

Onlangs had ik een diner bij een vriendin, een Napolitaanse rechter. De conversatie van het gezelschap werd pas echt geanimeerd toen de eerste hap van de kip was genomen. 'Die smaakt als dertig jaar geleden,' riepen de oudste gasten geestdriftig. De malse beestjes waren gekocht in de supermarkt van het Vaticaan, waar mijn vriendin binnendringt met een pasje dat ze heeft gekregen van haar oom die bisschop is. De kippen waren opgegroeid op 'De boerderij van het Vaticaan'. Ook de romige yoghurt kwam daarvandaan.

Lidy heeft al een afspraak met Petrillo, het hoofd van de pauselijke villa's en van de boerderij om te praten over filmopnames voor de KRO, die een reeks televisieprogramma's wijdt aan het Vaticaan.

Intussen bestellen we een *caprese* en *pasta alle vongole*. En wijn van deze streek natuurlijk.

'Ik heb trouwens voor vanavond met Stijn en Bart gereserveerd bij het Pantheon,' zegt Lidy. Stijn Fens, de regisseur en presentator, en cameraman Bart Ruys zijn gisteren gearriveerd voor een paar dagen en maken vanmiddag wat opnames waar Lidy niet bij hoefde te zijn. Lidy organiseert alles, legt de contacten en maakt de afspraken.

'Ik heb al een afspraak geregeld om te filmen hoe de kerstboom wordt omgezaagd die op het Sint-Pietersplein komt te staan,' zegt Lidy terwijl ik haar glas vol schenk met gekoelde witte wijn van de Castelli Romani.

Al jaren van tevoren zijn er contracten afgesloten met de verschillende gemeenten om de kerstboom te leveren. Elk jaar valt een ander dorp of stad die eer ten deel.

'We moeten sneeuwpakken en sneeuwschoenen aan,' zegt ze terwijl we onze dunne jasjes uittrekken waarmee we in de buurt van de paus kuis onze schouders hadden bedekt.

'De kerstboom wordt op een kolossale aanhangwagen vervoerd en moet vanwege die uitzonderlijke lengte vóór zes uur 's ochtends in Rome zijn, anders mag hij de stad niet in. Vorig jaar was hij te laat. Toen stonden we daar met een stel journalisten op 10 december om zes uur te kleumen en konden we weer naar huis. De burgemeester van de betreffende gemeente komt altijd mee, samen met de boswachters. Na afloop van de feestelijkheden worden burgemeester en boswachters ontvangen door de paus.'

Dit jaar gaan ze ook filmen hoe het mos wordt gestoken dat gebruikt wordt voor de kerststal. In een voorgesprek had Stijn de burgemeester van het mos gevraagd of hij het niet erg vond dat altijd alle aandacht naar de boom ging. Daarop had hij rustig geantwoord: 'Ach, mos is nederig, maar wel heel belangrijk. Anders lig het kerstkind op de koude grond.' Ook de burgemeester van het mos zal na afloop worden ontvangen door de paus.

Lidy lacht. 'Een paar dagen geleden zag ik een journalist van Reuters die er vorig jaar ook bij was om de kerstboom op te wachten. Hij vroeg waar ik mee bezig was. Ik vertelde dat ik een afspraak aan het regelen was om het steken van het mos te filmen. 'Hou alsjeblieft je mond,' zei hij, 'anders sturen ze me daar ook nog heen. Dat wordt me al te dol.'

'Heb je dat boek al gelezen over de poes van de paus?'

Nee, Lidy heeft wel de aankondiging gezien. *Joseph en Chico* heet het. Het is een kinderboek. Op het omslag zie je een poes die ons aankijkt over een in het wit gehulde schouder onder witte haren. Benedictus xvi is een groot poezenliefhebber. De kat Chico vertelt het verhaal van zijn vriendschap met de paus en de secretaris van de paus heeft er een voorwoord in geschreven.

Als we over het plein teruglopen worden we geroepen door twee dames.

Ze nodigen ons uit om even te komen zitten en vragen waar Lidy voor filmt.

De ene dame ziet er uit als een vriendelijke oma, een beetje tuttig gekleed, de andere is van dezelfde leeftijd, halverwege de zestig, maar uiterst elegant, in een zwarte jurk met grote witte stippen en een witte ceintuur. Haar haren opgestoken, zorgvuldig opgemaakt.

'U hebt me eerder geïnterviewd,' zegt de oma-achtige vrouw. 'Over de uitspraken van de paus in Regensburg.'

Lidy kijkt wat glazig en vertoont zeker geen schok van herkenning.

Tegen mij zegt ze in het Nederlands: 'Ik heb haar nooit eerder gezien.'

'Wat geweldig dat jullie de paus filmen, zijn boodschap uitzenden.'

Zij komen hier elke week. Daarna gaan ze zwemmen.

'Sinds wanneer?' vraag ik aan de elegante dame.

'Sinds deze paus.'

'Hoe komt dat?'

'Omdat ik verliefd op hem ben.'

Ze zegt het heel ernstig.

'Verliefd op de paus?'

'Ja, vanaf het moment dat ik hem zag. Op het balkon, toen hij gekozen was. Ik had het niet met de vorige paus. Die was misschien mooier, groot, sterk. Maar deze, ja, hoe hij praat, beweegt, hoe hij lacht, wat hij zegt. Ik wil hem graag ontmoeten. Weet u misschien hoe dat kan?'

Ze heeft contact opgenomen met Padre Lombardi, hoofd van de pers, radio en televisie van het Vaticaan. Eerst zei hij dat het misschien zou lukken, maar het ging toch niet door.

Ze is heel bruin, heeft een knap gezicht. Oorbellen en een grote zonnebril met flonkers in het montuur.

De andere dame klaagt tegen Lidy dat ze niet de kans krijgt 'de boodschap' door te vertellen. 'Ik wil zo graag helpen, ook gratis. Ik wil me dienstbaar maken in het Vaticaan. Bij de televisie.'

Lidy en ik kijken elkaar even aan.

'We moeten helaas door.'

'Ik ken haar helemaal niet.'

Er zijn waarschijnlijk hordes van dit soort vrouwen, betoverd door het beeld van de vaderfiguur, de macht, de grandeur, de tedere woorden van liefde en begrip. En die prachtige kleren.

Daar zijn de *assistenti del papa* oftewel de *sediarii* dus voor, om te voorkomen dat dit soort figuren zich om de hals of aan de voeten van de paus werpt.

's Avonds treffen we elkaar in een van onze stamtenten, naast het Pantheon.

Stijn en Bart hebben weer van alles meegemaakt. Ook zij

houden nooit op zich te verbazen over de wondere wereld van Rome en het Vaticaan. Ze hebben het Museum van de Criminaliteit bezocht in de Via Gonfalone. En vanmiddag waren ze rondgeleid, vertelt Stijn, door een priester die plechtig riep: 'En nu zal ik u de *vagine di San Pietro* laten zien.' Stijn is een meester in het imiteren van mensen, wat zijn verslagen nog spannender maakt.

'De vagina's van de Sint-Pieter? Je maakt een grapje?'

'Nee, écht, onder aan de beroemde Berninizuilen van het hoofdaltaar zie je vaginavormige figuren.' De priester had ook gewezen op de sokkels, waar het gezicht van de nicht van paus Urbanus VIII tijdens het baren te zien is. Op de verschillende sokkels zie je hoe de weeën steeds heviger worden. '"Ze baart als het ware de Sint-Pieter," legde de priester uit.'

Een van de interpretaties van dit wonderlijke detail is dat Bernini erg verliefd was op die nicht en zij op hem, maar dat de paus hem van te lage komaf vond om een waardige echtgenoot te zijn voor zijn nichtje uit de machtige familie Barberini. Er werd wel een kind geboren uit die verboden verbintenis en de geboorte daarvan zou Bernini zonder dat de paus het wist hebben verbeeld tussen het wapen van de Barberini's en de sleutels van Petrus.

Wij doen verslag van ons bezoek aan de paus.

'Wist je dat er nog een paus is?' zegt Bart.

Weer denk ik dat dit een grap is.

'Ik heb een documentaire over hem gemaakt. Pope Michael. Hij woont in Kansas en zegt dat hij de echte paus is.'

Aan het eind van de avond, die altijd wordt afgesloten met de taart van het huis, laat Bart me de documentaire zien. Hij zet zijn laptop op een muurtje voor het Pantheon. Onder de enorme zuilen zie ik een weids Amerikaans landschap met een bordje *Vatican in exile*, dat wijst naar een eenvoudig blauwkleurig huis. In de tuin staan irissen en een Mariabeeld. En dan verschijnt de paus in de deuropening, gehuld in het wit, een wit kalotje op het hoofd. '*Hello, I am pope* Michael,' zegt hij vriendelijk. Hij is halverwege de veertig, niet groot, heeft donker haar en een aardig gezicht. Hij toont het huis waar hij met zijn moeder woont, de kapel en de kamer met zijn computer, waar hij ook via het internet zijn boodschap uitdraagt. In 1990 is hij tot paus gekozen door een echt conclaaf waaraan zes mensen deelnamen, onder wie zijn vader en moeder. Sinds 1958 is er geen rechtmatige paus meer geweest in Rome. De hervormingen van het Tweede Vaticaans Concilie aan het begin van de jaren zestig worden door hem en zijn honderd volgelingen die zich over de hele wereld bevinden verworpen.

Er is nog een reeks mensen op verschillende plekken van de aardbol die zich hebben laten uitroepen tot de enige echte paus. Hij glimlacht, maar weet zeker dat hij de allerrechtste is.

'Rome beschouw ik als mijn thuis,' zegt hij en voegt er met een lachje aan toe: 'Maar ik denk niet dat ik daarheen ga voordat Benedictus XVI mijn appartement heeft verlaten.'

Ferragosto

Het is nog aangenaam koel op mijn terras. In deze dagen sta ik om zes uur op voordat de helse hitte losbarst. Ook Viviana is altijd vroeg. Vanochtend werd ik weer gewekt door de koffiegeur die via mijn openstaande deuren vanuit haar keukenraam naar binnen dringt. Nu geeft ze de planten water op haar balkon. Als ze me ziet zwaait ze, houdt een vinger voor haar mond en even later gaat mijn telefoon.

'*Buon ferragosto*,' zegt ze. Mario slaapt nog, daarom via deze weg.

Dat wens ik haar ook toe. Ik vertel dat er in Nederland gewoon wordt gewerkt.

'Daar is Maria minder aanwezig.'

Ze zegt: 'Toen ik mijn moeder een bezoek bracht bij de nonnen en ik hun *buon ferragosto* wenste, corrigeerden ze me met opgestoken wijsvinger: "*Non, buona festa di Maria!*"'

Op 15 augustus ligt in Rome alles stil. Maria-Hemelvaart is hier net zo'n feestdag als Kerst. En ook dit feest heeft een link met het heidendom. In antieke tijden werden er in die maand, die toen *sextilis* heette, feesten gevierd die te maken hadden met het einde van het werk op het land. Alles draaide bij de feesten om vruchtbaarheid en moederschap. Aan het begin van de keizertijd werden deze feesten gevierd ter ere van keizer Augustus, die net als Julius Caesar een maand naar zich genoemd wilde hebben en die mocht natuurlijk niet minder dagen hebben. Ons woord 'oogst' is van 'Augustus' afgeleid. De festiviteiten werden *Augustali* of *Feriae Augusti* genoemd, waar *Ferragosto* van werd gemaakt. Ook dit heidense feest zat zo diep verankerd dat de kerk al in de zesde eeuw besloot het te kerstenen. Tegenwoordig wordt vooral de zon aanbeden. Veel mensen trekken naar het strand, en ook eindeloos tafelen en dansen hoort erbij.

Ik zal de dag in stijl doorbrengen. Straks een lunch op de Piazza Augusto Imperatore en een bezoek aan de Ara Pacis, het Altaar van de Vrede. Vanavond zal ik eindelijk het altijd gesloten mausoleum van Augustus binnengaan en daarna naar een concert bij het theater van Marcellus, het theater dat Augustus liet bouwen voor zijn neef.

Maar eerst ga ik Maria's Tenhemelopneming vieren in de San Luca e Martina. De kerk van de kunstenaars.

Er is niemand op straat op dit vroege uur. Alleen een meisje rekt zich uit bij het Kattenforum. Ik loop langs de resten van de tempel waar het graan werd uitgedeeld. Hoog boven de huizen zie ik een van de vierspannen op het Vittoriano.

Tussen de Egyptische leeuwen door ga ik de trap op naar het Capitool, waar nog geen mens is te zien. Dat is de betovering van de vroege uren. Er klinkt ook geen enkel geluid van verkeer. De deuren van de Santa Maria in Aracoeli, de Heilige Maria op het hemelaltaar, boven aan die enorme andere trap staan open. Daar wil ik ook wel eens naar binnen, maar nu loop ik door. Achter het Capitool blijf ik staan om uit te kijken over het Forum. Het is er volledig stil, de ochtendzon is al sterk. Vanuit de verte lijkt het of de deur van de San Luca e Martina gesloten is. Ik daal af. Nee, hij staat op een kier. Ik duw tegen de deur en ben totaal verrast.

Dit is de kerk van de kunstenaars.

De kerk is volgebouwd met stellages en een groot gedeelte is afgedekt met plastic. Midden in de kerk staat een houten tafel vol flessen en glazen, met stoelen eromheen, waarvan een enkele is omgevallen, alsof de Bentveughels hier langs zijn geweest en net zijn opgestaan om hun roes uit te slapen. Dat waren leden van de Vlaams-Nederlandse schildersclub die in

Augustus

1623 in Rome werd opgericht, die niet alleen goed konden schilderen maar ook zo goed fuiven dat de 'bent' in 1720 door de paus werd ontbonden. Ik zie niemand, trek me eerbiedig terug en ga het Forum op, waar geen mens is te zien. Tot mijn verrassing staan de deuren van de curie wagenwijd open. Nog nooit heb ik daar naar binnen gekeken. Op school begon ik mijn dag vaak met het ontcijferen van teksten die daar ooit werden uitgesproken of te maken hadden met wat er in die ruimte gebeurde. Meerdere senaatsgebouwen zijn in vlammen opgegaan, maar dit gebouw, dat aan het eind van de derde eeuw werd neergezet door keizer Diocletianus op dezelfde plek en min of meer in dezelfde gedaante als het eerste bouwwerk, heeft de eeuwen getrotseerd omdat het al vroeg werd omgevormd tot kerk. Dat was de enige manier die voorkwam dat gebouwen en beelden werden gebruikt als onderdelen voor kerken of paleizen.

Mussolini heeft alle kerkelijke opsmuk, die afleidde van het grootse antieke Rome, weer laten weghalen en het gebouw zoveel mogelijk in de eigenlijke staat hersteld. De oorspronkelijke bronzen deuren zitten nu overigens wel in de Sint-Jan van Lateranen.

Ik loop de trappen op van het strakke statige gebouw. Er is niemand. De ruimte is indrukwekkend hoog en heeft een marmeren vloer van blauwe en witte figuren. Door de ramen die hoog in de muren zitten valt licht naar binnen.

Langs de lange zijkanten zijn verhogingen waar de senatoren zaten, eenzelfde opstelling als die in het House of Commons in Londen. Ik zie de senatoren zitten, denken, beslissen, kwade plannen beramen. Ik zie hun toga's bewegen over de kleurige marmervloer. Aan het eind van de ruimte staat een figuur in een donkerrode toga, keizer Hadrianus in een porfieren kleed. Hier hield Cicero zijn filippica's.

Dan daal ik de trappen weer af en wandel tussen de brokstukken van de glorie, die oplichten in de zon. Het is bijzonder om hier helemaal alleen te zijn. Ik sta stil bij de resten van de tempel van Julius Caesar. Hier heeft Augustus, die toen nog Octavianus heette, het lichaam van zijn vermoorde adoptiefvader naartoe gebracht. Hier is hij gecremeerd, nadat de diep geschokte Romeinen bezittingen, meubels en kleren op de brandstapel hadden gegooid als eerbetoon. Julius Caesar was de eerste Romeinse leider die werd vergoddelijkt. Augustus, de eerste keizer, werd al vergoddelijkt voor zijn dood. Als enige loop ik over de grote keien van de *via sacra*. De nieuwe Via Sacra, die Mussolini liet aanleggen dwars over het Forum om ruim baan te geven aan de parades van zijn machtige leger dat het wereldrijk van Augustus zou herstellen, is net zo stil en verlaten.

Nu ik de eerste kerk uitgestorven aantrof, besluit ik de hoge trappen op te gaan van de Santa Maria in Aracoeli. De kerk heet zo omdat keizer Augustus op deze plek een mooie vrouw zag met een kindje op haar arm terwijl er een stem klonk die zei: 'Dit is het altaar van de zoon van God,' waarna de keizer een *aracoeli* liet oprichten, een hemelaltaar. De huidige kerk staat op de resten van de tempel voor *Juno Moneta*, Juno die waarschuwt. Op die plek werd het eerste geld geslagen. Het Italiaanse woord *moneta* en ons woord 'munt' komen daarvandaan.

Het is een grote, rijkversierde kerk met twee rijen zware antieke zuilen en kroonluchters die schitteren boven een kleurige mozaïekvloer, gemaakt uit stukjes van het antieke Rome. Wat op het Forum is weggehaald op de plekken waar ik net over gras en kale steen liep, heb ik nu onder mijn voeten. Midden in de kerk ligt iemand opgebaard. Er staan boeketten met rozen omheen. Zou er weer iemand uit zijn graf zijn gehaald?

Ik loop erheen. En dan zie ik dat het Maria is, een mooi levensgroot beeld van Maria. Behalve de bossen kleurige rozen staan er ronde houders met zand waarin je kaarsjes kunt prikken. Maria is gehuld in rood en blauw en ligt op een bed dat overdekt is met witte en gouden zijden doeken. Boven haar in het gouden plafond haar gouden beeltenis, Jezus op haar arm en door een krans van engeltjes omringd. De zuilen zijn allemaal verschillend. Ik loop naar de derde aan de linkerkant en speur. Inderdaad lees ik daar, hoog in grote letters: *A cubicolo Augustorum*. Er wordt gezegd dat deze zuil afkomstig is uit de slaapkamer van keizer Augustus. Ik loop verder, links langs het altaar in de richting vanwaar ik in rode neonletters *Santo bambino* geschreven zie staan, en ga een kleine kapel binnen. Voor het beeldje van het heilige kindje dat, zo lees ik, door een franciscaner monnik is gesneden uit hout uit de Hof van Getsemane, en dat overdekt is met edelstenen en juwelen, staan een paar manden vol brieven en kaarten. De verf waarmee het beeldje werd beschilderd bleek niet voldoende, maar een engelenhand maakte het werk af. Het is geen mooi beeldje, en het is een kopie, want het originele is gestolen. De eerste keer door een rijke Romeinse dame, maar toen is *Il bambino* op eigen houtje teruggekeerd naar de kerk en stond Hij huilend voor de deur terwijl de klokken beierden. De laatste keer werd het beeldje gestolen in 1994 maar helaas heeft het deze keer de weg terug nog niet gevonden. Er zitten een paar vrouwen in de kapel, met boodschappentassen naast zich. Ze kijken naar *Il bambino*.

Er is een kleine boekwinkel waar een fragiele jongeman een boek leest. Ik vertel dat ik verrast ben door al die brieven.

'Ja, *Il bambino* krijgt al eeuwen lang heel veel post. Die wordt bewaard en eens in het jaar verbrand. Sommige bijzondere brieven worden eruit gehaald en veel oude brieven zijn ook bewaard.'

Soms wordt *Il santo bambino* rondgedragen in processie, vertelt hij, en ook wel naar een heel ziek kind gebracht, thuis of in het ziekenhuis. Hij vindt het fijn om hier te werken. Het is stil, hij heeft alle tijd om te mediteren.

Ik bekijk de voorwerpen die staan uitgestald: bidprentjes, beeldjes, boekjes, iconen, kleine flesjes met olie met een afbeelding erop van het kindeke Jezus en een zilverkleurig dopje in de vorm van een roos.

'Deze olie heeft wonderen verricht,' zegt de jongen ernstig. 'Je moet er een kruis mee tekenen op je voorhoofd en een speciaal gebed erbij opzeggen. Vorige Kerst gebeurde er weer een wonder. Een vrouw die erg ziek was en geopereerd moest worden heeft deze olie gebruikt. De volgende dag zat er in plaats van olie een zwart bolletje in het flesje en haar kwaal bleek genezen.'

Ik blijf me verbazen over de ernst waarmee al deze wonderverhalen worden verteld, Nederlanders hebben daar toch minder talent voor.

Ik koop zo'n flesje en krijg er een bidprentje bij. 'Daar staat het gebed op.'

De jongeman pakt het in met eerbiedige handbewegingen. We wensen elkaar *buon ferragosto*.

'Met Kerst moet u hier komen,' zegt hij. 'Deze kerk betekent heel veel voor de Romeinen, *Il bambino* is echt het Kerstkindje voor hen.'

Rechts bij de zijuitgang blijf ik nog even staan bij het graf van de op vijftienjarige leeftijd gestorven Cecchino Bracci, op wie Michelangelo erg dol is geweest. Hij heeft niet alleen veel gedichten voor hem geschreven, maar ook zijn mooie kop uit de steen getoverd.

Vanuit de verte zie ik de fonteinen die voor de zeer moderne verpakking van de Ara Pacis staan. Het altaar voor de Augusteïsche vrede. De laatste jaren was het hier een bouwkeet, maar niet lang geleden is dit uiterst moderne museum geopend. Er is veel ruzie over gemaakt, ook omdat het niet is gebouwd door een Italiaan maar door de Amerikaan Richard

Meier. Rechts ligt wat er over is van het mausoleum dat Augustus voor zichzelf en zijn familie liet bouwen en dat Mussolini onder huizen en aarde vandaan heeft gehaald en omringd met grote strakke gebouwen geheel in fascistische stijl. Rechthoekige blokken met zuilen. De gevels boven de zuilen zijn versierd met schilderingen en bas-reliëfs van mannen die het land bewerken, druiven oogsten en vrouwen die kinderen zogen. Er is ook een reliëf van een gevleugelde figuur met de *fasces* in de hand, symbool van de macht van de hogere magistraten in het oude Rome, dat werd overgenomen door het fascisme. Een bundel houten roeden die een bijl omsluiten, samengebonden door roodleren riemen. De macht om te straffen, de macht over leven en dood en de macht om te arresteren. De *fasces* werden door lictoren voor de magistraten uit gedragen. Mussolini liet de *fasces* opnemen in de Italiaanse vlag.

Het was Mussolini's bedoeling om op dit plein de sfeer van het Forum op te roepen met reeksen zuilen, maar het is het lelijkste plein van Rome geworden en daar zijn honderdtwintig bouwwerken voor gesneuveld. Tegenwoordig wordt er niets meer afgebroken en niets overgeschilderd. Dit is nu eenmaal deel van de geschiedenis. Op veel bouwwerken door de hele stad staan de data van de nieuwe fascistische jaartelling, waarvan op Kerstmis 1928 bekend werd gemaakt dat die met terugwerkende kracht was ingegaan op de dag van de Mars op Rome, 28 oktober 1922. Dat werd dus nieuwjaarsdag van het jaar 1.

Op een van de kleine muurtjes die verbonden door een metalen reling om het grote ronde mausoleum heen staan, liggen wat papieren, pennen, potloden, een steen, een rode wasknijper, een rode viltstift, wat aanzetten tot tekeningen, brillen. Op een bruin stuk karton staat geschreven met dikke zwarte viltstift die ernaast ligt: *Spazio monumentale in allestimento,* monumentale ruimte in aanbouw. Op de zijkant van een klein vierkant muurtje is een papiertje geplakt met de tekst 'atelier'.

In een gedeelte van de zuilengalerij die Mussolini heeft laten bouwen zit een goed restaurant, Il Gusto, een van de weinige die vandaag open zijn, en daar is een tafel gereserveerd voor een gezelschap Nederlanders en Italianen die de stad niet hebben verlaten. Velen kennen elkaar niet, maar we hebben meteen een soort verbondenheid van kinderen die alleen zijn thuisgebleven, nu we ongeveer de enigen zijn in het verlaten Rome. Ook de nieuwe directeur van het Nederlands Instituut met vrouw en dochter zijn erbij. Ze voelen zich terug in hun studententijd omdat ze elkaar in Rome op het instituut hebben ontmoet toen ze hier studeerden. We heffen een glas prosecco, toosten op Maria-Hemelvaart, op het eeuwige Rome en bestellen het 'Ferragosto-menu'. Dit is een dag die Italianen voornamelijk wijden aan veel eten en bij de heidense oorsprong van het feest zal dat niet anders zijn geweest. Vanaf onze tafel hebben we het volle zicht op het mausoleum en het vredesaltaar. Nee, niemand vindt het een mooi plein, maar wel interessant dat zo'n tijd niet wordt uitgewist, wat Mussolini helaas zelf wel heeft gedaan met andere tijden.

Allerlei wonderlijkheden van het Italiaanse leven komen ter sprake. Bijvoorbeeld de aandacht die er in de media wordt besteed aan misdaadzaken. Het geval van een meisje dat misschien vermoord is door haar vriend vult al wekenlang hele pagina's van de meest serieuze kranten met tekeningen, plattegronden, interviews met familie, vrienden, kennissen, buren, en zelfs de tarotlezeres en astrologe van het slachtoffer. Ook het televisiejournaal neemt er dagelijks ruim de tijd voor. Onlangs was er weer een nieuw drama. Een jongen was spoorloos verdwenen en even later volgde een bericht van de kidnappers, Albanezen, die vijfhonderdduizend euro losgeld eisten. Twee dagen later bleek dat de jongen het allemaal zelf in scène had gezet omdat hij in geldnood was geraakt door gokverslaving. Er stond een enorme foto in de krant van de zogenaamd gekidnapte jongeman tussen zijn gelukkige ouders met daarboven in grote letters: *L'abbiamo già perdonato*. We hebben het hem al vergeven.

Tja, en het fenomeen van het *clientelismo*, de *raccomandazione*, de aanbeveling, het goede woordje. Zonder dat komt er weinig in beweging, gaan de deuren moeilijk open. Zo werkte dat tweeduizend jaar geleden ook. Je moest vrienden hebben met macht. Zo'n figuur als de komiek Beppe Grillo, die zich heeft opgeworpen als verlosser uit de vastgelopen Italiaanse politiek, kan toch ook alleen maar hier. Grillo vertelde dat hij was gebeld door de premier, die hem om raad vroeg. Je kunt je toch niet makkelijk voorstellen dat Gordon Brown een telefoontje pleegt naar mister Bean om advies in te winnen. Grillo is nu trouwens even stil want hij is zijn stem kwijt. Ja, dat kunnen ze ook goed, Italianen, praten, oreren. In de politiek, op straat, in winkels, bussen, in de rij bij het postkantoor, overal.

Laatst zei iemand over Gianfranco Fini, de politicus die voortkomt uit de neofascistische partij: 'Ik heb respect voor hem. Hij kan erg goed praten en altijd uit zijn hoofd.' Dat was een reden om op hem te stemmen. Italianen zijn gevoelig voor theater, mooie woorden en mooie kleren. Dat verklaart ook het succes van Berlusconi. Het geloof in de sterke man heeft te maken met een diepgeworteld wantrouwen tegen de staat, die altijd weer corrupt blijkt te zijn. En het heeft ook te maken met de drukkende aanwezigheid van *la mamma*. Thuis hebben mannen niks te vertellen en in die ene sterke man wordt dat gecompenseerd. Zelfs keizer Augustus en keizer Tiberius zaten onder de plak van vrouw en moeder Livia.

De op 92-jarige leeftijd overleden journalist Indro Montanelli, die reeksen boeken over de geschiedenis van Italië heeft geschreven, zei in 2001, toen het ernaar uitzag dat Berlusconi de verkiezingen zou winnen, Berlusconi te zien als een ziekte waarvan Italië, net zoals bij een vaccin, waarschijnlijk zou genezen nadat hij aan de macht was geweest. Montanelli zei ook in een van zijn laatste interviews dat hij geprobeerd had de Italianen op te voeden maar dat hij geen hoop meer had. Een politicus van Lega Nord heeft daarentegen wel hoop. Hij kwam bijvoorbeeld met de oplossing voor het dempen van de staatsschuld: het Colosseum, het Forum en eventueel nog een oud stuk steen verkopen aan het buitenland.

Als het woord 'politiek' valt, wordt er vaak alleen nog maar gezucht en gezwegen. Onlangs kolkte er knalrood water in de Trevifontein en niet zo lang daarna rolden er vijfhonderdduizend gekleurde ballen van de Spaanse trappen. 'We hebben er genoeg van,' stond er op papiertjes, 'er worden louter leugens verkocht, door rechts en door links. Azione Futurista.'

'Maar het eten en tafelen is ongeëvenaard.' De meest heerlijke schotels worden voor ons neergezet, door alle kleuren wijnen overspoeld.

'We zijn het belachelijkste land van Europa,' zeggen de Italiaanse tafelgenoten, maar toch willen ze niet weg. En wij geen van allen. Italianen praten vaak over hun land met een mengeling van spot en trots. Dat die Amerikaanse architect Richard Meier zo'n modern gebouw heeft neergezet in het hart van Rome, wekte veel consternatie. De meeste mensen aan tafel vinden het museum wél mooi. Hij heeft er het beste van gemaakt. Het is juist in harmonie met de omgeving, door de lichtheid en strakheid. Het gebouw getuigt juist van veel respect, met dat glas waardoor je de Ara Pacis zelf van alle kanten kunt zien, en door het gebruik van de typisch Romeinse steen, het travertijn dat hier en daar onbewerkt is zodat het iets heel authentieks geeft. En het water dat over de muren bij de ingang stroomt als herinnering aan de haven die hier eens lag, en misschien bovendien een verwijzing is naar de aquaducten.

'Het is in elk geval een stuk beter dan die bouwval die er stond.'

'Ze kunnen het beter helemaal weghalen, terugzetten op de oude plek en hier de oude haven blootleggen. Dan ligt dat mausoleum er niet zo weggemoffeld bij, maar weer aan de Tiber, en heb je de symboliek van de doodsrivier, de plek van de grote oversteek.'

'Dan blijf je aan de gang, dan kun je bijna heel Rome wel verplaatsen.'

Als de maaltijd na vele uren is afgesloten met een espresso gaan we dat nieuwe museum bekijken. Tot voor kort waren de ontwerpen van Valentino er ook te bewonderen; vanuit de verte zag je rond de Ara Pacis vuurrode avondjurken en ook de witte bruidsjurk van prinses Máxima.

We lopen langs de marmeren platen waar met bronzen letters de *Res Gestae* op staan, een door Augustus zelf gemaakte lijst van daden die hij opstelde ten behoeve van de stad en het rijk. Oorspronkelijk stonden die aan weerskanten van de ingang van zijn mausoleum. In de Middeleeuwen zijn ze vernietigd maar er zijn kopieën bewaard gebleven.

'Wat een opschepper.'

'Veel van die heldendaden zijn door anderen verricht, hij was alleen de opdrachtgever. De overwinning bij Filippi op de moordenaars van Julius Caesar, waar hij zo prat op ging, had hij te danken aan Marcus Antonius.'

'Hij had een talent om zich met briljante mensen te omringen. Grote krijgslieden als Agrippa, maar ook mensen als Meacenas, Vergilius, Horatius voor de cultuurpolitiek.'

'Het begon met prostitutie.'

'Wat?'

'In zijn tijd zeiden ze al dat hij het met Julius Caesar deed om door hem geadopteerd te worden. Hij was een mooie jongen. Wat vrouwelijk, niet groot, blauwogig en met blond haar.'

'Hij was ook dol op vrouwen, net als Caesar over wie de

roddel ging: 'Hij is de man van alle vrouwen en de vrouw van alle mannen."'

Tijdens de restauratie in de zestiende eeuw van een palazzo op de Piazza San Lorenzo in Lucina zijn de eerste resten van de Ara Pacis teruggevonden. Toen ging men anders met antiquiteiten om, het vak van archeologie bestond nog niet, en die fragmenten werden verkocht of meegenomen. Zo belandde er een deel van de met reliëfs versierde witmarmeren platen in Florence, een paar in het Vaticaans Museum, een paar in het Louvre en een paar werden opgenomen in de voorgevel van de Villa Medici.

Pas in 1908 wordt er besloten door te gaan met het graafwerk naar andere platen en resten, maar het zoeken onder de huizen was moeilijk en werd weer gestopt. Onder Mussolini werd de zoekactie degelijk aangepakt. Er werd gebruikgemaakt van nieuwe methodes zoals het bevriezen van het terrein, dat doordrenkt was met water.

Mussolini wilde voor de tweeduizendste geboortedag van Augustus, met wie hij zich graag vergeleek, in 1937, de Ara Pacis in ere hersteld hebben. De Ara Pacis was daar neergezet om het begin van een gouden tijd te vieren. Nu zou er een nieuwe gouden tijd aanbreken. Toen is ook besloten om de Ara Pacis naast het mausoleum neer te zetten. De fragmenten die in Florence en in het Vaticaans Museum waren werden teruggegeven. De Fransen wilden ze houden en ook van de platen in de Villa Medici moesten kopieën worden gemaakt.

Aanvankelijk stond de Ara Pacis vlak bij het grote zonneuurwerk, het *horologium*, en de schaduw van de obelisk viel op de geboortedag van de keizer, 23 september, precies tot aan het midden van de Ara Pacis, wat betekende dat Augustus altijd al als vredebrenger was voorbestemd.

Voor het museum moest het beste materiaal worden gebruikt, maar door tijdnood werden uiteindelijk witte wanden rood geschilderd om ze van porfier te laten lijken. Dat was dezelfde snelle oplossing als met de geschilderde façades van bordkarton die Mussolini liet neerzetten toen Hitler een bezoek aan Rome bracht. Toen negen jaar later de fascistische regering ineenstortte na een even bloedige tijd als die onder keizer Augustus, werd de Ara Pacis geïdentificeerd met het fascisme, er werd niet veel aandacht besteed aan het barstende en krakende bouwwerk eromheen. Maar toen het jaar 2000 in zicht kwam vond men dat dit symbool van het grootse verleden wel aan een nieuw jasje toe was. In 2006 werd het geopend.

Augustus was een verdienstelijk legeraanvoerder, hij onderdrukte opstanden in Spanje en Gallië. Meer dan de veldheer Caesar was hij ook een diplomaat en geleidelijk wist hij alle macht naar zich toe te trekken. Niet alleen werd hij de politieke en militaire leider, maar hij had ook de opperste religieuze macht. Hij kreeg net als Caesar de titel Pontifex Maximus, hoogste van alle priesters. Toen in 382 het christendom de officiële staatsgodsdienst werd nam de paus die titel over. De republiek verdween en veranderde in een keizerrijk.

Bij Augustus' terugkeer uit Spanje en Gallië gaven de senaat en het volk van Rome, *Senatus Populus Que Romanus* SPQR, op 4 juli 13 voor Christus de opdracht de Ara Pacis te bouwen. Die term stamt uit de tijd van de Republiek en sloeg in wezen nergens meer op, want Augustus had alle touwtjes in handen. Het altaar werd ingewijd op de geboortedag van zijn vrouw Livia op 30 januari van het jaar 9 voor Christus.

'Zeker, er was vrede,' schreef Tacitus, 'maar een vrede die droop van het bloed.'

We gaan de witte treden op, lopen langs de vijver met de fonteinen, langs de muren waar het water overheen stroomt, over het grote witte plein naar de ingang. Daar worden we verwelkomd door de hele familie van Augustus. Op een rij sokkels staan hun koppen. Rechts is een maquette van hoe het Marsveld eruitzag toen de Ara Pacis net was gebouwd. Een grote groene vlakte met een paar gebouwen. Het Pantheon en, op de plek waar nu Piazza Montecitorio ligt, het enorme zonne-uurwerk met de obelisk als wijzer. Niet ver daarvandaan de Ara Pacis en een stuk verderop het mausoleum. Deze gebouwen dienden ter meerdere glorie van hemzelf, maar hij was gewaarschuwd door het lot van Caesar en ging voorzichtig te werk. De monumenten werden neergezet buiten de stadsmuren op privéterrein. Dat leek bescheiden, maar het was een plek die in het oog sprong, aan de drukke Via Flaminia, en aan de Tiber, in een voor publiek toegankelijk park.

En dan waar het om gaat, in het licht dat van alle kanten binnenvalt: het Altaar van de Vrede. Strak en wit, ooit kleurig beschilderd. Helemaal in elkaar gezet uit originele stukken en waar die ontbraken gereconstrueerd met stucwerk of tekeningen. Deze hele restauratie werd verricht onder Mussolini.

We gaan de gedeeltelijk uit oorspronkelijke treden bestaande trap op en komen in een rechthoek van marmeren muren met binnenin, ook voorzien van een trap, het altaar. In de buitenste wand is het hek van houten palen geïmiteerd, dat de heilige omheinde plek uit archaïsche tijden oproept. Boven die geïmiteerde houten omheining zijn sculpturen te zien van rijke guirlandes, bestaande uit appels, peren, granaatappels, dennenappels, korenaren. De guirlandes worden bij elkaar gehouden door brede linten. In de bogen van de guirlandes zijn ronde vormen te zien met een verhoging in het midden, de *patera*, de offerschaal, waarin het bloed van het geofferde dier werd opgevangen en waar de pateen, de hostieschaal, uit voortkomt. Ook de schedels van dieren tussen de guirlandes herinneren aan de offers. Aan de binnenkant van het echte altaar zit een reliëf van een lange rij vrouwen, waarschijnlijk de Vestaalse maagden. Vrouwen die al op heel prille leeftijd werden gekozen uit de chique families en die vervolgens dertig jaar moesten waken over het vuur van de stad, als priesteressen van de huiselijke haard. Fundamenteel was dat ze hun maagdelijkheid bewaarden – zo niet, dan werden ze levend begraven.

Op een ander reliëf is een processie afgebeeld met priesters en offerdieren. Er staat ook een gevleugeld personage tussen, misschien Augustus in zijn hoedanigheid van Pontifex Maximus. Rond het altaar zijn geulen waardoor het water kon stromen om na de offerplechtigheid alles schoon te spoelen. Ik zie het bloed over de witte stenen gutsen.

We dalen de trap weer af en bekijken de afbeeldingen aan de buitenkant. In het midden is de Griekse meander te zien, symbool van eeuwigheid. De Romeinen wilden zich graag verbinden met de oude Grieken. Ook andere banden worden benadrukt. We zien hoe Romulus en Remus worden ontdekt bij de Lupercale, de grot waar ze gezoogd werden door de wolvin. We zien Aeneas een offer brengen aan zijn voorouders. Augustus vergeleek zich graag met deze *vir pius*, deze vrome man en stamvader van de Romeinen. Ook zijn zoon Ascanius Julus staat erbij, die zijn naam gaf aan het machtige Julische huis.

Aan de achterkant staat de afbeelding van een weelderige vrouw met volle borsten en een iets welvende buik. Ze heeft twee kleine kinderen op haar schoot, het ene probeert het kleed van haar borst te trekken om te drinken, het andere reikt haar een granaatappel aan. Overal bloemen, korenaren, dieren. Aan weerskanten zijn nog twee vrouwen te zien, de een gezeten op een zwaan, de ander op een zeemonster, de hemel en de zee. De vrouw in het midden is Tellus, de aarde. Deze voorstelling maakt duidelijk dat Augustus vrede heeft gebracht te land en ter zee, en dat er nu een tijd van welvaart begint. Van een ander reliëf zijn weinig fragmenten over, maar aan de hand van munten weet men bijna zeker dat dit de godin Roma moet voorstellen, gezeten op wapens, de helm op het hoofd. De wapens zijn niet meer nodig, er is vrede. Het onderste gedeelte is helemaal bedekt met bloemmotieven. De acanthus, een plant die je nog steeds ziet bij Romeinse villa's, met enorme bladeren die afsterven waarna op een lange kale steel een fantastische bloem ontluikt. De acanthus werd het symbool van wedergeboorte. Ook in de christelijke symboliek werd de acanthus het beeld voor de levensboom.

De plant kronkelt in vele stelen alle kanten op en ontbloeit in meer dan honderd bloemen, geen fantasiebloemen maar allemaal bloemen die werkelijk bloeiden hier. Boven die weelderige en kronkelende bloemenpracht zijn zwanen afgebeeld, vogels die gewijd zijn aan Apollo en Venus. Dat was niet toevallig, zoals niets toevallig was, maar betekende dat boven het onvoorspelbare leven de orde van de goden stond.

Aan de kant van het mausoleum is een processie te zien waar ook Augustus herkenbaar is, de grootste van allemaal, terwijl hij in werkelijkheid niet erg groot was, met leden van de familie der Julii. Zijn medewerker en schoonzoon Marcus Agrippa, met zoon Gaius Caesar, Julia, dochter van Augustus en vrouw van Agrippa, Tiberius, en vele anderen, onder wie ook Maecenas. Sommigen hebben laurierkransen in het haar als teken van de overwinning. Augustus is hier in zijn rol van Pontifex Maximus en wordt vergezeld door andere priesters en lictoren met hun *fasces*. Het mooie is dat het geen idealiseringen zijn maar echte portretten en dat ze er niet stijfjes en geposeerd bij staan maar alsof ze zo van die wand kunnen stappen en zich bij ons voegen.

Naast de door water overspoelde muren die herinneren aan de haven die diep onder onze voeten ligt, nemen we afscheid.

Als ik alleen ben blijf ik nog even staan kijken naar het mausoleum waar ik over een paar uur naar binnen ga. Elsa, mijn gids in de Villa Torlonia, belde en vertelde dat ze vanavond het mausoleum zou laten zien aan haar moeder. Of ik zin had om mee te gaan. Al zo lang loop ik langs die morsige heuvel en ben ik nieuwsgierig hoe die er van binnen uitziet.

Uit de verte zie ik dat er nu op alle muurtjes rond het mausoleum iets ligt. Ik loop erheen en lees op een rechtopstaand stukje karton de met viltstift geschreven tekst 'Het aantal kunstwerken dat vandaag wordt aangeboden aan de goddelijke Augustus is.' Een rode pijl wijst naar de hoek van het vierkante muurtje waar een stukje papier met wit plakband is vastgeplakt waarop '31' geschreven is. Op het volgende muurtje liggen muntjes onder een glazen plaat met daarop een steen en een papiertje waar met viltstift op geschreven staat: 'In geval van nood glas stukslaan.' Een verfrommelde plattegrond van Rome. Op het met plakband vastgeplakte stukje karton in rode viltstift: 'Tweeduizend jaar later.' Op een ander muurtje lees ik op een rechtopstaand stukje karton: 'De Ara Pacis is het gebouw achter u.'

Een kruis gevormd van muntjes komt tevoorschijn uit een groene portemonnee. Daarbij staat geschreven: *In Hoc Signo Vinces*, de tekst die keizer Constantijn aan de hemel geschreven zag staan. In dit teken zult gij overwinnen. Een grote teil met water waarin stukken platte steen liggen waarop gezichten zijn geschilderd. Daarnaast de tekst *Narcissi*. Een foto in een fotolijstje van een slanke, wat oudere man met puntbaardje gehuld in grijze broek en zwart T-shirt, zittend op de reling met op de achtergrond het mausoleum.

Vanuit mijn ooghoek bespeur ik beweging. Als ik opkijk zie ik de scène in het echt. De man met het puntbaardje zit in een zwart T-shirt op de reling. Hij blijft bewegingloos zitten terwijl ik naar hem kijk.

'*Complimenti!*'

'*Grazie,*' zegt hij vriendelijk en een beetje verlegen. Ik zeg dat ik het erg mooi en geestig vind. Hij vertelt dat hij hier vrijwel elke dag komt, in de loop van de middag tot het vallen van de avond. Hij heeft ooit de kunstacademie gedaan in Rome en heeft toen een tijd in België gewoond en gewerkt maar hij had een hekel aan musea. Een enkele keer deed hij mee aan tentoonstellingen in galeries, maar al snel vond hij het een dooie boel. Sinds zijn terugkeer in Rome exposeert hij op straat. Vroeger ook op andere plekken, maar nu al jarenlang hier. Dit vindt hij een prikkelende omgeving. Gek, vol contrasten, mooi en lelijk. Naast al dit machtsvertoon wil hij de kracht en schoonheid van het kleine en van de eenvoud laten zien. Een beetje humor en ironie zorgen voor evenwicht.

Hij raakt ook nooit uitgekeken. 'Je ziet dat mensen heel rustig het gebouw van de Ara Pacis binnenstappen maar hier verlegen worden, uit hun ooghoeken gluren en zodra ze merken dat ze bekeken worden vluchten ze.'

Hij houdt van zijn vrijheid en hier naast het Altaar is hij in volledige harmonie. Af en toe komen vrienden langs, andere kunstenaars of daklozen om een praatje te maken. In de zomer slapen er veel mensen bij het mausoleum en het is een bekende plasplek met al die struiken en bomen. Op één muurtje ligt een tekening van het mausoleum met een paar cipressen erop, ernaast de tekst *Toilette* en een plastic bordje met muntjes.

We nemen afscheid met een handdruk.

Als ik terugloop naar huis wandel ik over het eenendertigste kunstwerk voor de goddelijke Augustus, een grote krijttekening van een uitzonderlijk lange man van wie de voeten eindigen bij de Sint-Rochuskerk op de hoek van het plein, die door Mussolini gespaard is. Op de deur van de kerk hangt een plakkaat waarop ik lees dat het morgen Sint-Rochus is en dat dat al om zeven uur 's ochtends wordt gevierd. Wie weet ga ik een kijkje nemen. Rome verrast niet alleen door onverwachte plekken maar ook door onverwachte feesten en rituelen.

Om acht uur ben ik weer terug op de Piazza Augusto Imperatore. Het is donker. Het mausoleum wordt verlicht door schijnwerpers. Beneden bij de enorme poort zie ik twee kleine gedaantes. Ik loop de trappen af naar het oorspronkelijke niveau van de stad.

Voor de kolossale ingang die afgesloten is door een hek wens ik Elsa en haar moeder *buon ferragosto*.

'Bijzonder dat je een sleutel hebt van dit gebouw, van de laatste rustplaats van een van de machtigste mannen ooit.'

Haar moeder lacht en kijkt trots.

'Aan weerskanten van deze ingang stond een obelisk. De ene staat nu bij het Quirinaal, de andere bij de Santa Maria Maggiore. Aan zuilen waren de platen met de Res Gestae bevestigd.'

Voor we naar binnen gaan laat ze in het schemerige licht van de schijnwerpers een boek zien met een reconstructie van het mausoleum. Op een vierkante marmeren basis van twaalf meter hoog staat een kleiner rond bouwwerk met zuilen. De bovenkant van de marmeren basis en van dat ronde gebouw is bedekt met groene bomen. Op de top prijkt het kolossale bronzen beeld van de keizer. Ze laat een andere tekening zien waarop je van bovenaf naar binnen kijkt, verschillende rijen rondlopende muren ziet, met in het midden de werkelijke grafkamer.

'Augustus heeft het laten bouwen nadat hij terugkwam van een reis en het indrukwekkende grafmonument had gezien van een zekere Mausolos. Ook het bezoek aan het praalgraf van Alexander de Grote kan invloed hebben gehad.'

Voordat Elsa de sleutel omdraait, wijst ze naar rechts in de richting van de Via del Corso, de vroegere Via Flaminia.

'Daar lag het *ustrinum*, het terrein waar de crematie plaatsvond.'

Ze draait een sleutel om in het slot.

We gaan een indrukwekkend hoge gang in. Ik kijk omhoog

naar de machtige muren die waarschijnlijk allemaal waren bedekt met marmer en stel me de grandeur voor van de begrafenisplechtigheden.

'De Goten drongen hier binnen aan het eind van de vijfde eeuw,' zegt Elsa. 'Ze vernielden en roofden veel, onder meer de urn met de as van de keizer.'

We passeren een paar muren, sommige cirkels zijn nog intact, andere in stukken en brokken, en komen in een grote ronde open ruimte, met in het midden weer een ronde muur, die van de *cella*, de eigenlijke grafkamer. Het is er schemerig verlicht door een paar niet al te sterke lampen. Ik kijk naar de hemel vol sterren, die nu het dak vormt. Brokstukken van het oorspronkelijke dak liggen aan onze voeten tussen het hoge gras, sommige ruw, andere met versieringen. We kijken een tijd zwijgend om ons heen. Het is doodstil.

'Er is hier veel gebeurd,' zegt Elsa. 'Nadat het in de Middeleeuwen een steen- en marmergroeve was geworden, werd het in de twaalfde eeuw net als zo veel andere monumenten omgevormd tot fort, door de familie Colonna, en het werd l'Agosta genoemd. In 1241 werd het verwoest en raakte het nog meer verstopt onder de aarde. Slechts het bovenste gedeelte was nog zichtbaar en dat werd in de zestiende eeuw omgetoverd tot Italiaanse tuin van een adellijke familie. Op prenten uit die tijd zie je dat de bomen in cirkels staan. Het is gebruikt als atelier door de kunstenaar die het ruiterstandbeeld van Vittorio Emanuele schiep dat nu voor het Vittoriano staat. Lange tijd was het een plek waar kermis werd gehouden en vuurwerk afgestoken.'

Het werd een theater en zelfs een concertzaal. In het Auditorio Augusteo werden van 1908 tot 1936 beroemde muziekuitvoeringen gegeven. Daarna liet Mussolini alle nieuwbouw slopen en begon men met de blootlegging van het antieke monument. Elsa citeert uit een krant van het regime: 'De onwaardige huisjes die het mausoleum omringen in een labyrint van straatjes waar het licht nooit binnendringt moeten worden weggehaald.'

Het plein werd een van de lelijkste voorbeelden van fascistische architectuur, maar een mooi voorbeeld van het gebruik van de Romeinse Oudheid voor politieke, ideologische doeleinden.

We gaan de poort door van de binnenste ruimte. Het is er donker. Met een zaklantaarn schijnt Elsa over de hoge rondlopende muren met nissen waarin de urnen stonden. Ze beschijnt een steen. MARCELLUS, lezen we. Hij was de eerste die hier werd bijgezet, de neef en schoonzoon van Augustus, eerste echtgenoot van Augustus' dochter Julia. Marcellus moest zijn opvolger worden maar stierf op eenentwintigjarige leeftijd in 23 voor Christus. De naam van zijn moeder staat op dezelfde marmeren steen. OCTAVIA, de zuster van Augustus, stierf in 11 voor Christus. De steen bevindt zich op de oorspronkelijke plek. Daarna werd Marcus Agrippa hier bijgezet, vervolgens Drusus, de zoon van Livia, stiefzoon van Augustus, daarna twee kleinzonen van Augustus, zonen van zijn dochter Julia en verhoopte opvolgers.

Augustus stierf in 14 na Christus.

Livia, de machtige derde vrouw van Augustus, van wie men denkt dat ze heel wat sterfgevallen op haar geweten heeft om vrij baan naar het keizerschap te creëren voor haar zoon Tiberius, stierf op 87-jarige leeftijd en werd hier bijgezet in 29 na Christus. Tiberius volgde in 37 na Christus. Caligula liet de as van zijn moeder Agrippina hierheen overbrengen. Haar urn staat nu in het Capitolijns Museum en werd in de Middeleeuwen gebruikt voor het meten van graan. Nog vele familieleden vonden hier hun laatste rustplaats. Nero en Julia werden buitengesloten.

En dan gaan we door een poort naar het allerbinnenste gedeelte in het midden van de ronde *cella*. De ruimte is klein, vierkant en heel hoog. De laatste rustplaats van Augustus. Die tastbaarheid van het verleden blijft indrukwekkend. Hier, op deze plek, stond de urn met de as van de man die een stempel drukte op onze wereld, met zijn naam die in de Bijbel en in onze kalender voorkomt.

Vlak voordat Augustus stierf citeerde hij de uitspraak waarmee acteurs pleegden af te sluiten: 'Is de voorstelling u bevallen? Applaudisseert u dan.'

Dat was geen grap of ironie want niets in zijn leven wees erop dat hij dat in zich had. Livia heeft vijf dagen op blote voeten gelopen totdat de as van haar echtgenoot was afgekoeld.

Ik kijk naar de vloer en naar de hoge wanden die doorliepen tot het dak waar het bronzen beeld torende van de keizer die god was geworden.

Ook Mussolini hoopte hier zijn laatste rustplaats te vinden.

Elsa en haar moeder genieten hun ferragostodiner, ik luister naar een concert aan de voet van het theater van Marcellus. Achter me staat de Portico d'Ottavia. Hun namen zag ik net op de grafsteen staan. Het wordt steeds vertrouwder, een familieverhaal. De neef van Augustus, de zus van Augustus. Ik luister naar de schitterende klanken die een Japanner uit de vleugel tovert die glanst aan de voet van de machtige bogen van het theater. Onder die bogen werd gewoond en werden winkeltjes gedreven totdat Mussolini die weg liet halen om ook dit symbool van glorieuze tijden weer alle aandacht te geven. Het podium is voor een deel gebruikt als bouwmateriaal voor de Ponte Cestio, de brug die van het Isola Tiberina naar Trastevere voert.

Het theater en het terrein eromheen zijn suggestief verlicht.

Op de achtergrond, in de verte, het Capitool, de plek waar

de tempel van Jupiter stond en de tempel voor Juno waar nu Maria en *Il santo bambino* aanbeden worden en waar op de boog boven het altaar Maria en Augustus samen staan afgebeeld. De twee feestvarkens.

De Japanner speelt een stuk van Benedetto Marcello, de Venetiaanse componist. Op de tonen van de muziek stel ik me voor hoe alles weer terugkeert in antieke staat, hoe het theater en heel Rome weer met marmer worden overdekt, de beelden weer op hun plaatsen staan, de tempels oprijzen in oude glorie. Hoe de mensen feestvieren ter ere van Augustus. Hoe ze ezels en ossen bloemenkransen omhangen, hoe de vrouwen hun kleren offeren aan Diana en vragen om vruchtbaarheid en een gemakkelijke bevalling. Hoe er gegeten wordt, wijn getapt uit grote vaten. Hoe toga's en rokken zwieren.

Als de muziek verstomt, lossen ook de beelden op, en zie ik hoe de mensen van nu en van toen het theater verlaten. Ik wandel naar huis door de lege straten waar de zoelte van de zomer nog hangt.

Alleen het verlorene is een eeuwig bezit.

Sint-Rochus en de randfiguren

Om half zeven loop ik door de stille straten. Het is nog steeds of ik de stad voor me alleen heb. Maar dan zie ik toch een medemens. Een man ligt te slapen, op de verhoogde stoep voor een deur. Op het mooie palazzo lees ik dat Torquato Tasso daar meerdere malen logeerde bij kardinaal Scipione Gonzaga. Op een ander niet onaardig optrekje staat: Vincenzo Gonzaga, hertog van Mantua, logeerde hier.

Steeds dichter nader ik het witte gebouw met de Ara Pacis, en de witbruisende fonteinen. Daartegenover ligt de San Rocco all'Augusteo, genoemd naar de heilige die zich wijdde aan de pestlijders. Vroeger lag hier een haven waar olie, graan maar vooral wijn werden gelost. In 1704 werd er een schitterende trap aangelegd, gemaakt uit het travertijn van een door een aardbeving ingestorte boog van het Colosseum. De trap voerde over steeds breder uitwaaierende treden naar het water en werd vaak vereeuwigd door tekenaars en schilders, onder wie ook de Amersfoortse Casper van Wittel, die heel veel gezichten op de Tiber heeft vastgelegd. Voordat die koninklijke trap werd gebouwd was de haven een gezellig rommeltje, omringd door kroegen, herbergen en bordelen. Een broedplaats voor allerlei ziekten.

Aan het begin van de zestiende eeuw besloot de broederschap van Sint-Rochus, die bestond uit schippers en herbergiers, een ziekenhuis te stichten. Er kwamen een mannen- en een vrouwenafdeling en er was een tuin waarin resten van het mausoleum van Augustus waren te zien. De kapel van het ziekenhuis groeide uit tot de huidige kerk. In het ziekenhuis was ook een afdeling waar ongetrouwde vrouwen hun kind konden afgeven of anoniem en gratis konden bevallen, reden waarom het *l'Ospedale delle Celate* werd genoemd, het ziekenhuis van de gesluierden. Zelfs als een vrouw bij de bevalling overleed was haar anonimiteit gewaarborgd en kwam er op de grafsteen alleen het opnamenummer. Pas in 1892 werd dit instituut afgeschaft.

Helaas is het ziekenhuis ten prooi gevallen aan de opruimactiviteiten van de Duce. De Sint-Rochus is daaraan op het nippertje ontsnapt vanwege de kunstzinnige waarde van de kerk en de populariteit van een kapel waar het fresco te zien is van *la Madonna delle grazie* dat wonderen zou verrichten.

Ik kijk naar het bas-reliëf van een zuil op de rechterzijmuur van de kerk, waarop de hoogte van de overstromingen is af te lezen. Meerdere malen kon je hier met een bootje ter communie. In 1598 kwam het water vier meter boven het huidige straatniveau.

De klokken beginnen te beieren in de stille stad. Een oude man gaat de kerk binnen. Even blijf ik staan kijken naar de voorgevel die Giuseppe Valadier aan het begin van de negentiende eeuw aan de kerk gaf, een neoklassieke hommage aan Palladio en de San Giorgio in Venetië.

Ik kijk naar de lege muurtjes rond het mausoleum van Augustus, stap over de vager geworden lange slungel die met krijt over de stoep getekend staat en ga dan de Sint-Rochus in.

Zachte orgelmuziek klinkt, niet uit het orgel maar uit een elektronisch apparaat. Er zitten zo'n tien mensen. Een vrouw steekt haar hand in het wijwatervat. Ik moet denken aan de hoofdpersoon uit de roman van Luigi Pirandello, *Wijlen Mattias Pascal*, die een kamer betrekt tegenover de Sint-Rochus en daar een wijwaterbakje vindt met water dat in deze kerk is gezegend. Een prachtig boek over een man die een paar keer net

260

doet of hij dood is en weer een nieuw leven begint. Ik besluit straks te gaan onderzoeken of de dakloze nakomeling van Pirandello nog leeft.

Ik ga zitten op een van de middelste banken. De meeste kerkgangers zijn oud, maar er zit ook een jong paar met de handen verstrengeld. Een oosterse non in het wit komt uit de sacristie met een mand broodjes. Even later brengt ze een nog grotere mand waar papier overheen ligt. Daarna een klein rond mandje, ingepakt in cellofaan met een grote gele en witte strik eromheen. Zou je je eigen brood kunnen meenemen om te laten zegenen?

De priester vertelt over Sint-Rochus, San Rocco, de edelman uit Montpellier die aan het eind van de dertiende eeuw werd geboren. Toen hij al vroeg zijn ouders verloor, gaf hij al zijn rijkdommen weg, deed afstand van zijn adellijke titel en ging als pelgrim naar Rome, waar hij zich wijdde aan het verzorgen van pestlijders. Maar hij raakte zelf ook besmet, trok zich terug in een hutje in de buurt van Piacenza om rustig te sterven zonder anderen te besmetten. Daar werd hij gevonden door een hond die hem elke dag een stuk brood kwam brengen. Rochus genas en keerde terug naar Montpellier, dat in een burgeroorlog was verwikkeld. Hij werd niet herkend maar voor een spion gehouden en in de gevangenis gegooid. Pas na zijn dood ontdekten ze wie hij was. Hij werd de patroon tegen de pest en andere besmettelijke ziektes en is de patroonheilige van artsen, apothekers, honden en hondenliefhebbers.

De oosterse non zingt een lied a capella en daarna wordt de litanie van Sint-Rochus gebeden.

'Sint-Rochus, die voor de pestlijders heeft gezorgd met heldhaftige ijver en moed, bid voor ons. Sint-Rochus, aangeroepen opdat het concilie van Costanza werd bevrijd van de pest, bid voor ons. Sint-Rochus, patroon van de pelgrims en van de zwervers, bid voor ons. Sint-Rochus, model van geduld en toewijding aan hen die lijden en verlaten zijn, bid voor ons. Sint-Rochus die door een hond van de hongerdood werd gered, bid voor ons. Sint-Rochus, jongeling en voorbeeld voor de jeugd, bid voor ons.' En nog heel veel andere benamingen van de heilige met wie deze mensen hier waarschijnlijk een speciale band hebben.

We worden niet alleen uitgenodigd voor de communie, maar ook om de relikwiehouder te kussen. De priester pakt een bronzen beeldje van Sint-Rochus met hond en houdt het omhoog waarna zich meteen een rij vormt. Ze kussen het stukje glas onder op het voetstuk waarachter de relikwie te zien is, een stukje van de arm waarmee San-Rocco zieken zegende en soms genas. De rest van het stoffelijk overschot is na roof, koop en verkoop uiteindelijk in de San Rocco van Venetië beland. Er is ook een stukje van de arm in Montpellier. Na een kus veegt de priester telkens met een doek over het stukje glas.

Ten slotte worden de broodjes gezegend en door de priester met wijwater besprenkeld. Het broodpakketje met de gele en witte strik is, volgens een oude traditie, bestemd voor de paus. Zou hij die vanavond eten in Castelgandolfo?

Bij de uitgang staat een tafeltje waarop een grote mand staat met kleine ronde broodjes. Een dame doet er telkens voor ieder twee in een plastic zakje met een bidprentje erbij. Je mag iets doneren maar dat is niet verplicht.

Dit is pas het begin van het feest, want er zijn vandaag nog vijf plechtigheden, waaronder een mis door de kardinaal en een processie met de relikwieschrijn van de heilige.

Als ik weer buiten sta in de stralende zon zie ik dat een vrouw de broodjes aan een zwerver geeft die net wakker wordt bij het mausoleum van Augustus. Ik ga straks kijken bij de mensa van de Caritas om te onderzoeken of Pirandello er nog is. Nu is het nog veel te vroeg.

Ik wandel naar de Tiber en kijk uit over het water. Helaas hebben die enorme wallen de stad gescheiden van de rivier. Daarvóór kon je overal naar de oevers lopen. Op oude schilderijen zie je hoe betoverend het was toen heel het oude Rome aan de Tiber lag. Er is een voorstel om een deel van de wal af te breken en die prachtige trappen, dat 'wonder van architectuur' zoals ze worden genoemd, volledig te herbouwen en zelfs nog breder te maken zodat de stad haar relatie met de rivier herstelt en de Tiber weer gaat leven. Ook de bootjes die sinds kort de Tiber bevaren passen in die droom. Tegen de overstromingen moeten dan opblaasbare oevers worden gemaakt, zo oppert de grote waterdeskundige van Rome, een soort airbags, waar ze in Nederland goede ervaring mee hebben, die zich vanzelf vullen als het water hoog staat. De Ponte Cavour moet dan weg en de Ara Pacis die onder de Piazza in Lucina vandaan is gehaald moet hier ook weer weg en neergezet bij het parlement.

Die kunnen ze dan beter op wieltjes zetten.

Giulia ti amo! staat er met grote rode letters op de muur geschreven.

Mijn geliefde, die nog nooit in Rome was geweest omdat hij wachtte op zijn Nederlandse paspoort, besloot vorige zomer nadat hem dat overhandigd was, van Amsterdam naar Rome te fietsen. Afkomstig uit Armenië en opgegroeid met de Ararat zouden die Zwitserse bergen een peulenschil zijn. Via telefonades volgde ik zijn tocht waarop hij vele sporen tegenkwam van het Romeinse rijk, bruggen, muren, steden, namen. Zijn verwondering steeg naarmate hij dichterbij kwam. De vreemdste berg die hij over kwam was de Monte delle formiche, de Mierenberg, vlak bij Bologna. Hij vertelde het me rustig, maar er klonk nog steeds verbijstering in door. 'Bij een kerkje plegen één keer per jaar honderdduizenden mieren zelfmoord. Dat doen ze voor Maria. Je kunt die dode mieren kopen in puntzakjes.' Hij begreep steeds beter waarom ik me hier zo op mijn plek voelde. 'Je bent hier als Alice in Wonderland.'

Uiteindelijk fietste hij mijn straatje binnen.

'En, wat vind je van de stad?' vroeg ik verwachtingsvol.

'Erg vies.'

Ik was geschokt.

'Ja natuurlijk, de gebouwen zijn prachtig, maar alles is volgeklad.' Ik liep een tijdje zwijgend en ietwat bedrukt naast hem voort door het centrum van Rome. Heel rustig wees hij me op voorbeelden. 'Kijk, hier is Giovanni langsgekomen. En hier Michele en hier heeft Ernesto een muurtje opgeknapt en daar heeft Luisa een bericht achtergelaten.' Inderdaad zag ik dat we bijna geen muur, deur of rolluik konden passeren of die was voorzien van wilde tekeningen en teksten. 'Kijk, de tijden op dat busbordje zijn niet meer te lezen.' Even later reed er een bus voorbij die, tot en met de ramen, overdekt was met kleurige kreten en tekeningen. Ik verbaasde me dat ik daar kennelijk een blinde vlek voor had gehad. Sindsdien zag ik het overal.

Een paar dagen geleden las ik in de krant dat een hele straat in Trastevere in opstand is gekomen tegen de *writers*, want zo worden ze genoemd en dat wordt dan op zijn Italiaans uitgesproken. De burgemeester vond dit ook te dol worden en heeft de Vicolo da Bologna op gemeentekosten laten overschilderen. Maar de pastelkleurige verf was nauwelijks droog of in de nacht kwamen de *writers* weer aangeslopen met hun spuitbussen en nu knallen hun tekeningen en teksten weer in de meest felle kleuren van de muren.

Ik besluit daar te gaan kijken, wandel een stuk langs de Tiber en steek de Ponte Sisto over, de brug die heet naar paus Sixtus IV. Die liet hem bouwen op de plek waar de oudste brug van Rome stond, de Pons Agrippae, aangelegd door de man naar wie de brug werd genoemd, om zijn bezittingen aan de ene kant van de rivier te verbinden met zijn bezittingen aan de overzijde. Even later zie ik namen in fluorescerende kleuren en wild schrift van hedendaagse Romeinen. Dit is nog niet eens de beruchte straat, maar ook hier spatten de graffiti van de zo stijlvol verweerde en door de tijd subtiel van kleurnuances voorziene muren.

In de Vicolo da Bologna is het inderdaad spectaculair. Het is een intieme, sfeervolle straat waar de huizen allemaal in andere mooie pasteltinten geschilderd zijn die zonder uitzondering van de meest woeste en felgekleurde tekeningen en teksten zijn voorzien. De houten tafeltjes en stoeltjes van een restaurant staan tegen een zandgele muur die overdekt is met onleesbare paarse kreten.

Een vrouw begiet bloemen in een bak die naast haar bekladde voordeur staat. Ik spreek haar aan en zeg dat ik gelezen heb dat het net allemaal was gladgestreken. 'En nu?'

'Het zal opnieuw overgeschilderd worden. De gemeente laat het doen, van ons belastinggeld. En daarna zijn de *writers* weer aan de beurt.' Ze zegt het op laconieke toon. 'Zo gaat het al tijden. Ook de auto's worden beschilderd. Nog even en de ze groene blaadjes zijn blauw.'

Ze gaat haar deur weer in, die zo veelkleurig is dat de bloemen erbij in het niet vallen.

Het loopt steeds meer uit de hand. Hoe uitdagender, hoe beter. Onlangs stond in de Italiaanse kranten dat we op You Tube konden zien hoe een paar *writers* een auto van de Mondialpol, de veiligheidspolitie, onder handen namen. Ze hebben ook een forum waarop ze meningen en technieken uitwisselen. 'Ik wil iets gaan doen op de *raccordo annulare*, de stadsring, maar weet niet in welke stijl.' 'Hoe kun je iets op een bus zetten zonder dat de chauffeur het merkt?'

Nu is er net een film uit: *Scrivilo sui muri*. Schrijf het op de muren. Een liefdesverhaal tegen de achtergrond van de *writers*-wereld. De regisseur heeft zich gebaseerd op de verhalen van echte *writers*. De film laat zien dat er verschillende groepen bestaan die met elkaar concurreren en die werken in uiteenlopende stijlen. Het zijn jongeren die hun stem willen laten horen, kinderen uit mislukte huwelijken die geen zin hebben om als radertje mee te draaien in de maatschappij waaraan ze een hekel hebben. Ze komen wel sympathiek en romantisch over, met een moeilijk maar avontuurlijk leven. Je ziet hoe ze de grote verkiezingstrein gaan volschilderen.

Nu is men bang dat deze film alleen maar reclame is voor de *writers*.

Ook voor kerken en regeringsgebouwen deinzen ze niet terug. Nog even en de Sint-Pieter is van een kleurig nieuw jasje voorzien.

Misschien heeft het toch ook te maken met deze stad, waar op elke fontein, kerk, palazzo, brug, poort wel een naam staat van een Romeinse keizer, consul, paus of kardinaal. Zelfs op het Pantheon staat niet alleen dat Agrippa dat heeft laten bouwen, en met kleine letters dat het gerestaureerd werd onder Septimus Severus, maar staan bovendien de namen van een paar pausen omdat die ook nog het een en ander hebben laten opknappen. Verder lees je op een ontelbaar aantal huizen dat die en die kunstenaar, geleerde, politicus of geestelijke er geboren werd, stierf of op bezoek was.

Ik loop door, beland in de Vicolo del Cinque en blijf staan bij een etalage die vol ligt met chocola, bonbons en oude boekjes. Rond de etalage zijn de *writers* ook bezig geweest. In de bar annex winkel zitten twee mensen met elkaar te praten, een man van een jaar of veertig en een jong meisje dat daar werkt. Ik bestel een cappuccino en een chocolaatje met *peperoncino*. Overal staan of liggen oude boeken, staan dozen bonbons of hangen affiches met reclame voor chocola. Er worden ook voorleesavonden gehouden, zegt de man die de eigenaar blijkt te zijn. Hij geeft me een visitekaartje, tevens boekenlegger, waarop een boekenplank vol boeken staat afgebeeld en een groot stuk chocola dat smelt en neerdruipt op een opengeslagen boek, waarin de uitspraak van Oscar Wilde 'Ik kan alles weerstaan, behalve verleidingen' is te lezen. Ik vertel dat ik kwam kijken naar de graffiti.

Het meisje heeft er niks tegen. 'De muren zijn vaak zo saai.'

De man reageert fel. 'En als ik nou toevallig hou van saaie muren?! Kunst noemen ze het. Oké, maar niet op mijn muur. Koop twee spuitbussen minder en in plaats daarvan een doek of neem een stuk karton en maak daar je kunst op. Als je goed bent verkoop je het en word je nog rijk ook. Maar blijf af van andermans muren! Laatst heb ik er een op heterdaad betrapt.'

'En?'

'Ik heb hém geschilderd. Mijn broer hield hem vast en ik heb hem met zijn spuitbus een mooi kleurtje gegeven. Die zien we niet meer terug.'

'Dat zou dus de oplossing zijn.'

'Ja, en die jongens oppakken en ze de boel zelf helemaal laten overschilderen. Maar de politie doet niks. Er ís nauwelijks politie en die enkele agent heeft het te druk met het bekeuren van auto's. Wat wil je met zo'n hoofdcommissaris. Gelukkig dat ze die delinquent gepakt hebben. En nu maar hopen dat hij niet over een maand weer terug is.'

De auto van de hoofdcommissaris van de politie van Rome is gefotografeerd voor de deur van een luxe restaurant op een parkeerplaats voor invaliden met een pas voor invaliden achter de voorruit.

'Prostitutie op het kerkhof van Verano, een maffiabende bij het Colosseum die groepen toeristen bakken geld ontfutselt voor gidsen zonder opleiding. De Via Appia Antica wordt als vuilstortplaats gebruikt. Autobanden, motoren en oude keukens liggen tussen de tombes. Een moordenaar die een televisiester wordt.' Een jongen van zeventien had in aangeschoten toestand vier mensen doodgereden en verdient nu geld met een brillenreclame en een modelijn. De mode-ontwerper die hem engageerde vertelde dat dit een politieke daad van hem is: 'In Italië komen mensen die de zwaarste overtredingen hebben begaan, meervoudig veroordeeld zijn op de televisie en worden sterren.'

'Eén ding kunnen we echt goed,' zegt de chocola- en boekverkoper, 'daar blinken we in uit: geld uitgeven. We hebben verreweg de meeste staatsauto's. Amerika heeft er zevenduizend, wij zevenhonderdduizend. De minste of geringste heeft hier een escorte en legt het verkeer lam met een hoop onnodige herrie erbij. De minister van Justitie gaat in een regeringsvliegtuig met een stel lekkere meiden naar Monza om de autoraces bij te wonen. Twee jaar een baantje bij het parlement, en de rest van je leven heb je een vorstelijk pensioen.'

'Gelukkig hebben we de troost van boeken en chocola.'

Om half twee loop ik door de Via delle Sette Sale. Het is zinderend heet. De naam verwijst naar zeven ruimtes van de Thermen van Titus, die waarschijnlijk omgebouwde ruimtes van de Domus Aurea waren, want Titus had de naam zuinig te zijn.

Iets verderop herken ik het grasveld met in de verte de brokstukken van de Domus Aurea, het legendarische Gouden Huis van keizer Nero. Daartegenover is de mensa van de Caritas, waar een paar honderd mensen elke dag een gratis maaltijd kunnen krijgen. Ik heb het interview met Pirandello meegenomen dat in *La Repubblica* stond. Door de plotselinge kou enige jaren geleden waren er een paar daklozen overleden en naar aanleiding daarvan was er een interview met de beroemdste dakloze van Rome, Luigi Pirandello. Boven het paginagrote artikel prijkte de kop: *Mi fido solo dei vagabondi*, Ik vertrouw alleen vagebonden. Als antwoord op de laatste vraag: 'Meneer Pirandello, hebt u nog een droom?' luidde het antwoord: 'Ja, vluchten met Rosita naar Nederland.' Het stond er zwart op wit. Mijn buurvrouw Viviana had het artikel voor me bewaard, want ik was toen in Nederland.

Op het laatst stond Pirandello vrijwel elke dag op de stoep met een bos bloemen die hij ergens bij de vuilnis of op het kerkhof vandaan haalde. Mijn huisgenoten vertelden dat ze hem vaak aantroffen voor de deur, ook toen ik al een hele tijd in Nederland was wegens mijn vaders ziekte en dood en daarna om samen met mijn moeder te herstellen van een auto-ongeluk. Het kan zijn dat Pirandello overleden is. Hij was niet meer zo jong en had op het laatst bijna geen stem meer. Dat zou ik erg vinden. Hij was aardig en uitermate origineel. Toen zijn moeder dood ging was hij gek geworden, zei hij. Vanaf dat moment leefde hij buiten. Hij was niet opdringerig en als ik zei dat ik geen tijd had was zijn vaste reactie: 'Jij bent de baas over jouw leven.'

Af en toe gaat de grote metalen deur van de mensa open en komen er wat slordig geklede mensen naar buiten. Als de deur door een vrouw weer open wordt geduwd, stap ik op haar af.

'We zijn gesloten,' zegt ze meteen. Je kunt er eten van half elf tot twee.

'Ik wil alleen iets vragen. Kent u Luigi Pirandello?'

Nee, die kent ze niet. Ik leg uit dat ik hem vijf jaar geleden voor het laatst heb ontmoet. Ik vertel dat ik met hem bevriend was, over hem heb geschreven en laat zien dat zijn naam op de eerste pagina van mijn Romeboekje staat. Ook de pagina van *La Repubblica* laat ik zien.

De vrouw lijkt haar reserves te overwinnen en zegt: 'Ik zal de directeur even halen.' Ze doet de deur weer dicht, maar ik sta nu binnen, op een pad dat naar de mensa voert. Zeven jaar geleden ben ik ook in de enorme eetzaal geweest om Piradello op te halen voor een espresso.

Als ik kortere tijd terug was in Rome keek ik extra goed als ik iemand op straat zag slapen. Een keer toen een straatbewoner met grijze baard in een ambulance werd gehesen snelde ik toe omdat ik dacht Pirandello te herkennen.

Er verschijnt een aardig ogende man.

Ik vertel dat ik bevriend was met Luigi Pirandello.

'Ja, die ken ik wel, maar die komt hier niet meer. Al heel lang niet.'

Dan zal hij wel dood zijn, denk ik meteen.

'Luigi Pirandello?' zegt een zeer ronde dame van een jaar of vijfenzestig die net aan komt lopen, en blijft staan. Ze draagt een scheefhangende groene jurk en heeft twee plastic zakken in haar hand.

'Pirandello, die woont waar ik woon. In de Albergo del Popolo, het hotel van het volk. Hij is ziek geweest.'

'Hij leeft dus nog!' Ik ben werkelijk blij.

'Bij *l'Esercito della Salvezza*,' zegt de man, het Leger des Heils. 'Hij is geopereerd aan een slokdarmtumor.'

'Ach, wat erg. En nu?'

'Het gaat geloof ik wel.'

'Ik wil hem graag bezoeken.'

'Moet u doen. Dat zal hij fijn vinden.' Hij legt me uit waar het is. In de buurt San Lorenzo achter het station.

Intussen verlaten drommen mensen de mensa, anderen vragen of ze naar binnen kunnen, maar dat kan niet. 'Het wordt steeds drukker,' zegt de directeur. Hij kijkt meewarig.

Ik wandel verder, langs de Santa Maria Maggiore, Stazione Termini, waar de werkgevers van Valentina hun tenten hebben. Langs de andere kant van Termini, ook een overblijfsel van het fascistische regime, tussen de stoere Aureliaanse muur en de explosief beschilderde muren van de woonhuizen ertegenover. Door straten die genoemd zijn naar oude Italische volkeren kom ik ten slotte in de Via dei Apuli. Aan de ene kant is de faculteit psychologie, aan de andere kant de Albergo del Popolo. Op een groot strak gebouw met twee palmen ervoor staat met duidelijke letters: *Esercito della Salvezza*.

Ik loop de ruime hal in en ga naar de balie, waarachter een

man zit die in gesprek is met een stevige vrouw in blauw t-shirt en lange broek.

'Ik ben op zoek naar Luigi Pirandello.'

Ze kijken me onderzoekend aan en reageren niet meteen, wat uitzonderlijk is voor Italianen. Ik leg uit dat ik hem ooit tegenkwam in de bus, dat we elkaar daarna af en toe zagen voor een *caffè* en dat hij vaak bloemen kwam brengen. Dat ik lang weg ben geweest door allerlei ernstige zaken in Nederland. Ik laat de eerste pagina van mijn boek zien waarop zijn naam staat, de foto van hem voor de mensa en het interview in *La Repubblica*.

De vrouw kijkt nu zeer welwillend. We schudden elkaar de hand.

Zij heet Gaia, is sociaal werkster en kent Pirandello erg goed.

'Ik was net bij de mensa van de Caritas en daar vertelden ze dat hij hier woonde en dat hij ernstig ziek is geweest.'

'Op dit moment ligt hij denk ik nog te slapen. Maar ik kan zo even kijken.'

'Hoe gaat het met hem?'

'Hij is goed hersteld van de operatie. Vier jaar geleden. Hij kan weer praten.'

De laatste jaren hielden ze hem meer in de gaten, hij at hier.

Ze stelt me voor aan een medicus die haar iets wil vragen. Even later komt er een andere man binnen, verzorgd gekleed met een map onder zijn arm en gewichtig kijkend.

'Is dat ook een arts?'

Ze lacht. 'Nee, dat is een van de bewoners die het spoor wat is kwijtgeraakt. Er zijn hier veel meer mannen dan vrouwen,' zegt ze. 'Vrouwen weten meestal wel voor zichzelf te zorgen, maar een alleenstaande man, gescheiden of weduwnaar, is verloren, kan nog geen ei koken. Ze hebben ook geen verstand van hygiëne. In deze laag van de bevolking gaan mannen daarom vroeger dood. De dames daarentegen hebben in het bejaardentehuis dolle pret.'

Ja, die manie van het cadeautjes geven van Pirandello kent ze goed. 'Die diepte hij op uit vuilnisbakken. Hebben we verboden. En koffiedrinken met een sigaret, dat is nog steeds een feestje voor hem. Maar dat moest minder door zijn kwaal. We zijn hier allemaal erg op hem gesteld. Hij is altijd vriendelijk, alleen als het weer verandert is hij wel eens nerveus en lastig.'

Gaia wordt voortdurend enthousiast begroet door bewoners, met wie ze een kort praatje maakt.

'Hij heeft hier twee vrienden, Giorgio en Carmine en die zijn geweldig, die houden hem in de gaten. Bewoners van het huis. Ze werken in de wasserij van het huis en zorgen dat hij er altijd tiptop uitziet. Heeft hij verteld over zijn familie?'

'Hij had het vaak over zijn opa en hij vertelde ook over het huis van zijn opa op Sicilië met de boom ervoor.'

'Wij hebben hier nooit iemand van de familie gezien. Op het archief willen ze niet meewerken. Ze zeggen dat de wet op de privacy dat verbiedt. Hij is waarschijnlijk een onwettig kind en de familie schaamt zich voor hem.'

'Hij zei vaak dat hij na de dood van zijn moeder gek is geworden. Hij ging nog steeds bloemen brengen naar de nonnen bij wie zijn moeder vroeger woonde.'

Gaia herkent de verhalen.

'Maar, nu je het zegt, hij had het ook over een buitenlandse vriendin die dood was. Een vriendin die net zo tegen het leven aankeek als hij. Ik geloof dat ik daar Carmine zie. Ja, kom, ik stel je voor.'

Ik volg haar de trap af, over een ruime binnenplaats met hoge bomen.

Op een terras staat een tafel met stoelen.

'Carmine!' roept ze. Een kleine gezette man in een licht hemd met korte mouwen draait zich om.

'Dit is Carmine, en dit is een vriendin van Pirandello.'

We drukken elkaar de hand. Hij heeft een rond gezicht waarop je meteen afleest dat hij gevoel voor humor heeft. Een paar tanden ontbreken. We gaan bij de tafel zitten op het terras.

'Gaia zei dat Pirandello van die goeie vrienden heeft.'

'Giorgio en ik waken een beetje over hem. We zeggen: "Als je onder de douche gaat krijg je een sigaret, anders niet." Er moeten bepaalde regels zijn. We zorgen dat hij er altijd netjes uitziet. We maken wel eens een wandeling en nemen ergens een *caffè*. Hij kan ook rare grappen uithalen, hoor. Soms ligt hij in bed alsof hij dood is. Dat hebben we meerdere malen meegemaakt. We schrokken ons rot. Dan gingen we zingen.' Carmine zingt: '*Pirandello è morto, Dio, Santo Dio, Pirandello è morto.*' Pirandello is gestorven. God o heilige God, Pirandello is dood. 'Na een tijdje ging er dan heel voorzichtig een ooglid een beetje omhoog. Ten slotte zei hij: "Maar jullie wisten toch dat ik een grapje maakte?" We hebben ook wel meegemaakt dat hij de benen nam. Dan zaten wij daar beneden in de wasserij. Tegen de tijd dat we boven waren was hij verdwenen. Hij is wel eens door een ambulance hier gebracht, dan wist hij helemaal niet meer waar hij woonde.'

Carmine gaat kijken hoe het met hem is.

Even later komt hij terug. 'Hij is zich aan het aankleden. Ik heb gezegd dat er damesbezoek voor hem is.'

'Hij was bevriend met een tandarts.'

'Daar was hij heel boos op, want die had volgens hem drie foto's van zijn moeder gestolen. Tja, we weten het niet. Bij hem weet je nooit wat waar is en wat niet.'

Daar is hij. In een wit pak, een pet op het hoofd, zijn baard verzorgd, leunend op zijn wandelstok.

Als hij dichterbij komt spert hij zijn ogen open.

'Rosita!?'

'Luigi!'

'Ik dacht dat je dood was!'

'Ik dacht ook dat jij dood was.'

Hij kijkt naar Gaia en Carmine. 'Mijn vriendin uit het buitenland. Ik dacht dat ze dood was.'

'Hoe kom je daar nou bij, Pirandello?'

'Dat zeiden mensen uit je huis.'

'Ik heb een ongeluk gehad maar ik ben er nog.'

'Ik heb ook een ongeluk gehad maar ik ben er ook nog.'

Gaia haalt koffie voor ons allemaal.

'Mijn opa is ook een paar keer dood geweest. Nu is hij echt dood. En mijn moeder ook. Ik mis haar elke dag.'

'Gelukkig heb je Gaia en je vrienden.'

Zijn felle zwarte ogen stralen. 'Ja, zij zijn mijn vrienden. Ze hebben mijn leven gered. Maar dood zijn is ook niet erg.'

'Dan kun je geen sigaretjes meer roken.'

'Ja, dat is jammer.'

Hij kijkt af en toe wat ongelovig naar me en ik wat ongelovig naar hem. Personages uit een verhaal zijn we voor elkaar die ineens van vlees en bloed blijken.

Daar is Gaia met de koffie. Voor deze keer mag daar een sigaretje bij.

'En bloemen, ze moet bloemen hebben.'

'Maar niet uit de vuilnisbak,' zegt Carmine.

Gaia wijst naar een bloemenperk. 'Pluk daar maar een bloem.'

Pirandello staat op en wandelt geleund op zijn stok naar het bloemenperk. Hij tuurt een tijdje en plukt dan een tak vol gele roosjes.

'Ik dacht telkens, ik moet bloemen brengen naar haar graf, maar nu ben je hier.'

'Dat betalen wij hoor, dat eten van de Caritas,' zegt de taxichauffeur die me naar huis brengt, 'van ons belastinggeld. Ik vind het goed, maar je moet niet denken dat de kerk een cent bijdraagt. Terwijl ze bulken van het geld. Het wordt nooit iets met de politiek in Italië omdat we de *santo padre* hier hebben, de heilige vader. Allerlei wetten krijg je er niet door. Ik ben katholiek maar ik kom niet meer in de kerk. Al die rare verboden en al die rijkdom. Christus heeft de handelaars de tempel uit gegooid. Ik ben wel christen, ook katholiek, maar het Vaticaan mogen ze wegdoen met de paus erbij. Ik ken een paar priesters, erg aardige types, eenvoudig en heel ruimdenkend. Veel ruimer dan het Vaticaan. Bij mij thuis zeiden ze altijd: "Je moet doen wat de priester zegt en niet doen wat de priester doet."'

'Van mij mogen ze trouwen, waarom niet?'

'En vrouwen toelaten tot het ambt? Dat doen ze nooit, want dan krijgen vrouwen macht. Dan klimmen ze op en belanden in de kamer met de knoppen. Deze paus vind ik trouwens niks. Veel te koel en te stijf.'

'Een echte intellectueel.'

'Ik heb hem nog niks slims horen zeggen.'

'Hij lijkt me wel vriendelijk.'

'Hij is mijn type niet. Geef mij maar Johannes xxiii. Dat was een warme schat.'

Hij is al veertig jaar taxichauffeur. 'Het is wel zwaarder geworden en de mensen lachen minder. Bij scholen stonden ze altijd te zoenen, nu te sms'en. Mijn hele leven ben ik links geweest. Maar zij hebben er ook niks van gebakken. Nou word ik op mijn oude dag nog gedwongen rechts te stemmen terwijl ik altijd een gloeiende hekel heb gehad aan die fascisten. Iedereen denkt aan zichzelf, niemand wil offers brengen. En er is armoede, échte armoede, in het centrum zie je dat niet. Maar ondanks alles blijft dit het mooiste land van de wereld.'

Simone staat drie keer op het antwoordapparaat.

'Rosita, ik ben terug uit Amsterdam. Het was geweldig. Wat een romantische stad.'

Hij was daar een week naartoe met zijn vriendin. Voor zijn

vertrek had hij me vaak gebeld om te vragen wat voor kleren hij mee moest nemen en wat voor eten hij daar kon verwachten.

De telefoon.

'*Ciao* Rosita, ik ben terug in Rome. Wanneer kunnen we elkaar ontmoeten? Ik wil je heel graag vertellen hoe fantastisch we het hebben gehad in Amsterdam. Werkelijk fantastisch! Ook seksueel was het heel erg geslaagd. Ik heb meerdere malen een *rapporto totale* gehad met Mirella. Ik moet dat gedoe met die voeten achter me laten, anders ruïneer ik mezelf. Er zijn wel vrouwen die het toelaten maar die willen betaald en dat vind ik eigenlijk niet prettig. Als het gratis is, is het anders.'

'Zal Mirella ook niet leuk vinden, denk ik.'

'Nee. Het heeft wel veel geregend maar het was toch fantastisch. We hebben een tocht in de boot gemaakt door de grachten, wat je zei. *Bellissimo!*'

'En het eten?'

'Heel goed. We hebben vaak Chinees gegeten.'

Tien minuten later belt hij weer.

'Wat een romantische stad, een superromantische stad. In Amsterdam hebben we elkaar werkelijk gevonden. We hebben het zeker drie keer echt, op een normale manier, met elkaar gedaan. Mirella was zo blij. Ze straalde. Ik heb haar een jurk gegeven. Ze herhaalde dat ze hoopt dat ik het overwin, dat met die voeten. Eén keer heeft ze het me wel laten doen.'

'Merk je dat het minder wordt?'

'Ik heb het nog steeds. Als ik mooie, echt mooie voeten zie, op heel hoge dunne hakken, gebruinde voeten, met nagellak,' hij gaat moeilijker ademhalen, 'bijvoorbeeld met bordeaux-kleurige nagellak, ja, dan heb ik dat. Maar ik ben bij een seksuoloog, een vriend van mijn moeder. Hij legt me uit hoe het werkt en dat het me uiteindelijk niet verder brengt. Je draagt zeker geen kousen?'

'Nog niet.'

'Ik heb heel mooie kousen voor je. Zwarte, opengewerkt. Die zullen erg mooi staan bij die, bij die werkelijk prachtige, ongelooflijk mooie schoenen die je een tijdje geleden aan had, die schitterende schoenen van Sergio Rossi. Prachtig, die zwarte kousen bij die rode schoenen.'

Ventotene, eiland van de verbannen prinsessen

Rome is op haar allermooist in de vroege ochtend.

Ik stap op de trein naar Formia, waar ik de boot zal nemen naar Ventotene, het eiland waarnaar Augustus zijn dochter Julia verbande. Toen zij hier weg moest in het jaar 2 voor Christus, was de stad van marmer. En haar vader ook. Ondanks de smeekbeden van het volk bleef keizer Augustus onverbiddelijk. Misschien heeft het hem moeite gekost, hij was dol op zijn enige nakomeling. Toen hij nog Octavianus heette zei hij herhaaldelijk dat hij twee beminde dochters had voor wie hij moest zorgen: de Repubblica en Julia. Voor beide heeft hij dat niet goed gedaan. Misschien bezweek hij voor de druk van zijn vrouw Livia, haar stiefmoeder.

De trein rolt weg langs Romeinse muren, door het land met antieke aquaducten nog in ochtendnevelen gehuld.

Tegenover me zit een jongeman. Hij leest dezelfde krant als ik. Met een klein knikje begroetten we elkaar. Ik ging ervan uit dat hij Italiaan is, met die krant en zijn zwarte haar, maar even later pakt hij een gids van Zuid-Italië en een Engels-Italiaans woordenboek.

Julia kreeg een strenge opvoeding. Ze was intelligent, geestig, hield van de letteren en bezat een grote eruditie. Ze was eigenzinnig, maar moest zich schikken in de huwelijkskeuzes die haar vader voor haar maakte en die pasten in zijn politieke plannen. Telkens was de bruidegom zijn aangewezen opvolger. De eerste was Marcellus, met wie ze trouwde toen ze veertien was en hij zeventien. Maar Marcellus stierf jong. Op haar achttiende trouwde ze met Agrippa, die vijfentwintig jaar

Julia

ouder was en met wie ze vijf kinderen kreeg. Maecenas had tegen Augustus gezegd: 'Je hebt Agrippa zo machtig gemaakt dat je hem nu tot je opvolger moet aanstellen of doden.' Maar ook Agrippa stierf voordat Augustus overleed en ten slotte moest Julia trouwen met Tiberius, de zoon van Livia, de derde vrouw van Augustus. Julia was gevierd in de beau monde van Rome, had relaties met mannen die ze zelf uitkoos. Ze zou een affaire hebben gehad met Ovidius, die mede daarom werd verbannen naar de Zwarte Zee. Een grote liefde, misschien de enige echte in haar leven, was Julus Antonius, de zoon van Marcus Antonius, die zich onder meer met de dichtkunst bezighield. Tijdens de lange afwezigheden van Agrippa bleef ze Julus ontmoeten en de relatie bleef bestaan tijdens het huwelijk met Tiberius. Niet alleen Julia werd gedwongen tot dit huwelijk. Ook Tiberius moest van Augustus zijn innig geliefde vrouw Vipsania Agrippina, dochter van Agrippa, verlaten om te trouwen met Julia. Liefde was het niet, van geen van beiden.

Julia werd verbannen wegens overspel. Maar het kan zijn dat Augustus is bezweken voor de druk van Livia, die maar één doel had, haar zoon Tiberius op de troon krijgen en niet een van de zonen van Julia, de natuurlijke kleinzonen van Augustus. Met het excuus van overspel kon ze Julia veilig opbergen en ongestoord doorgaan met haar listige organisatie.

Als ik de coupé ruim een uur later verlaat, hebben mijn coupégenoot en ik geen woord gewisseld. Dat zou met een Italiaan niet gemakkelijk zijn gelukt. Ik loop door de stille straten van Formia. Hier had Cicero een buitenverblijf. Hier is hij vermoord in 43 voor Christus. Slachtoffer van de turbulentie die ontstond na de moord op Julius Caesar. Hij bleef trouw aan de Republiek en zag niks in het keizerschap. Marcus Antonius liet hem uit de weg ruimen en Octavianus, de latere Augustus, wiens ster gestegen was dankzij Cicero, beschermde hem niet. Later zou Plutarchus schrijven dat keizer Augustus een van zijn kleinzonen, een zoon van Julia, verraste bij het lezen van een boek dat hij voor hem wegstopte. De keizer pakte het boek en bladerde erin, gaf het boek ten slotte terug met de woorden: 'Mijn jongen, dat was een groot schrijver en een die zijn vaderland oprecht liefhad.'

Vaak ben ik mijn dagen begonnen met zijn teksten, zijn filippica's tegen onrechtmatig gedrag en wanbestuur.

De straatjes lopen naar beneden, naar de baai. Uit de openstaande ramen en de met bloemen overgroeide balkons klinken geluiden van mensen die aan de dag beginnen. De straten zijn nog leeg, de winkels gesloten. Een jongen en een meisje praten op een bankje, hun schooltas naast zich, misschien met teksten van Cicero erin. Het kan ook Ovidius zijn. Even verderop staat een jong stelletje te zoenen.

Ik ruik de zee. Diezelfde geur roken zij, Cicero, Julia.

Boten liggen klaar voor Napels en de eilanden Ponza en Ventotene.

Er rijden wagentjes de boot op met groente, fruit. Een kar met melk, een enkele personenauto, een enkele passagier te voet. Ik klim de trappen op naar het dek, dat ik vrijwel voor me alleen heb. Het is de eerste oktober en dat betekent het einde van de toeristenstroom. Maar de lucht is blauw en de zon laat zich voelen als in de zomer.

Ik sta op het voordek en merk hoe de boot loskomt van de wal.

Hier voer ze, op een keizerlijk schip waarschijnlijk, vergezeld van haar moeder, die uit eigen beweging besloot haar dochter te vergezellen naar haar verbanningsoord. Scribonia, de tweede vrouw van keizer Augustus, die werd verstoten op de dag dat Julia werd geboren omdat Augustus in liefde ontbrand was voor Livia, die scheidde van haar echtgenoot terwijl ze zwanger was van Drusus, de jongere broer van de latere keizer Tiberius.

Wat ging er door haar heen? Het volk van Rome smeekte of ze mocht blijven, maar Augustus was onverbiddelijk, misschien onder invloed van Livia. Haar geliefde Julus Antonius pleegde zelfmoord voordat hij geëxecuteerd kon worden.

Ik tuur in de verte op zoek naar eilanden, maar zover ik kijken kan ligt de uitgestrekte vlakte van de zee. Dan ga ik de boot verkennen, trappen op en af. Er staat een hekje open op het smalle zijdek. Waarschijnlijk mag ik hier helemaal niet komen. Toch ga ik door het hekje heen, kijk door een openstaande deur en zie een man in een blauwe overall met een bezem.

'*Scusa*, ik ben de weg kwijt.'

'Kom maar mee,' zegt de man vrolijk. 'Wil je even kennismaken met de kapitein?'

Hij gaat me voor en even later sta ik in de enorme stuurcabine. Een vele meters breed dashboard vol knoppen, lampjes en wijzers, een man met een pet heeft zijn handen op het roer. Achter het enorme raam alleen maar zee. Ik word hartelijk begroet, iedereen geeft me de hand, stelt zich voor en binnen de kortste keren is het een gezellig gebabbel. Ventotene is prachtig, zeggen ze, en de mensen erg aardig. Veel aardiger dan die van Ponza, veertig kilometer verderop. Die denken alleen aan geld. In de winter is daar alles dicht. Niet in Ventotene. Daar gaat het leven van de ruim driehonderd mensen die er wonen gewoon door.

De mannen komen allemaal uit de buurt. Capri, Napels, Procida, Gaeta.

Ik wijs op een kast met vlaggen.

'Mooi,' zeg ik.

'Ja,' zegt Sergio, een man met een deftiger pak en duidelijk een hogere functie. 'Meestal varen we naar Ventotene en Ponza, maar het kan voorkomen dat we bijvoorbeeld op Tunesische wateren terechtkomen en dan moeten we de Italiaanse en de Tunesische vlag hijsen. Helaas worden ze steeds minder gebruikt en gaat het steeds meer door middel van computers.

Marcellus   Agrippa

Tiberius

De mannen van Julia

Julia
de Jongere

Gaius Caesar

Lucius Caesar

Agrippina
de Jongere

Agrippa Postumus

De kinderen van Julia

Net als met de kaarten,' zegt hij wat melancholiek. 'We hebben nu de gps.' Hij wijst op een klein apparaatje aan de wand. Dan trekt hij een la open en haalt daar zeer gedetailleerde zeekaarten uit.

'Dan zaten we met een stel om die kaart heen en tekenden de route uit met speldjes.'

Ze willen weten wat me naar Ventotene voert.

Ik vertel dat ik de Villa Giulia wil zien.

'Die kun je alleen onder leiding bezoeken. Maar je moet even bij de burgemeester binnenlopen.'

Ik vraag hoe hun dag er verder uitziet.

Om kwart over elf zijn we in Ventotene. Dan lunchen ze daar. Om drie uur varen ze terug naar Formia. Een half uur later naar Ponza, waar ze dan om acht uur zijn. Daar dineren ze en overnachten ze. Aan boord, alles aan boord.

'Zal ik het je even laten zien?' vraagt Leo, de man in de overall. Ik volg hem door smalle gangen. Hij laat me de hutten zien. Ieder heeft zijn vaste hut. 'Dit is de eetkamer voor de hogere heren.' Er staat een tafel met een wit tafelkleed, vol borden en glazen. Een paar gangetjes verder is de eenvoudiger eetkamer van de anderen.

Het eten is goed. Ze zijn tevreden over hun kok.

'Kom, ik stel je aan hem voor en laat je de keuken zien.'

Heerlijke geuren komen me al tegemoet. En de kok, aan wie je duidelijk kunt zien dat hij alles voorproeft. De witte schort spant om zijn royale buik. Leo tilt de deksels van de enorme pannen. *Calamari*. Aardappels in tomatensaus. Ja, en pasta natuurlijk, maar die wordt bereid op het laatste moment.

Sergio komt binnen.

'De burgemeester is aan boord. Zal ik je even aan hem voorstellen?'

Ik ga achter hem aan.

'Aardige man. Hij reist heen en weer tussen Formia en Ventotene. Behalve burgemeester is hij ook arts, orthopedisch chirurg.'

Als we de grote overdekte cabine met bar binnenlopen staat een man op en komt op ons af met uitgestrekte hand. De burgemeester. Hij had al begrepen dat ik niet alleen voor het strand kom, maar ook vanwege de roerige geschiedenis van zijn eiland, de verbannen prinsessen en de opgesloten antifascisten.

'En de grondslag van het Verenigd Europa is er gelegd,' zegt hij niet zonder trots.

'Ja, door Altiero Spinelli. Het Manifest van Ventotene. Is dat daar te vinden, denkt u?'

'Ik geef het u.' Hij denkt even na. 'Als u om half een op het gemeentehuis langskomt. U kunt gewoon doorlopen.'

Daarna keer ik terug naar de bemanning.

'Een foto met jou aan het roer?'

Even later houd ik het roer vast van die kolossale boot, de eindeloze watervlakte voor me.

'Zelfs in de zomer is het op Ventotene vredig. Er is geen discotheek, geen bioscoop. Het is ook het eiland van de vrouwenpaartjes. In tegenstelling tot Ponza.'

'Dat zijn mannenpaartjes?'

'Nee, gewone koppels die er samen heen gaan en gescheiden terugkomen.'

Ik wil het moment zien van de aankomst.

'Kom mee, ik laat het je van dichtbij zien,' zegt Leo.

'Je moet eten bij Il Giardino, goed familierestaurant. Linzensoep, een specialiteit van daar. Mezzatorre is een mooi hotel met uitzicht op zee.'

Als een walvis met een kleintje doemen Ventotene en Santo Stefano, met de beruchte gevangenis, op uit het water. Geleidelijk komen ze dichterbij.

'Daar lag de Villa Giulia.' Op een landtong, aan drie kanten omspoeld door de zee.

Ik zie hoe Leo de kabels losrolt. Een paar mannen zijn even heel druk in de weer, en dan stap ik aan wal. We nemen afscheid en zullen elkaar de volgende dag weer zien als ik met hen terugvaar.

Meteen achter de moderne haven, waar het rustig is, ligt de Romeinse haven, die nog wordt gebruikt door vissersbootjes en bootjes voor tochtjes. Onder antieke bogen aan de kade zijn magazijnen uit de klassieke Oudheid, die nu worden gebruikt als winkels met uitrustingen voor diepzeeduikers en vissersbenodigdheden.

Over een smalle stille straat wandel ik omhoog langs veelkleurig geschilderde huizen. Af en toe passeert iemand te voet die vriendelijk groet, geen auto's, alleen een *ape*, een 'bij', een klein zoemend voertuig op drie wielen met een ruime achterbak. Vanzelf voert de straat me naar een relatief groot maar toch intiem plein dat wordt gedomineerd door een robuuste geelgeschilderde vierkante toren met kantelen. Boven de deur staat met grote letters *Municipio*, Gemeentehuis. Daarnaast staat een hotel in dezelfde kleur, Mezzatorre, en het lijkt ook op een stoere halve toren.

Ik loop naar binnen.

Een goed uitziende man van een jaar of vijfenveertig zegt dat de kamers met uitzicht bezet zijn omdat het hotel nu bevolkt wordt door een schoolklas uit Rome. Maar hiernaast zal het wel lukken. Ik loop achter hem aan naar buiten en een volgend hotel in, rood van kleur met uitzicht over zee. Het hotel heet Villa Giulia.

'Renzo?' roept hij luid.

Hij gaat weer naar buiten, kijkt over een muurtje naar beneden en roept opnieuw. Een man die ligt uitgestrekt op een zwart strand draait zich om, staat op en loopt in de richting van de lange trap. Even later regelt hij een prachtige kamer voor me, met een groot terras, uitzicht over zee en Santo Stefano, waarop de gevreesde gevangenis duidelijk is te zien. Daarna ga ik naar de burgemeester.

Door de openstaande deur van het gemeentehuis ga ik naar

binnen maar zie niemand. Ik klim de trap op en al zoekend kom ik weer bij een openstaande deur. In een grote kamer met geopende ramen die uitzicht bieden op de zee en aan de andere kant op het dorpsplein, zit de burgemeester achter een bureau.

'Hebt u goed onderdak gevonden? Moment, ik ga het manifest voor u halen.' Hij verdwijnt.

Ik kijk naar een grote zwart-witfoto van een man met een wilde bos wit haar en witte baard. Zijn hand omhoogstekend, joviaal, krachtig.

'Dat is Spinelli,' zegt de burgemeester als hij weer terug is. 'Kijk, en dit zijn de papieren van de arrestatie.'

Hij loopt met me mee naar ingelijste groene papieren aan de wand. Ik zie dezelfde stoere kop maar nu met kort zwart haar. Van voren gefotografeerd en van de zijkant, als een echte schurk. 'Altiero Spinelli.' Met de hand staat ernaast geschreven: *Antifascista irriducibile fanatico.* Ongeneeslijk fanatieke antifascist. Ook nog een reeks vingerafdrukken. In 1927 werd hij opgepakt vanwege zijn activiteiten in het antifascistische verzet en opgesloten op Ventotene.

De burgemeester overhandigt me het Manifesto di Ventotene, waarin Spinelli de hoofdlijnen van zijn federalistische denken en de toekomst van Europa uiteenzet. De voorloper van de Europese Grondwet. De eerste versie is geschreven op sigarettenvloeitjes en in een kippenmaag naar Rome gebracht, door de latere vrouw van Spinelli.

'Ik ben ontvangen in Brussel door het Europees Parlement.'

De burgemeester zegt dat ik zeker even moet binnenlopen bij de boekhandel, aan de overkant van het plein. 'En u moet Salvatore ontmoeten, die kan alle antieke deuren voor u openen. U vindt hem in het museum onder het gemeentehuis of gewoon op straat. Als u iets nodig hebt, kunt u hier altijd binnenlopen.'

Ik ga naar de overkant van het plein. De boekhandel is inderdaad zeer goed voorzien, met erg veel boeken over de geschiedenis van Ventotene.

Als ik de boekhandelaar, Fausto, vertel dat ik boeken schrijf en graag de Villa Giulia bezoek, zegt hij: 'Je moet Salvatore ontmoeten. Wacht even.' Hij loopt naar buiten. Komt meteen weer terug. 'Daar is hij, kom, ik stel je voor.'

Diezelfde middag kan ik mee met een tochtje naar Santo Stefano en de gevreesde gevangenis. Daarna is er een bezoek aan de Romeinse cisternen die de haven en de villa van water voorzagen. Morgenochtend naar de Villa Giulia.

Er is nog tijd om wat te eten op het terras van Mezzatorre met uitzicht over zee en op Santo Stefano. Daarna daal ik af naar het zwarte strandje onder mijn hotel en zwem in het volledig heldere water. Iets verderop is het antieke bassin nog intact waarin vis werd gekweekt.

Even later stuif ik met Salvatore, de schipper, twee reizigers en twee bewoonsters van Ventotene naar Santo Stefano, een spoor van schuim achterlatend. Na tien minuten zijn we aan de overkant en gaan aan wal op de zwarte grond van de gevreesde plek waar menigeen nooit meer vandaan kwam. Het eiland is rond en heeft aan alle kanten hoge rotsige wanden zodat het vrijwel onmogelijk was om te ontsnappen.

We moeten door een poort. Ooit stond er een groot bord naast met de tekst *Questo è il luogo del dolore*... Dit is het oord van verdriet. Iets verderop: 'Dit is de plek van de verbanning...' En ten slotte: 'Dit is de plek van de Opstanding!!!' Die borden waren er neergezet in de laatste fase, toen de gevangenen werden opgevoed tot mensen die konden terugkeren in de maatschappij. Velen zijn hier echter nooit opgestaan maar vermoord of op een andere manier ellendig aan hun eind gekomen.

We klauteren omhoog. Ik praat met de Ventotenese vrouwen.

De ene vrouw heeft gestudeerd in Rome, maar het is moeilijk om een baan te vinden en nu werkt ze in het restaurant van haar ouders. In de zomermaanden is het anders, dan ontmoeten mensen elkaar op straat, op het plein, op het strand. In de winter zit iedereen binnen opgesloten, als de winden over het eiland razen, het eiland dat daaraan zijn naam ontleent. De andere vrouw, Vania, is de secretaresse van de burgemeester. Ze komt uit Noord-Italië en het was haar droom om in Rome te wonen en te werken, maar daar was geen plaats, hier wel. Ze woont op de bovenste verdieping van het gemeentehuis, in die stoere gele toren. Een groot, mooi appartement, maar ze mist de aarde. 'Ik ben heel dierlijk,' zegt ze. Mijn handen willen de grond voelen. Geur is heel belangrijk voor me. Santo Stefano ruikt anders dan Ventotene, dat merk ik meteen. Heel duidelijk, venkel, rucola, asperges.' Ze heeft een Nederlandse geliefde gehad, hij was erg aardig en heel mooi, maar hij rook te veel naar brood en boter. 'Ik ruik het als er geen zout in het eten zit, of te veel zout. Ik wil die beroemde vrouw ontmoeten in Rome, in de Via del Babuino. Zij heeft een van de beste neuzen van de wereld en daarom werken veel parfumhuizen met haar. Ze heeft het parfum van de Romeinse prinsessen nagemaakt, op basis van rozen en kruiden, en ook het parfum van de Renaissanceprinsessen.' Vania heeft het geroken terwijl er beelden werden vertoond van hun paleizen, schilderijen uit die tijd. Ik zou graag een flesje hebben met het parfum van Julia.

Salvatore haalt een grote sleutelbos tevoorschijn en opent de deur van de gevangenis. We staan op een plein omringd door cellen, drie lagen boven elkaar, in de vorm van een hoefijzer. Even later laat Salvatore de plattegrond zien van het theater San Carlo in Napels. 'Kijk, precies dezelfde vorm, alleen was de situatie omgekeerd. De mensen in de loges keken naar het podium. Hier konden de mensen op het podium alle cellen tegelijk in de gaten houden.' De gevangenis werd gebouwd in 1794. Aanvankelijk voor dieven en moordenaars, later ook voor politieke gevangenen. Het werd de plek waar antifascisten werden opgesloten, zoals de vroegere president van Italië, Sandro Pertini. We lopen langs de cellen, even later langs een ingestorte kerk, een voetbalveld voor de gevangenen, tussen hoge muren.

Het eiland is te koop voor twintig miljoen euro. Op de internetadvertentie staat dat de gevangenis is inbegrepen en zich goed leent om een hotel van te maken. Ze raken het nooit kwijt voor die prijs, denkt Salvatore. Hoe mooi het ook wordt, je blijft er opgesloten.

Wij stappen weer in het bootje en zoeven terug naar Ventotene, waar ik een uur later een afspraak heb bij de cisternen met Salvatore en een schoolklas.

Er is nog even tijd om het museum binnen te lopen. Het eerste wat ik zie is de enorme *dolio*, de meer dan manshoge ronde kruik voor wijn. Die is gevonden in een Romeins schip dat hier verging en was waarschijnlijk bestemd voor de keizerlijke villa, alhoewel het Julia ten strengste was verboden om wijn te drinken. Misschien omdat ze er in Rome te uitbundig van genoten had. Voor de andere bewoners van de villa was het kennelijk niet verboden. Fragmenten van muurschilderingen maken duidelijk dat die villa, die prinsessengevangenis, een feest van kleur en verfijning moet zijn geweest. Een maquette laat zien hoe uitgebreid de villa was.

Snel loop ik langs de fragmenten, de stukken schildering, stucwerk, marmer, kruiken voor olie en wijn, een marmeren versiering van een ligbed. Kleurige zalen zie ik voor me, gouden schalen met verrukkelijke schotels, mooie gewaden van de fijnste stoffen, heel veel personeel dat zich uitslooft. Maar alles is overschaduwd door melancholie, machteloze kwaadheid, intens verdriet wanneer er weer een bericht kwam van een sterfgeval. Een dierbare die dood was gegaan, op natuurlijke wijze of niet. Julia was de eerste van een lange reeks vrouwen die hier werden opgesloten.

Over de lange rechte Via dei Ulivi rep ik me naar de cisternen.

De schoolklas is er al. Een stuk of dertig kinderen van een jaar of twaalf, dertien zijn hier met hun leraren drie dagen op studiereis. We kijken naar de enorme waterbassins die werden aangelegd toen keizer Augustus had besloten hier een villa te bouwen. Het bassin is nog helemaal intact, ook de trap bestaat uit tweeduizend jaar oude treden. We dalen ze af. Dat deden de schoonmakers vroeger als het bassin even leeg was. Hier werd regenwater in opgevangen en door middel van enorme leidingen stroomde het water naar de haven, het visbassin en de keizerlijke villa. De Thermen werden ermee gevoed, en de fonteinen en de tuinen werden er groen en bloemrijk mee gehouden.

'Weten jullie hoe het water in de bassins schoon werd gehouden?' vraagt een leraar.

De kinderen kijken glazig, lachen, weten het niet.

'Door middel van palingen. Die eten alle vuil op, zelfs hun eigen uitwerpselen.'

De kinderen giechelen, stoten elkaar aan.

We wandelen door de eindeloze gangen waarin je nog duidelijk kunt zien tot waar het water kwam. De gangen zijn manshoog omdat de bouwers erin moesten kunnen bewegen. Salvatore wijst ons op sporen van latere bewoners. Christenen lieten kruisen achter op de muur, gevangenen schilderden hun verloren Ventotene met huizen, bloemen, bomen, vrije vogels en een officier in uniform.

Dit kolossale complex waar 750.000 kubieke meter water in kon geeft een idee van de grandeur van toen.

's Avonds loop ik door de stille straatjes naar restaurant Da Benito, dat me werd aangeraden door Vania, met de fijne neus. De enkele persoon die ik tegenkom groet vriendelijk. Even loop ik de kerk in waarvan de deuren openstaan, maar er is niemand. In nissen staan beelden van heiligen. De patroonheilige van het eiland, Santa Candida, staat het dichtst bij het altaar, een mooie zwartharige vrouw in felrode jurk. Er hangen foto's van de uitbundige feesten die hier worden gevierd op 20 september ter ere van deze vroege christin.

Ik daal verder af.

Aan de rand van een langwerpige inham met water dat zwart glanst in het donker, staan tafeltjes onder een baldakijn. Het lijkt uitgestorven, maar dan zie ik toch een flauw lichtje branden, binnen. Er komt een man naar buiten.

'Is het gesloten?'

'Ja. Het is gisteren dichtgegaan en pas in de lente gaat het weer open. Maar je kunt eten in het restaurant bij de haven.'

'Of gewoon waar ik zit, bij Mezzatorre.'

'Zijn dezelfde eigenaars. Het is goed, ik heb er deze zomer gewerkt, bij de haven. Als je wilt begeleid ik je.'

Ik aarzel even, maar vind het wel leuk om aan de haven te eten vlak bij de plek waar de prinsessen woonden. Eerst gaat hij de hand vol *peperoncino* even thuis neerleggen. Die had hij gekregen van de mensen in het restaurant. 'Is lekker over de pasta.' Hij opent een deur van een van de huisjes die rond de zwart glanzende inham staan en is meteen weer terug.

We lopen langs de antieke haven met antieke bogen.

Hij heet Flavio, hij woont sinds zijn twaalfde op Ventotene en voelt zich hier erg op zijn plek. Nu werkt hij weer in de bouw, als metselaar. Hij is een jaar of dertig, lang en slank, met een wat melancholieke uitstraling.

Tegen de eigenaar van het grote, lichte restaurant zegt hij dat die goed voor me moet zorgen en verdwijnt dan met een verlegen groet.

De beroemde linzensoep van de linzen van Ventotene smaakt heerlijk en ook de zelfgevangen vis. Er is een tafel met een groep opvallend rustige buitenlanders en een tafel vol Italiaanse mannen die steeds vrolijker worden en uiteindelijk gaan zingen. De andere tafels zijn leeg, maar in het seizoen zal het hier ongetwijfeld uitpuilen.

Buiten ligt de zwartglanzende zee. Een wonderlijk gevoel om op dit stukje land te zitten van twee en een halve kilometer bij achthonderd meter, twee uur varen vanaf het vaste land.

Na een afsluitende espresso ga ik terug naar mijn Villa Giulia. In de moderne haven waar ik aan land kwam is vrijwel geen boot te zien, de antieke haven ligt daarentegen vol met kleine bootjes. Er is niemand, het is doodstil. Ik kijk naar de bogen en stel me voor dat ik tweeduizend jaar terug ben in de tijd. Dat daar de Romeinse schepen liggen die goederen hebben afgeleverd bij de Villa en brieven misschien.

'*Era buono?*'

Ik zoek met mijn blik in het donker maar zie niet meteen waar de stem vandaan kwam.

'Ik ben hier.'

Dan zie ik hem, Flavio, op een steen aan de rand van de Romeinse haven.

Of het eten goed was.

Heel goed.

Hij gaat hier vaak wat zitten mijmeren, zegt hij.

'Vind je het niet te stil op Ventotene?'

'Nee, daar houd ik van. In de zomer is het me vaak te druk. En als het te stil is ga ik een weekje naar Rome of naar Napels.'

'Woon je hier met je familie?' Dat kan slaan op een zelf gestichte familie of de familie waaruit hij voortkomt.

'Nee, alleen.' Zijn ouders zijn vanuit Napels hierheen verhuisd toen hij twaalf was. Zijn twee zussen en twee broers wonen op het vasteland.

'En je ouders?'

'Dood.'

'Ach.'

'Tien jaar geleden al. Een auto-ongeluk. Beiden op slag dood.'

'Wat erg.'

'Tja.'

'En hier voelt het als familie?'

'Ja, we kennen elkaar allemaal.'

Ik vertel dat ik de cisternen heb gezien en dat ik morgen een afspraak heb voor de Villa Giulia maar dat ik het jammer vind dat er zo'n schoolklas bij is.

Dat begrijpt hij. 'Die plekken moet je in stilte beleven, dan voel je de magie. Ik ga er vaak naartoe, naar de Villa.'

'Maar hij is toch afgesloten?'

'Ik weet een geheime weg. Kan ik je laten zien. Aan het eind van de middag is het het mooist.'

'Ik vertrek met de boot van drie uur.'

'We kunnen ook morgenochtend om zeven uur gaan.'

Dat spreken we af. Bij de kiosk. Hij loopt met me mee naar de plek zodat ik het de volgende ochtend meteen kan vinden. Daarna laat hij me nog even een ander klein strandje zien. *La parata grande*. Dat is het mooist om half vijf 's middags als de zon ondergaat. Elke plek hier heeft zijn eigen tijdstip, zegt hij.

Hij drukt me de hand.

Welterusten en tot morgenochtend zeven uur.

Als ik terug ben in míjn Villa Giulia kijk ik nog even uit over de zee, waar het waarschuwende lampje van Santo Stefano boven knippert, en kruip snel in bed.

Er is nog niets open en geen mens op straat als ik om kwart voor zeven door het dorp loop. Ook in hotel Mezzatorre is alles nog in diepe rust. Nergens de geur van koffie, wel van *cornetti* in de oven. Alleen een straatveger schuift wat met zijn bezem. De dag begint in prachtige kleuren. Ik voel me hier al thuis.

Om vijf voor zeven ben ik bij de kiosk. Flavio verschijnt een paar minuten later en begroet me met een handdruk.

We kijken even naar de opgaande zon, dan lopen we om de baai heen van Cala Rossano naar de andere kant, waar de villa schitterde. In deze baai verging het Romeinse schip waarvan ik wat voorwerpen zag die het moest afleveren bij de villa, bij de prinsessen.

Een stukje lopen we de trap op, de officiële weg naar de resten van de villa, maar Flavio stapt van de trap af en zet zijn voeten tussen de hoge halmen. Ik volg hem. Er blijkt een heel smal paadje tussen het hoge gras verborgen te liggen. Op een bepaald moment lopen we over grillige aarde, tufsteen die gebeeldhouwd is door wind, zee en regen. Ik ben niet voorbereid op zo'n expeditie, heb alleen een lange rok bij me en gouden slippers. Flavio is attent, waarschuwt als het terrein moeilijker is. Iets verderop lag de *domus rusticus*, het gebouw voor het personeel. Het was een soort kazerne van kleine identieke kamertjes, de deur allemaal op dezelfde plek. Tussen de *domus rusticus* en de keizerlijke villa lagen waarschijnlijk grote waterwerken met fonteinen om het onderkomen van het personeel aan het oog van de prinsessen te onttrekken.

'De villa is gebouwd van de tufsteen die ze hebben uitgehakt toen ze de haven aanlegden. Zestigduizend kubieke meter.'

We lopen langs de zijkant van de landtong Punto Eolo, genoemd naar de wind die hier altijd al koning was. Omdat de villa oorspronkelijk bedoeld was als zomerverblijf, was deze plek gekozen vanwege de verfrissende wind.

'Kijk,' zegt Flavio. Hij wijst naar de grond.

Tussen de goudbruine rotsen zie ik op een randje muur felle kleuren. Rood, groen, geel. Een stuk wandschildering. Hij tikt ertegenaan met zijn vingers. 'Dit is *calciopesto, coccio, calce*. Wat een vakwerk! Tweeduizend jaar heeft dit het volgehouden.' Hij kijkt vol bewondering en bijna ongelovig.

We klauteren verder, het terrein wordt woester. Soms moeten we klimmen dan weer dalen. Soms geeft hij me een hand. Af en toe flonkert er een felle kleur, een stuk van het paleis. We zijn bij de punt waar water en wind het meest tekeer zijn gegaan en al een stukje van het paleis, dat tot hier doorliep en driehonderd meter lang was bij honderdvijftig meter breed, hebben meegevoerd. Langzaam wordt de hemel lichter. 'Nu komt er een lastig gedeelte,' zegt Flavio. Hij gaat me voor, reikt me de hand waar geklauterd moet worden. Hoger komen we en ten slotte staan we tussen stukken muur, onderste randen van kleurige kamers, feestelijke zalen waar het nooit feest was. 'Dit is de oorspronkelijke vloer.' Hij wijst op de rode steen. 'Ze kenden hun materialen en wisten precies hoe die moesten worden gebruikt.' Een poort zien we met een trap, een trap die naar beneden loopt naar de zee. Ik blijf even staan, betoverd. 'Er zijn er meerdere, van die trappen onder poorten door,' zegt Flavio. Ik stel ze me voor in oude glorie, poorten met marmer overdekt, trappen van kleurig mozaïek. Ruisende rokken die ze afdalen, voeten in gouden sandalen. Een blik naar de einder, Ponza en de kust van het vasteland, die heel in de verte te zien zijn, alleen bij helder weer. En dan de troost van het omhelzende water, de kleren bewaakt door de slavinnen. Een gevoel van vrijheid even misschien, vergetelheid. Ik daal die trap af. Kijk uit over de zee, die in de verte opgaat in de nevel.

We lopen verder. 'Kijk, hier waren de thermen. Het zwembad, het stoombad, de ruimte waar het vuur werd gestookt.' Hij wijst op het ingenieuze verwarmingssysteem. 'Kijk, wat een vakmanschap.' Hij tikt tegen de muren. 'Zo goed zie je het zelden meer.'

Hier woonde ze, met haar moeder en haar hofhouding, in een sprookjespaleis van alle luxe en weelde voorzien, met kleurig beschilderde muren, mozaïekvloeren, baden, mooie gewaden, maar niemand van haar dierbaren mocht haar bezoeken. Als iemand haar bezocht moest die volledig worden

Livia

doorgelicht en alle eigenaardigheden moesten worden opgeschreven, zelfs eventuele littekens, zo had haar vader verordonneerd. Wat zal ze een heimwee hebben gehad naar haar geliefden, haar kinderen, naar Rome, misschien ook naar de reizen die ze maakte met Agrippa door de oostelijke delen van het Romeinse rijk, waar deze dochter van de keizer als godin werd onthaald en waar ze een bezoek bracht aan vreemde hoven, waaronder ook dat van koning Herodes. Nu was haar terrein teruggebracht tot dit paleis op een stukje land van minder dan twee vierkante kilometer, omspoeld door de zee, die lang niet altijd lieflijk was. Aan de ene kant het eiland Ponza, waar haar vader periodes van *otium* doorbracht, tijden waarin hij zijn wereldrijk even kon vergeten, aan de andere kant Capri, waar Tiberius, haar laatste echtgenoot, zich had teruggetrokken.

Julia leefde hier vijf jaar, tot het jaar 3 na Christus. Ook haar dochter Agrippina de Oudere belandde hier, verbannen door Tiberius. Waarschijnlijk omdat ze te populair was in Rome. Ze hongerde zichzelf uit totdat ze stierf en werd begraven op Ventotene. Maar haar zoon Caligula haalde persoonlijk haar as op om die bij te zetten in het mausoleum van Augustus en haar naam te rehabiliteren. Ook de zuster van Caligula, Julia Livilla, werd verbannen naar deze plek. En Octavia, de eerste vrouw van Nero, werd hierheen gestuurd nadat hij verliefd was geworden op Poppea. Poppea vond de verbanning niet genoeg en eiste het hoofd van haar rivale. Ze stierf nadat haar aderen waren opengesneden in een warm bad. Vervolgens werd haar hoofd op een zilveren schaal aangeboden aan Poppea. Poppaea, die wél een plek kreeg in het mausoleum van Augustus nadat ze een dodelijke trap in haar buik had gekregen van haar echtgenoot. Nog vele prinsessen zouden volgen en hun leven slijten op deze plek.

We gaan op een muurtje zitten.

Flavio komt hier vaak, altijd alleen en bijna altijd aan het eind van de dag, want dat tijdstip met die sfeer past het beste bij de plek. 'Wat een spektakel moet dit zijn geweest,' zegt hij. *'Che sspettacolo!'* met de volle s van het Napolitaans.

We wandelen en klauteren terug. Ik hoop hier nog eens te komen bij ondergaande zon. Flavio gaat straks verder met zijn metselwerk, ik ga nog even zwemmen.

'Kijk, *asparagina*.' Hij pakt een plant beet met dunne blaadjes. 'Hier komen straks heel veel asperges. Ook wijngaardslakken. Samen met een vriend ga ik die zoeken in april, dan komen we met een wasteil terug. Binnenkort gaan we paddestoelen zoeken.' Hij geeft me een takje wilde rucola. Ik steek het in mijn mond. 'Het smaakt heerlijk.' Hij plukt een hele bos voor me zodat ik die vanavond kan eten in Rome, *Insalata alla Giulia*. 'Een beetje olie,' zegt hij, 'een drupje citroen. Ook met pasta is het lekker.'

Om drie uur vertrekt de boot. De bemanning begroet me hartelijk.

Als ik me over een zilveren loper langzaam verwijder van de Villa Giulia besef ik hoe rijk ik ben dat ik weg kan wanneer en waarheen ik wil.

Nog één keer stak Julia het water over, niet terug naar Rome maar naar Reggio Calabria, waar ze de laatste jaren van haar leven doorbracht. Toen het bericht haar bereikte dat ook haar derde zoon, Agrippa Postumus, een laatste mogelijke troonopvolger, was vermoord, had ze geen hoop meer, niets meer om voor te leven.

Ik loop weer door Formia en stap in de trein. Terug naar Rome.

Van Rosita Steenbeek verscheen eerder
bij De Arbeiderspers:

Siciliaans testament

Een Nederlandse vrouw brengt een laatste bezoek aan haar oude geliefde op Sicilië. Waar ze vroeger midden in la dolce vita belandde, komt ze nu in een duister drama terecht met een verbitterde man, zijn schizofrene zoon en een tirannieke butler.

De fysieke en mentale ontluistering van de oude psychiater en man van de wereld staat in schril contrast met de schoonheid van het eiland en de uitbundige feestelijkheden rond de beschermheilige van de stad, Sant'Agata.

*Haar stijl is zo levendig dat je jezelf vaak op het eiland waant [...] *Siciliaans testament* is mooi geschreven, wekt op een aangename manier emoties op en is op zijn tijd erg komisch.
– *Boek*
*De auteur schildert met passie een portret van een eiland met twee gezichten. – *De Telegraaf*
*Deze roman is licht en breekbaar als de vleugels van een vlinder. – *Leeuwarder Courant*
*Een ode aan Sicilië. – *Algemeen Dagblad*